ボヘミアンの文化史

パリに生きた作家と芸術家たち

小倉孝誠

平凡社

ボヘミアンの文化史❖目次

序文

「ボヘミアン」という言葉

「ボヘミアン」という言葉から、われわれ日本人はどのような人間を想像するだろうか。試しに辞典を参照してみると、たとえば『大辞泉』（第二版、二〇一二）では「社会の規範にとらわれず、自由で放浪的な生活をする人」という定義があたえられている。より現代に近い辞典では、『広辞苑』（第七版、二〇一八）を参照すると、「俗世間の掟に従わず気ままな生活をする人。芸術家などに見られる」と規定されている。人々の意識においても、ボヘミアンという言葉が喚起するイメージは類似したもので、ボヘミアンすなわち気ままな放浪者という連想が働くはずだ。

二つの辞典に共通しているのは、ボヘミアンとは社会に流布している一般的な規範や法の外に身を置き、自由な生活を望む者というイメージである。自由と放浪への情熱、したがって不動性と定住を嫌う態度は、どちらの辞書においても強調されている。日本で言えば、たとえば映画『男はつらいよ』シリーズの主人公、寅さんのようなイメージだろう。他方、両者には違いも見てとれる。『広辞苑』の定義では「俗世間の掟に従わ」ないとあり、そこにはいくらか反社会的な態度が示されていて、かなり否定的な含意をおびているのに対し、『大辞泉』のほうは明確に肯定的とは言えないにしても、より中立的である。そしてもうひとつ大きな相違点は、『広辞苑』においてボヘミアンが芸術家という特定の社会集団に結びつけられていることである。ボヘミアンは社会の規範を無視して憚(はばか)らない、それはとりわけ芸術家にしばしば見られる生き方なのだ。

ボヘミアンあるいはその派生語は、世界のさまざまな国や地域で同じような意味合いで使用されている。じつはこのような理解は、十九世紀フランス、とりわけパリの文化風土で確立したものだ。フランス語では bohème あるいは bohémien で、どちらも中世から存在する語だが、現在のような定義をまとうようになったのは、十九世紀前半のパリでだった。そして、一定の広がりと価値づけをともなって二十世紀初頭まで続く。文化現象としてのボヘミアンはきわめてパリ的、そして十九世紀的ということになる。ロンドン、ウィーン、ベルリン、ニューヨーク、さらには二十世紀の東京にもさまざまなかたちでボヘミアンは存在したが、明確な時代性と豊かな文化性を刻印された現象として発展したのは、ほかならぬパリでだったのである。

オペラ『ラ・ボエーム』

こうしたボヘミアンの表象に強く影響しているのは、おそらくプッチーニのオペラ『ラ・ボエーム』(初演は一八九六年)であろう。ボエームとは、集合名詞としてボヘミアンを指すフランス語である。舞台は一八三〇年代パリの学生街カルチエ・ラタン、若く貧しい詩人、画家、音楽家たちの気ままな暮らしと友情、彼らと奔放な娘たちの恋愛模様が物語の主筋をなす。中心になるのは詩人ロドルフォとお針子（グリゼット）ミミの悲恋で、病を患い、街で行き倒れになって施療院に収容されていたミミが恋人ロドルフォのもとに戻り、彼の腕のなかで息絶える場面でオペラの幕が下りる。

プッチーニのオペラが表現した芸術、自由、連帯、悲恋をおもな要素とするボヘミアン神話が現代でも消滅していないことは、アメリカのミュージカル映画『レント』（二〇〇五）にも明らかである。一九八九年から翌年にかけて、ニューヨーク、マンハッタン地区を舞台とするこの映画では、売れない貧しい映画作家、作曲家、ストリート・ドラマー、歌手、踊り子などが登場する。芸術への愛、貧困、家主との揉め事、波乱含みの恋愛沙汰、病と死などは、両作品に共通する。作曲家ロジャーと踊り子ミミ（！）が、夜の暗がりのなかでロウソクの光を頼りに遭遇する場面や、病に冒され、未来を思い描けず、今この時を生きるしかないミミの人物造型などは、オペラから継承した要素である。登場人物たちがレストランで「ボヘミアン生活 la vie de bohème」と歌うシーンは、『ラ・ボエーム』への敬意に満ちた、明瞭な応答である。

図1　プッチーニのオペラ『ラ・ボエーム』初演時の宣伝ポスター。

二十世紀末のニューヨークが舞台だから、もちろんさまざまな変更が加えられているし、同時代的な社会問題への目配りにも事欠かない。十九世紀のパリで可憐なヒロインは結核で死ぬが、『レント』の登場人物を蝕むのはエイズであり、エイズ撲滅運動やエイズ患者の権利を守る活動が描かれる。パリの若い男たちが口にしたのは酒だが、ニューヨークのボヘミアンたちは麻薬に手を出す。男女を問わず同性愛の多様な顚末が語られているのも、『レント』に固有の要素である。そしてラストシーン、『ラ・ボエーム』のミミは哀れに死んでいくが、『レント』のミミはロジャーの部屋に運びこまれると、瀕死の状態から立ち直って生きる力を回復する。このような差異はあるものの、アメリカ映画は一世紀の時を経て、ニューヨーク版ボヘミアンの集団的肖像を描いてみせたのだった。

ところで、プッチーニのオペラの筋立てはある文学作品に着想したものだった。フランスの作家アンリ・ミュルジェールの小説『ボヘミアン生活の情景』(一八五一)である。この作品には貧しい画家、音楽家、作家、お針子などが登場し、自由、放浪、世間的規範からの解放を既定方針として共有しながら、人生を歩んでいく。ミュルジェールの小説は、現在フランスでもあまり読まれないが、他方『ラ・ボエーム』はプッチーニの代表作であるばかりでなく、オペラのスタンダードナンバーのひとつとして、今も世界中の劇場で上演され続けている。

歴史的な観点に立てば、芸術家とボヘミアン的な生活様式のつながりには理由がある。いったいボヘミアンとは何者なのか。彼らはどのようにして誕生し、何を望み、何を夢想したのか。

ボヘミアン前史

語源を遡れば、ボヘミアンとは本来ボヘミア地方、つまり現在のチェコの一地方の住民、あるいはは出身者を指していた。つまり、本来は地理的な属性を示す語にすぎなかったのだが、やがてそれが、定住地をもたない流浪の民、定まった職業に就かない、あるいはせいぜい熟練を要さない手仕事だけに従事する人々の集団を指すようになっていく。時には物乞いとなり、犯罪的な行為にも手を染めてしまう。そうなればもともとの出身地は問題でなくなり、ボヘミアンはジプシー（フランス語で tsigane）と区別がつかなくなる。実際冒頭で引いた二つの辞典には、ボヘミアンにジプシーの意味があると記されている。

現代では、このジプシーという語は一種の差別語とされ、公式の場では学術用語として使用されない。もとはインドから渡来した民族集団とされ、彼ら自身は「ロマ」と称する。現在、アジアとアフリカをのぞく世界各地に分散して住み、その数はおよそ一〇〇〇万人に上る。とりわけバルカン半島とその周辺、フランス、スペイン、アメリカ合衆国に多いという。[*1] とはいえ十九世紀末以降、ロマの大部分は定住化を選択し、ロマすなわち流浪の民という連想は現実を反映していない。

ジプシーと言えば、フランス語にはジタン gitan という語もあり、これはおもにスペインのジプシーを指す。もともとはエジプトを意味するラテン語に由来するが、それというのも、ジプシーはエジプト起源だと長く信じられていたからである。女性たちはしばしば占い師として活動していた。ロマの集団や家族を描いた近代絵画において、占い師の女性がしばしば登場するのは偶然ではない。ジプシーと占い稼業の結びつきは十九世紀まで続き、たとえばスペインを舞台とするプロスペル・メリメの小説『カルメン』（一八四五）や、それを原作とするビゼーのオペラ『カルメン』（初演は一八七五年）のなかで、女主人公カルメンが仲間と共にカード占いに興じる場面がある。

そうした歴史が数世紀続いた後、十九世紀フランスでボヘミアンの表象をめぐる大きな変化が起こった。旧来の意味も温存され、bohémienという言葉がそれに対応するが、他方で出身地、民族的な帰属、文化的な背景とは無関係に、自由奔放で、世間の規範に囚われずに、気ままな放浪生活を送る人々の集団、とりわけパリの芸術家集団を指し示す傾向が強まっていく。そしてこれらの人々にボエームbohèmeというフランス語の呼称が冠せられるようになった。本書で問題にするのは、後者の意味でのボヘミアンである。

十九世紀に、ボヘミアンという言葉が市民権を認められ、ジャーナリズム、文学、絵画、音楽などの領域で、ボヘミアンをめぐって多様な表象が紡ぎだされる。七月王政期(一八三〇—四八)に、職業ごと、階級ごと、地域ごとに人々の習俗と心性を叙述する「生理学」という、現代のルポルタージュに近いジャンルが流行するが、このジャンルではボヘミアンが格好の話題だった。バルザック、フロベール、ゾラ、ジュール・ヴァレスらの作品にはボヘミアン的な人物が登場し、ボードレールやランボーの詩にはボヘミアンを謳ったものがある。ネルヴァル、ゴーチエ、ヴェルレーヌらの作家はみずからパリでボヘミアン生活を送り、晩年には郷愁をこめてそれを回想している。

コロー、クールベ、マネはロマの習俗を描き、ドーミエとガヴァルニは、売れないボヘミアン芸術家の姿を皮肉たっぷりに版画に刻みこんだ。売れるようになるまで、画家たち自身がパリの屋根裏部屋で貧しいボヘミアン生活を強いられるという現象は、二十世紀のピカソやモディリアーニの世代まで続く。

本書の構成

本書ではおもに近代フランスにそくして、ボヘミアン集団の美学、思想、習俗を時代の流れにそって歴史的に跡づける。それをつうじて、ともすれば紋切り型の神話に彩られてきた、あるいはしばしば通俗的な臆断によって語られてきたボヘミアン文化の実態を明らかにしてみたい。参照したのは文学作品とりわけ小説、当事者たちが書き残した回想録、書簡、さらにはボヘミアンを論じたジャーナリスティックな記事、前衛集団が発行した定期刊行物などである。

第一章では、十八世紀の状況を一瞥した後、一八三〇年代のパリで、ボヘミアンが文化現象としての輪郭を鮮明にしていく過程をたどる。革命とナポレオン帝政を経て近代化の道を歩み始めたパリは、社会的、経済的、文化的に根本的な変動に直面する。そのような状況のなかで、脆弱と不安定にさらされるボヘミアン生活をつうじて、若き作家や芸術家が自己を形成していった。ゴーチエやアルセーヌ・ウーセの回想録、バルザックの小説、「生理学」ジャンルの記述をとおして、ボヘミアン現象の淵源を探る。

第二章では、パリ・ボヘミアンの祖型を創りあげることに決定的な貢献をしたアンリ・ミュルジェールの作品を詳細に分析して、ロマン主義的ボヘミアン像がどのような要素から成り立っているかを確認する。ボヘミアン生活をテーマにした彼の作品は小説と戯曲の二つがあり、その違いについても問いかけてみたい。

他方、ミュルジェールが提示したボヘミアン像に、それが牧歌的に過ぎると反論したのが、みずからもボヘミアン生活を経験したシャンフルーリとナダールである。ボヘミアン性は芸術や習俗との関わりで規定されるだけでなく、社会運動や政治への参加も含んでいた。マルクスやフロベールの著作も考慮に入れて、多様な社会思想が繚乱たる光景を呈した一八四八年の二月革命前後に、ボヘミアン集団が政治化し、結社化したさまを第三章で示す。

第二帝政期（一八五二―七〇）に入ると、作家によるボヘミアンの表象は大きく二つの方向に分極化していく。第四章で扱うゴンクール兄弟や青年期のゾラは、画家や作家を主人公とする小説のなかにボヘミアン的人物を登場させるが、そこでのボヘミアン性は無力さ、理想の欠落、芸術からの逃避を意味する記号にほかならない。また同時期のゾラの美術批評においては、マネをはじめ、後に印象派と呼ばれることになる画家たちの創作様式が、ロマン主義的なボヘミアン性とは異なる圏域に位置づけられている。

それに対して、第五章で中心となるジュール・ヴァレス、一八六〇年代からジャーナリスト・作家としてパリで活動を開始したヴァレスにとって、ボヘミアンとは帝政の強権的制度に異議を突きつける「反抗者」の象徴だった。ヴァレスは社会主義運動に共鳴し、一八七一年の革命的な自治政府パリ・コミューンにおいて際立った役割を果たした。彼の文学的、政治的な軌跡をつうじて、ボヘミアン性のイデオロギーとそれへの反論を読み解く。

第六章以降は第三共和政（一八七〇―一九四〇）の時代が対象になる。一八七〇年代から八〇年代にかけて、パリ左岸のカルチエ・ラタンと右岸モンマルトルでは、フュミスム美学、エミール・グドー率いるイドロパット派、ロドルフ・サリスが運営した芸術キャバレー「シャ・ノワール」に集った人々が中心になり、朗読会などをつうじてブルジョワ大衆にも開かれた可視性の高い芸術運動をめざした。それによってボヘミアン文化に新たな次元を付与した経緯を第六章で論じる。

同じ頃、文学グループを結成することなく、あくまで個人として文学の新たな方向を開拓した二人の作家がいた。ポール・ヴェルレーヌはその放縦で、放浪的な私生活が古風なボヘミアン性をまとっているものの、詩的創造において大きな革新を成し遂げたという点で、芸術とボヘミアン性の幸福な結合を例証する。他方モーリス・バレスは『自我崇拝』三部作において、青年の知的な漂泊と成長の物語をつうじて精神的ボヘミアンの新たな姿を示し、ボヘミアン性とダンディスムが結びつきうることを示した。第七章ではこの二人の作家を論じる。

二十世紀初頭のベル・エポックと呼ばれた時代、パリ・ボヘミアン文化の中心は北部モンマルトルの丘から、南部モンパルナスにしだいに移っていく。このベル・エポックから第一次世界大戦を経て、一九二〇年代の「狂乱の歳月」と命名された時期までを論じるのが第八章である。詩人、画家、音楽家など多様な芸術ジャンルの実践者たちのあいだに、かつてない緊密な知的、感情的共同体が成立した時代と言えよう。レオン・ドーデ、ロラン・ドルジュレス、フランシス・カルコなど日本ではあまり知られていない作家たちの興味深い回想録にもとづいて、貧しいボヘミアン生活を共有しながら、前衛集団として活動したピカソ、ユトリロ、モディリアーニ、アポリネール、カルコらの集団的肖像を素描し、一九二〇年代のダダとシュルレアリスムの運動に簡単に触れる。最後に、コレットとヴィクトル・マルグリットの小説にもとづいて、二十世紀初頭に女性がボヘミアン文化のなかに立ち現れるさまを確認し、女性のボヘミアン性の特徴を考察する。

第九章では、フランスの芸術と文学に憧れた、あるいは逆に批判的なまなざしを向けた外国人の旅行記と滞在記を読み解くことで、パリのボヘミアン文化が他の西洋諸国やアジアの人々に向けても強い存在感を放っていたことを示す。アメリカ人マーク・トウェイン、アイルランド人ジョージ・ムア、ハンガリー人マックス・ノルダウはそれぞれ、一八六〇年代から七〇年代のパリを訪れ、ボヘミアン文化に触れると同時に、それを相対化しようとした。日本の岩村透、永井荷風、藤田嗣治はパリに滞在した時期は異なるが、パリが文化的に特権的な位置を占め、ボヘミアン性がその一部であることを認める点では一致していた。そのようなパリへの評価は、一九二〇年代をそこで過ごしたヘミングウェイに代表されるアメリカの「失われた世代」にも継承されていった。

　エピローグでは、フランス以外の国でどのようなボヘミアン文化が展開したかを、ごく簡潔に記述する。一九〇〇年前後のドイツ、一九五〇年代アメリカの「ビート・ジェネレーション」の文学、そして一九三〇年代から束の間の光芒を放った「池袋モンパルナス」というユートピア的な芸術共同体が問題になるだろう。

　本書全体をつうじて、パリで誕生し、発展し、ほぼ一世紀にわたって文学と芸術の領域で大きな意義を有したボヘミアン精神の推移をたどることにしよう。そしてそれにまつわるさまざまな神話を読み解き、時にはそれを払拭（ふっしょく）することをめざしたい。

第一章　パリ・ボヘミアンの誕生

十八世紀の状況

ボヘミアンは十九世紀パリで誕生したと序文で述べたが、もちろんこの時代になって急に出現したわけではない。その前史と呼べるものが革命以前のアンシャン・レジーム期にも存在した。

フランスでは十八世紀まで、今日でも有名な文学者や画家の多くは、恵まれたエリート集団に属していた。地位と名声を確立すると、宮廷によって身分が保障され、パトロンとなる貴族の庇護を受けた。アカデミー入りを果たせば、国家から年金を支給されて生活の安定を得ることもできた。上流階級の社交空間である貴族のサロンが、そうした彼らに重要な言説空間を提供していた。画家は自分の絵を画商や個人に売ってお金を手にしていたのではないし、哲学者を含めた文学者たちは印税で暮らしていたわけではない。そもそも印税や著作権という概念がまだ明確化されておらず、当時は書籍商と呼ばれる人たちが「特権認可状」を得て、著作物の出版と流通市場を支配していた。

作家を夢みる者が増えていたのに、彼らの活動を支えるだけの市場が成立していなかったのである。民主的で開かれた出版市場は、十九世紀をまってはじめて成立する。十八世紀後半のパリ社会の慧眼な観察者だったメルシエ（一七四〇―一八一四）によれば、当時のパリで、ペンによる稼ぎで暮らせる「職業作家」は三十人ほどしかいなかったという。文字どおりほんの一握りであり、多くの文筆家は不安定で脆弱な暮らし、貧困すれすれの暮らしを強いられていた。メルシエは『タブロー・ド・パリ（パリ情景）』のなかで、文学を志す地方出身の青年について次のように記している。

青年は奈落へと落ち、彼の気高い忍耐心を挫いてしまうような打ち破れない城門の下で泣くい文学の扉を前にして、虚しく身を震わせるしかない。[*1]〔中略〕。心から憧れていた栄光を諦めることを余儀なくされて嘆息し、けっして開くことのな

十八世紀の文学世界においては、われわれにも馴染み深いルソー、ヴォルテール、ディドロ、ダランベール、ボーマルシェのような現代まで名を残す大作家たちのほかに、上流階級の富のおこぼれでようやく糊口を凌ぐ、あるいはそれさえできずに貧困の淵に沈んでいく多くの物書きたちがうごめいていた。革命前の二、三十年は、両者の溝はとりわけ深く、後者のカテゴリーに分類される物書きたちは文学界の底辺をなしていた。書籍や定期刊行物にたいして厳しい事前検閲が課されていたこの時代、正式の流通ルートに乗らない地下出版物がひそかに、そしてかなり大量に出回っていたが、彼らがおもに活躍したのがこの領域である。アメリカの文化史家ロバート・ダーントンは『革命前夜の地下出版』（一九八二）など一連の著作において、彼が「どん底暮らしの文士たち」、「文学のボヘミアン」と名づける者たちの意義を強調する。彼らは経済的には貧窮を味わい、文化的には異端者であり、社会的にはほとんど賤民扱いされた。その大部分は文学史に名を残していないが、ダーントンによれば、著名な啓蒙主義哲学者に劣らずフランス革命の知的基盤を形成していたのである。彼らは政治文書、誹謗文書、檄文などによって、革命へと至る知的な沸騰に貢献した。

革命の知的起源と、革命の政策の性格は、われわれが『百科全書』のレベルから降り立って、ブリソーのような連中が、新聞やパンフレット、ポスターや檄文、歌や噂、そして誹謗文書な

どを生み出していた、かのどん底の世界に立ち戻ることによって、よりよく理解することができるのではないだろうか。なぜなら、これらの三流文学は、個人的あらそいや分派間の抗争を、フランスの運命をめぐるイデオロギーの戦いへと変容させるものだからである。[*2]

ここで「どん底の世界」と訳されているのはGrub Streetという語である。かつてロンドンにあった貧しい作家たちが暮らしていた通りを指し、「グラブ街」と言えば比喩的に三文文士を意味する。ダーントンの著作はフランス語に訳されていて、仏語タイトルをそのまま日本語に移せば「文学のボヘミアンと革命」となる。原書の「グラブ街」が、フランス語訳では「文学のボヘミアン la bohème littéraire」になっているのだが、適切な訳語だし、著者自身が同意したものだろう。十八世紀に、現代的な意味でボヘミアンという言葉が使用されていたわけではないが、革命以前のパリにも、社会制度から脱落し、困窮と屈辱を味わった文士たちが文化現象として存在したのである。メルシエの観察記やダーントンの研究を読むかぎり、この時代すでに、後のボヘミアン集団の萌芽があったことが分かる。

一八三〇年代の変化

革命とその後のナポレオン帝政は、フランス社会のあり方を根底から変える。自由、平等、友愛の原理を謳い、貴族と聖職者のさまざまな特権を廃止して民主主義への道を拓いた革命をうけて、ナポレオンは政治、経済、教育、文化の領域で新たな施策を打ちだしていった。とりわけ教育制度の改革に配慮し、身分や家柄に関係なく能力のある者を抜擢したのは彼の功績である。アンシャン・レジーム下のように厳格な身分制度が支配している時代であれば、ひとの人生の大枠は出自によって決定されてしまう。個人の才能や努力が報われない社会においては、人間は努力しようという気が起こらないだろう。社会の民主化はこうして、個人主義の地平を広げることにつながった。ナポレオンが没落してブルボン王朝が再び王座にのぼった王政復古期（一八一五―三〇）に退潮は見られたものの、この趨勢（すうせい）はその後も続くことになる。それを推進したのがブルジョワジー、とりわけ若者世代である。

首都パリはこのような条件が揃って文化的な中心となり、地方の多くの若者を惹きつけた。スタンダールの『赤と黒』（一八三〇）や、バルザックの『ゴリオ爺さん』（一八三五）があざやかに語ってみせたように、地方都市で生まれ育った青年がパリにやって来て、野心に燃えながら社会に挑戦していくさまが、この時代の文学を特徴づけるのはけっして偶然ではない。

十八世紀中葉から、全人口に占める若者の割合が増える。数的に増えたというだけでなく、社会や政治の領域でみずからの主張を前面に押しだすようになる。フランス革命を推進したダントン、ロベスピエールは三十代前半で、サン＝ジュストにいたっては二十代半ばで指導的な地位に就き、そして断頭台の露と消えていった。ナポレオンは革命勃発時に弱冠二十歳であり、三十五歳にして皇帝の位にのぼりつめた。社会変動と歴史の動きを担い、それに影響する集団として、若者層はもはや無視しえなくなったのだが、このようにして広がった若者たちの期待と展望を一八三〇年前後のフランスはかならずしも満たすものではなかった。七月革命によってブルジョワジーは政治と経済の実権を掌握するが、若者世代からすれば、その恩恵は一部の人々だけが享受するもので、自分たちはそこから排除されているという意識が強く、したがって社会の閉塞感が大きかったのである。これはドイツ、イタリア、イギリスなど他の西欧諸国でも多少とも見られた現象だが、中央集権化が強まったフランスの首都パリではとりわけ顕著だった。ボヘミアンの多くはパリに住む青年たちであり、ボヘミアン文化は若さと、それが紡ぎだすイメージ抜きで語ることができない。

経済システムもまた重要な役割を果たした。十九世紀は産業構造が新たな段階に入った時代である。イギリスに遅れはしたものの、フランスでも一八三〇年代から産業革命が本格化した。産業革命を象徴するのはエネルギー源としての蒸気機関と、それを応用した鉄道である。フランス最初の鉄道は、中部の都市リヨンとサン＝テチエンヌのあいだに一八三二年に走り、首都パリでは、郊外のサン＝ジェルマン、ヴェルサイユを結ぶ路線がそれぞれ一八三七年、一八三九年に開通する。そして第二帝政期（一八五二―七〇）に、主要な幹線網がフランス全土に張りめぐらされた。

鉄道は何をもたらしたのだろうか。まず、モノの流通速度が飛躍的に高まり、市場が拡大する。それまで陸上交通のおもな手段だった馬車に較べれば、蒸気機関車は大量のモノとひとを迅速かつ安全に輸送できる画期的な交通手段だった。現代のわれわれには想像するのが難しいが、その影響はまさに衝撃的だったのである。十九世紀の資本主義は鉄道なしには考えられず、ここでもまたブルジョワジーが活躍することになる。それ以上に本質的なのは、鉄道が人々の時間と空間に関する認識を刷新したことだろう。*3 移動の加速化は、人々の活動の範囲を広げ、それまで遠いと感じられていた場所をより身近なものにする。産業革命は都市部で始まり、それが雇用を生みだすから、地方や農村部から多くの人々、とりわけ若者たちが都市をめざす。

民主化と経済発展は、文化の領域に波及する。七月王政期に首相まで務めたギゾーによる一八三〇年代の教育改革が奏効して、この時代に識字率が上がり（十九世紀半ばでほぼ五〇パーセント）、書物や新聞の読者が増える。他方では、技術の進歩により印刷物の制作が速くなり、短期間で大量の書物や定期刊行物が印刷されるようになった。十九世紀前半において、とりわけ新聞・雑誌の役割は大きく、バルザック、デュマ、ジョルジュ・サンド、ウジェーヌ・シューなど当時を代表する作家たちは、みずからの小説をまず新聞・雑誌に連載したのであり、それが彼らの生活を支えていたのである。当時を代表する批評家サント゠ブーヴは、一八三六年に『プレス』紙によって創始された連載小説の隆盛を念頭に置きながら、その三年後『両世界評論』誌に「産業的文学について」と題する論考を寄せ、新聞が文学の商業化をうながし、連載小説が文学の質を低下させていると苦言を呈した。

> 歯に衣着せずに言うならば、文学に関するかぎり、日刊新聞の現状は惨憺たるものである。いかなる倫理的観念ももち込まれていないせいで、一連の物質的状況がしだいに思想を変質させ、その表現を歪めてしまった。[*4]

サント゠ブーヴの苦言も時代の趨勢を変えるには至らなかった。文学、とりわけ小説ジャンルとジャーナリズムは密接に結びつくようになり、それが作家の自由を保障すると同時に、その立場の不安定さをもたらすことにもつながる。ボヘミアンを構成する重要な集団は若く貧しい作家たちだが、それは彼らが近代的な出版のメカニズムにさらされるようになったからである。自由や成功は、挫折や放浪と表裏一体の関係にあったことを忘れてはならない。

先に述べたように、十八世紀までの作家は国家が支給する年金や、パトロンとなる裕福な貴族の庇護によって生活していたが、もはやそのような時代ではない。革命とその後の民主化、産業革命と都市の発展、教育の普及と識字率の上昇、読者大衆の成立、新聞と書物が大量かつ迅速に流通したこと——こうした変化によって、作家たちはより自立的で、自由な風土のなかで創作できるようになった。フランスでは一八三〇年頃に成人した世代、つまりバルザック、ユゴー、デュマの世代こそが、みずからのペンだけで生活できるようになった最初の世代と言われるのは、そのためである。そして文学史ではしばしば「一八三〇年の世代」が話題になる。出版資本主義の市場原理に組み込まれた職業としての作家がフランスで成立したのは、およそ二〇〇年前なのだ。

民主化と産業革命が進展した十九世紀前半のフランス社会にも、負の側面があった。一般に華やかなイメージに彩られる近代のパリだが、どのような時代にも、そしてどのような社会にも影の部分は存在するもので、法や秩序を無視したり、巧妙に掻い潜ったりする人々の世界はその一例である。ボヘミアンがただちに犯罪性とつながるわけではないが、社会の規範の外部で、あるいはそれに抗って生きる彼らを、世間が犯罪者と同一視する傾向があったのは否定できない。パリの急激な都市化と人口増加（一八〇〇年にはおよそ五十万人、一八五〇年頃には百万人を超える）は、場末に住む大量の貧しい労働者階級を生みだすことになる。一八三二年の『デバ』紙の記事が示すように、都市の底辺にうごめく彼らをブルジョワたちは「野蛮人」の姿に重ねあわせ、警戒心を抱いた。

社会を脅かす野蛮人たちは、コーカサス山脈やタタール地方の平原にいるのではない。彼らは、われわれの工業都市の場末に住んでいるのだ。

「野蛮人 les barbares」という比喩は、古代ローマ帝国に侵入して解体させた蛮族＝野蛮人を含意したもので、パリの底辺に棲息する貧しい人々を、文明を脅かす蛮族と同一視しているわけだ。一八三二年はパリでコレラが発生して、労働者地区を中心に二万人近い犠牲者を出し、ほぼ同時に共和派の反乱が勃発し、鎮圧された年である（ユゴーの『レ・ミゼラブル』で語られる有名な挿話を想起してほしい）。民衆の蜂起は不正を正すための社会闘争ではなく、文明にたいする野蛮の挑戦とされ、働く階級は危険な階級と見なされたのだった。*5

文学の領域では、ウジェーヌ・シュー作『パリの秘密』（一八四二―四三）がこのような社会観を背景にしている。パリの犯罪者（徒刑囚、殺人者、詐欺師、泥棒など）たちの生態を描き、変装して底辺社会に潜入する一人の貴公子の活躍を語って空前の人気を博したこの新聞小説の冒頭で、作家は次のように言明する。

われわれが語ろうとする野蛮人は、われわれのあいだで暮らしている。彼らが住み、集まっては殺人や盗みをたくらみ、犠牲者たちから奪ったものを分配しあう悪の巣窟にひとたび足を踏み入れれば、われわれは彼らと擦れちがうことができる。
この男たちは彼らに固有の風習と女をもち、彼らに特有の言葉を話す。それは不吉なイメージと血のしたたるような隠喩に満ちた、謎めいた言葉である。*6

シューだけではない。彼の同時代人であるバルザックもまた、現代の習俗と社会を正確に描くためには闇の世界を無視できないと考えていた。彼は、ヴォートランという元徒刑囚で、今はみずからの素性を秘めながら、パリの犯罪者たちのあいだで隠然たる影響力を発揮する謎めいた人物を創造した。このヴォートランは、『ゴリオ爺さん』では主人公の青年ラスティニャックに怪しい契約をもちかけ、『娼婦盛衰記』(一八四七)では治安警察と抗争を繰りひろげる。

社会の底辺で生きる者たちがすべて犯罪者ではないにしても、当時の社会表象として両者は強く結びついていた。パリの下層社会は文学者の一部とも接点を有する。ボヘミアンの作家や芸術家は犯罪世界から距離を置くにしても、社会の規範には異議を突きつけた。十八世紀には、ボヘミアンの先駆とも言える「どん底の作家たち」が活躍し、革命思想の伝播に少なからず関与したことをあらためて想起しよう。ボヘミアンと違法性の距離がかなり小さかったことを、一八四三年に上演されて成功を博したひとつの戯曲が証言している。アドルフ・デヌリーとウジェーヌ・グランジェの共作『パリのボヘミアンたち』の第一幕第七場に、次のような台詞が読まれる。

私が言うボヘミアンとは、人生そのものがひとつの問題で、その状況が謎で、その財産が不可解な人たちのことです。彼らには定まった住居も、公認の住処もありません。どこにもいないはずなのに、いたるところで姿を目にします。職業は何ひとつもたないのに、五十もの仕事をしているのです。彼らの大多数は朝起きたとき、その日の夜どこで食事するのかさえ知りません。今日は裕福でも、明日になれば飢えています。できれば真っ当に暮らそうと思っているのですが、それができなければ別の暮らしをするしかありません。[*7]

現代なら「ホームレス」という呼称が当てはまるような人々で、ここではボヘミアンとロマの境界線が曖昧になっている。一定の住居や職業をもたず、都市の至るところに出現して人々を不安に陥れる人々、それが新たな集団たるパリのボヘミアンの相貌にほかならない。社会の底辺は、十九世紀の作家にとって心惹かれる空間であり、シュー、ネルヴァル、シャンフルーリ、ジュール・ヴァレスらが夜のパリを彷徨して怪しげな界隈に足を運び、底辺の人々と接触をもった。近代社会の底辺とボヘミアン群像は、どちらも一八三〇－四〇年代にくっきりした輪郭をまとうようになったのだ。[*8]

若者たちの増加、その社会進出と疎外、文学市場の自由化、底辺社会の出現――こうした状況がボヘミアン誕生の歴史的な条件である。民主化と自由と個人主義は若者、とりわけ男たちを首都に引き寄せ、パリは彼らの野心と欲望を燃えたたせる坩堝と化していく。しかし作家であれ、あるいは画家や音楽家であれ、その道で成功するのは一部の者たちにすぎない。しかもその成功のためには、本人の才能や努力だけでなく、しばしば偶然や幸運な巡り合わせが必要だろう。努力が実を結ぶとはかぎらないし、芽が出ないうちはつつましい生活を強いられる。こうして十九世紀のパリに、多くの場合みずからはブルジョワ階層の出身であり、ブルジョワ社会のなかで暮らしながら、同時にその規範と原理に抗う者たち、創造性の名において自由を求め、放浪を厭わない者たちが出現し、ボヘミアンの世界が形づくられることになった。

芸術の理想のために──ドワイエネ通りの夢想家たち

以上、ボヘミアン誕生の歴史的背景を概観してみた。次に、彼らがどのような思想と生活様式をもっていたのか、個別の事例にそくして具体的に調べてみよう。

フランスでボヘミアン bohème という言葉が明確に市民権を得るのは、一八四〇年代以降のことだが、これに相当する文化現象はそれ以前から存在していた。とりわけ一八三〇年前後に一世を風靡したロマン主義の勃興とその余波が、ボヘミアン現象の前兆として位置づけられるだろう。文学運動がしばしばそうであるように、ロマン主義もまたいくつかのグループを中心にして活動を展開した。一八二〇年代末には、若き領袖ユゴー（一八〇二─八五）と彼の周辺に集った文学者仲間が「大セナークル」（セナークルとは小集団の意味）を形成し、新たなテーマと詩形式を創造しようとした。一八三〇年に上演されたユゴーの戯曲『エルナニ』は、保守的な観客層からは批判されたが、ロマン主義の革新性を決定的に印象づける出来事として歴史に刻まれている。

一八三〇年は七月革命が起きた年でもある。それはブルジョワジーの政治的勝利を決定づけた出来事ではあるが、他方で共和派、民主派、そして若き芸術家たちにとっては蹉跌の瞬間だった。革命後に成立したルイ＝フィリップのブルジョワ王政が、新たな時代の精神や理想を実現してくれるようには思えなかったし、個人の内面性、情念の高揚、芸術への敬意といったロマン主義的な価値観と相容れるものではなかったからである。芸術と詩は、若い世代にとって至高の価値であり、それに無関心な七月王政期のブルジョワジーにたいして彼らは失望を覚えるしかなかった。芸術家や作家がボヘミアンを名乗るかどうかに関係なく、「芸術」と「詩」は彼らが共有する理想であり、守るべき価値だった。文学史家ポール・ベニシューの言葉を借りるならば、[*9] 詩人は「世俗の精神的権力」を体現し、新たな時代の「預言者」たるべき存在としてみずからを定位しようとした。たとえ文壇での成功に縁遠くても（駆け出し作家の宿命である）、彼らは文学の理想を追求することをやめず、その理想への忠誠を示すことで連帯を育んだ。ボヘミアン集団とは、都市のなかで形成された一種のユートピア共同体にほかならない。

では実際のところ、ボヘミアン芸術家たちはどのような生活を送ったのだろうか。

一八三〇年代の初頭における彼らの習俗と心性をよく伝えてくれるのが、作家テオフィル・ゴーチエ（一八一一―七二）、ジェラール・ド・ネルヴァル（一八〇八―五五）、ペトリュス・ボレル（一八〇九―五九）を中心とするボヘミアン集団である。彼らはまず「プチ・セナークル」あるいは「若きフランスたち」と呼ばれるグループを形成して、共和主義への支持を表明した。その風体と行動には、人々の眉を顰（ひそ）めさせるところがあったようだ。短編集『若きフランスたち』（一八三三）の長い序文で、ゴーチエは次のように描写している。

仲間たちによって、わたしは完璧な若きフランスの一人にさせられた。わたしの偽名は長く、口ひげはきわめて短い。髪にはラファエロ風の分け目がはいっている。仕立て屋が、途方もないチョッキを作ってくれた。唾を呑みこまずに、長いあいだ芸術の話ができるし、わたしに言わせれば、カラーのついたシャツを着ている者は皆ブルジョワだ。葉巻を吸っても、咳こんだり涙を流したりすることなど、もはやない。[*10]

この「若きフランスたち」に取って代わるように、一八三四年には、そこに画家、彫刻家、音楽家なども加わって新たな集団が形成される。彼らは、ルーヴル宮の近くにあったドワイエネ通りに住む画家カミーユ・ロジエの部屋にしばしば集まって、芸術を語りあった。みずからもその一員だったアルセーヌ・ウーセ(一八一五―九六)が、晩年に刊行した回想録『告白、半世紀の思い出一八三〇―一八八〇年』(一八八五―九一)のなかで、当時の様子を語っている。地方から若くして首都に出てきたウーセは批評家、ジャーナリスト、編集者、さらには劇場支配人として活躍し、幅広い人脈をつうじて文壇に強い影響力をもった人物である。ボードレールが散文詩集『パリの憂鬱』(一八六九、死後出版)を捧げた相手としても知られている。彼の回想録のなかに、「ロマン主義時代のボヘミアン」と題された章が収められており、当時のパリで暮らした若い芸術家集団の心性と行動形態をよく伝えてくれる。

ドワイエネ通りに集まった、出自も、資質も、作風も異なる若きボヘミアン芸術家たちに共通していたのは、清貧に甘んじ、安易に商業的な成功を求めず、芸術の理想を追求するという態度だっ

図2　ドワイエネ通りの集まり。アルセーヌ・ウーセ『告白』初版の挿絵。

た。「その部屋は伝説になった。最初の文学的ボヘミアンたちが集う場だったからである」[*11]と、ウーセは誇らしげに述べる。ロジエだけは本の挿絵や水彩画を描いてそれなりの収入があったものの、誰も金のために創作しようとはしなかったという。そんなことをすれば芸術的な売春と見なされ、集団から放逐されたことだろう。陽気で、真率な友情で結ばれたこれらの作家と芸術家たちは貧しさを甘受しつつ、芸術と美のために生きたのだった。

本当のところ、われわれは勤勉で、忍耐強く、決然としていた。文学面では、もっぱら気の向くままに書くという貴重な美徳に恵まれていた。貧しかったが、われわれの誰一人として、金のための仕事に時間を費やしたり、手を汚したりしようとは思わなかっただろう。才知ある人間なら、いつでも金を得るために何か書く材料を見つけられる。だがそれで強制労働のような執筆に縛りつけられたら、もうおしまいだ。新聞に寄稿して小銭を稼ぐためなら、ミシンを発明したように、書くための機械を発明すればいいのだ。

当時の文学生活は、自己犠牲と貧困を強いられる生活だった。大新聞はまだ小説を載せていなかった。古臭い批評がいまだに幅を利かせていたのである。*12

破天荒なことをしたり、人々の眉を顰めさせるような愚行もしでかしたりしたが、彼らに共通していたのは、文学や芸術に革新をもたらしたいという野心だった。そのためにはときに戦闘的に、あるいは挑発的になることも厭わなかった。ウーセが自分たちの試みを「ロマン主義の反抗」と名づけ、ボヘミアン集団を戦場の「部隊」に譬えるのはそのためである。そして深い友情の絆で結ばれていたとはいえ、創作に関するかぎり馴れあいの仲間意識は排除されていた。ウーセは次のように続ける。

われわれの小部隊の特徴は、自己犠牲と献身だった。テオフィル・ゴーチエ自身、当時は大きな名声を獲得しようとは考えていなかった。ヴィクトル・ユゴーに詩人として認められれば、それで幸せだったのである。他の者たちにしても、文学の共和国で、あるいは詩の王国で中心人物になろうと望んではいなかった。

ロマン主義のボヘミアンにおいて、仲間はいたが、偏狭な仲間意識はなかった。剣をしっかりもてるよう武器の訓練をするように、お互いけなし合った。褒め合うより、そのほうがためになるやり方だった。[13]

文学において妥協を許さない姿勢、仲間同士で率直な批判を交わすという態度は、日常生活や社会生活においても慣習や秩序を疑うという振舞いにつうじる。ここでは芸術と生活、詩と日常は不可分であり、どちらの領域でも戦闘的な心性が強調されることになる。

われわれのボヘミアン集団においてもっとも特徴的だったのは、あらゆる先入観、ほとんどあらゆる法にたいする公然たる反抗だった。まるで要塞に閉じこもるように、その集団のなかに避難したわれわれは、そこから戦闘を仕掛け、あらゆるものを嘲笑したものだった。[14]

功なり名を遂げ、老境に至って回想録の筆を執った作家が、みずからの青春時代を懐かしんでいくらか理想的な色合いに染めあげている、という側面は否定できないかもしれない。過去の回想にはつねに、自己賛美の誘惑がつきまとう。一八三四年の時点で、ボヘミアン bohème という語がドワイエネ通りの若い作家たちのあいだで使用されていたわけではないから、ボヘミアン神話が変質した一八八〇年代に書かれたウーセの著作は、事後的な解釈を含んだ集団の肖像画である。そうした留保をつけたうえで、ドワイエネ通りに集った青年たちが、一八四〇年代以降にくっきりした輪郭を示すことになる若きボヘミアン芸術家たちの先駆であることを、ここで確認しておきたい。

ウーセだけではない。一八四九年、ミュルジェールの戯曲『ボヘミアン生活』の劇評を書いたゴーチエは、そこで描かれている芸術家グループが、「われわれが十五年ほど前、ドワイエネ通りの奥に構えた集団」に類似していると告白する。「それは芸術を愛し、ブルジョワを嫌悪する下手なボヘミアン芸術家の集団だった。ある者は詩に、ある者は絵に、またある者は音楽に、あるいは哲学に夢中だった。皆が貧しさと、絶えず生じる障害にもめげず、決然と理想を追い求めていた」。[*15]

またネルヴァルは、一八三九年十一月に父親に宛てた手紙のなかで、短期的なジャーナリズムの仕事と、長い修養を要する真の創造を区別し、自分が後者を志すと告げているが、これは芸術の名においてボヘミアン的な生活をあえて選び取るという決然とした意志表明である。彼に言わせれば、重要なのは、

書物、演劇、詩法の研究で、こちらは時間を要する困難な仕事であり、きわめて長い予備的な作業と、成果の出ない瞑想や研鑽の期間をつねに必要とします。しかし同時に、未来や、発展や、幸福で名誉ある老年はそこにあるのです。[*16]

さらにネルヴァルは、この時期のことを『ボヘミアの小さな城』(一八五三)の冒頭で、郷愁をこめて回想している。

ドワイエネ通りの質素な部屋を拠点にした若きボヘミアン芸術家たちが、芸術家の独立性と創作

の自由を重んじ、世俗的な成功にたいして淡泊な姿勢を示したことは確かである。もちろん恋はしたし、愛する女性は詩神ミューズにもなった。しかしウーセの回想録を読むかぎり、ボヘミアンたちは恋をしても友情を棄てはしない。ドワイエネ通りは、ジェンダー論的にはまさにホモソーシャルな空間、男同士の絆を強める場だったのである。

ボヘミアンVSブルジョワ

ボヘミアンと言えば反ブルジョワというイメージが定着しているし、ボヘミアン集団は、ブルジョワ社会の対立軸として位置づけられる。政治的、思想的には確かにそうなのだが、ボヘミアン芸術家の多くはブルジョワ階級の出身であり、しばしば家庭との絆を保っていた。そしてある程度の成功を収めて暮らし向きが良くなれば、ボヘミアンの状況から脱け出ることもあった（この点については、ミュルジェールに関する次章で少し詳しく論じる）。個人主義はブルジョワ社会のイデオロギー的基盤のひとつであり、ボヘミアンもまた個人的才能の開花を志向するという意味で個人主義と対立はしない。そのかぎりで、ボヘミアンはブルジョワ社会の外部に生まれた集団ではなく、その内部に、しかし周縁部にみずからを位置づけた集団と規定することができるだろう。ドワイエネ通りの若き芸術家たちについても、それは当てはまる。ボヘミアン生活はひとつの通過地点であり、芸術家や作家として大成するための通過儀礼的な意味付けを有していたのである。

とはいえ、芸術をめぐる考え方において、当時のボヘミアンがブルジョワジーと妥協することはない。ボヘミアンの多くは若い作家や芸術家だから、当時の芸術観はブルジョワ的な価値観との対

図３　ブルジョワの肖像画を描くボヘミアン画家。生理学シリーズの代表作『フランス人の自画像』の挿絵。

比で語られることが多い。そのあたりの事情をよく証言してくれるのが、「生理学」と呼ばれるジャンルである。ここで言う生理学とは、医学の一分野ではなく、職業別の人物スケッチや、日常生活の空間や、社会制度をしばしば風刺的に叙述したジャーナリズムと文学の接点に位置づけられるジャンルを指す。現代であれば、都市の風俗ウォッチング、あるいは社会学的なルポルタージュに近い。一八四〇年前後がこのジャンルの最盛期で、単著として刊行されることもあれば、短い記事を集め、ときには十数巻におよぶ浩瀚なシリーズ物として出版されることもあった。その代表作は『フランス人の自画像』（一八四〇―四二）全九巻である。生理学ジャンルではバルザック、デュマ、サンド、ミュッセ、ジャナンなど、時代を代表する作家たちが著者として名を連ねていた。

この生理学ジャンルの一冊が、『ブルジョワの生理学』（一八四一）である。著者はアンリ・モニエ（一七九九―一八七七）で、作家、風刺画家、そして舞台俳優として七月王政期にブルジョワを揶揄したことで知られ、俗物的ブルジョワの典型としてジョゼフ・プリュドムという人物を創造した。この本のなかに次のような一節が記されている。

芸術家にあって、「ブルジョワ」という語は単なる名称でも、意味でも、形容語でもない。それは侮辱の言葉、画家の語彙としてもっとも下品な侮辱の言葉である。画学生であれば、ブルジョワ扱いされるより、きわめて著名な悪人の名で呼ばれるほうがはるかにましだと思うだろう。[*17]

『ブルジョワの生理学』があるのだから、当然『詩人の生理学』（一八四二）も書かれた。その作者もまた、作家とブルジョワ読者層を明瞭に対比している。

『詩人の生理学』を執筆しながら、著者は多くのひとが感じている欲求に応えているということをよく知っている。実際人々は、竪琴にのせてさまざまなことを執拗に歌う詩人というこのエジプトのトキ、このマストドン、この回顧的なミイラが何者か知りたがっているのだ。他方で、読者はますますブルジョワ的になり、煮込み料理の灰汁を取ることしか考えていない。*18

詩人が今や稀少な人間、ほとんど絶滅危惧種になりつつあるという不安が表明されているが、それはもちろん生理学シリーズによく見られる誇張であり、修辞である。いずれにしても二つの作品において、芸術家とブルジョワの対立は先鋭化する。少数者としての芸術家は、ブルジョワが支配する社会の多数者にたいして強い疎外感を覚えていたのである。この生理学ジャンルには詩人のほかに画家、彫刻家、音楽家、劇作家、役者などボヘミアン予備軍がいくつも含まれているが、ずばり「ボヘミアンの生理学」と銘打たれた書物は収められていない。現象として、人物像として認識され始めていたが、一八四〇年代初頭の時点でボヘミアンという言葉はまだ広く認知されていなかったということだろう。

未来の天才か、あるいは社会の病理か

しかし例外はある。ボヘミアンという言葉が人口に膾炙（かいしゃ）する以前から、作家・芸術家の存在とボヘミアン性をはっきり結びつけた二人の作家がいた。バルザック（一七九九―一八五〇）とフェリックス・ピア（一八一〇―八九）である。ただし、その価値判断の方向性はまったく逆である。みずからも一八二〇年代のパリでボヘミアン的な生活を送ったバルザックは、『ボヘミアンの王』

（一八三九―四五）と題された小説のなかで、一人の作中人物を介してボヘミアンを次のように規定する。物語の時代設定は一八四〇年前後である。

> イタリア人大通りの正理論派（ドクトリネール）と呼ぶべきボヘミアンは、二十歳以上で三十歳未満の青年たちからなる。みなそれぞれの領域での天才であり、今はまだ無名だが、いずれ名を知られるようになり、そうなれば傑出した人間になるだろう青年たちだ。謝肉祭（カーニヴァル）のときには、一年のそれ以外の時期には窮屈を覚えていた精神の余剰物を、いくらか滑稽なことをしでかして発散するので、彼らの姿は目につく。*19

イタリア人大通りはセーヌ右岸を東西に延びる通りで、劇場やカフェが立ち並び、作家や芸術家やジャーナリストたちにとって重要な社交空間になっていた。正理論派とは、フランソワ・ギゾーを中心に集結していた自由主義的な哲学者と歴史家たち、七月王政期に大きな威信を誇った知識人を指す。したがってボヘミアンを正理論派に譬えるのは、彼らに文化的な正統性を付与することにつながる。ボヘミアンたちは若く、才能に恵まれた人々であり、今はまだ無名とはいえ、いずれ本領を発揮する時が来るだろう。謝肉祭の時期に突飛な行動に出るという指摘から分かるように、彼らはまた規範や秩序からの逸脱によっても人目を引く。ボヘミアンたちのなかには有能な外交官や行政官や軍人、あるいは優れた作家や芸術家やジャーナリストの卵たちが潜んでいるはずだ。そのような彼らの潜在的な能力を活用しないのは、社会にとってなんと嘆かわしい損失だろうかと、まるでみずからの不遇な青年時代を想起したかのように、バルザックは憤慨せずにいられない。そして作家は、ボヘミアンの生態と信条を次のように的確に要約してみせる。

ボヘミアンは何ももっていないから、手元にあるものだけで暮らす。「希望」が彼らの宗教であり、「自信」が彼らの法典であり、「慈善」が彼らの予算ということになっている。この青年たちはみな、彼らの不幸よりは偉大であり、金には恵まれないが、運命を超越している。[*20]

若さ（「二十歳以上で三十歳未満」）、自由の追求、清貧、希望、自負心、そして秘められた才能――ここには、先に見たドワイエネ通りの若き芸術家たちと共通する要素が出揃っている。バルザックが描くボヘミアンはしばしば地方出身で、家賃の安いカルチエ・ラタンに住み、質素な生活、ときには衣食にも事欠くような貧しい生活に甘んじ、それでいながら（あるいはだからこそ）文学や芸術の世界での栄光を夢想し、それを可能にするだけの才能を欠いていない。

他方フェリックス・ピアが、『十九世紀新タブロー・ド・パリ』（全七巻、一八三四―三五）の第四巻に寄せた「芸術家」と題された章では、若い芸術家たちのボヘミアン性がきわめて否定的に捉えられている。現代では芸術家という言葉が流行しており、誰もが芸術家だと自称している、とピアは皮肉たっぷりに指摘することから始める。とはいえ、昨今はその名に値しないような芸術家も少なくない。芸術にとってもっとも重要な資質である独創性は無視され、彼らはさしたる根拠もなしに奇を衒(てら)っているだけではないのか。

若い芸術家たちによく見られる癖だが、彼らは時代から離れて、異なる思考と異なる風俗を標榜しながら生きようとする。それが彼らを世間から孤立させ、異質で奇妙な人間にし、法から外れ、社会から放逐された人間にしてしまう。彼らは現代のボヘミアンにほかならない。[*21]

書かれた年代からすれば、一部の芸術家とボヘミアンを同一視した例として、この文章はもっとも早いもののひとつだろう。そして彼は、ボヘミアンが社会から疎外され、法の外部で生きていることを強調する。ピアが考えているのはおもに画家と作家であり、性別としては男が多数だが、女も除外されていない。当時売り出し中のジョルジュ・サンドが念頭にあったのかもしれない。すでにモニエの『ブルジョワの生理学』において確認したように、ボヘミアン芸術家が嫌うのはブルジョワであり、ブルジョワ的な思考と生活様式である。家庭の心地よさや洗練には背を向け、「あらゆる優雅さは排除される」。彼らは酒とタバコを好み、騒々しい大衆的な見世物に熱狂する。奇抜な衣裳に身を包んでは、場末の仮装舞踏会に紛れこむのが彼らの楽しみだ。ただし、金も安定した地位もないが、無私無欲で仲間同士の友愛は強い。

この点は、アルセーヌ・ウーセが回想録のなかで、ドワイエネ通りの芸術家たちについて語ったことと部分的に重なるのだが、それにたいする評価は異なる。このようなボヘミアン的「芸術家気質 artistisme」(当時の新語)は、一種の「病気」であり、「災厄」であるとさえピアは主張するのだ。そして公証人や弁護士など、いかにもブルジョワに似つかわしい職業を推奨しながら、その道から外れるボヘミアン的な若者に向けてかなり矯激な断罪の言葉を放つのである。

恵まれたひとたちにとっては例外的なはずのことが、これら若い芸術家たちにとっては一般的な法則となる。いやむしろ流行となる。さらに言えば熱狂、高揚、伝染病、風土病、コレラよりひどい災厄、まさにオリエントのペストになる。それが芸術家気質である。*22

コレラと比較されているのは、この感染症が数年前の一八三二年にフランスで猖獗をきわめ、人々の記憶に残っていたからである。バルザックならば称賛の的にするだろう「芸術家気質」が、ピアの筆にかかれば嘆かわしい危険な疫病にすぎない。そして病気ならば、予防と治療が必要ということになる。彼が勧める予防策は詩を読まず、ヴォードヴィル座に足を踏みいれるのをやめ、節制し、過度の夢想に耽らないことだ。不幸にもひとたび病に感染したら、一日も早くパリを離れ、健康的な地方に居を構えて、その土地の人々と交際するのがよい、とピアは忠告するのである。

こうして一八三〇年代には、ボヘミアンをめぐる表象が二つに分極化していたことが分かる。ウーセやバルザックは、そこに高邁な理想を求める芸術家の共同体を認め、フェリックス・ピアは社会から脱落した者たちの不穏な集団を見た。相反するこの二重性は、その後もボヘミアンの表象を特徴づけることになる。

第二章　ミュルジェール『ボヘミアン生活の情景』

ミュルジェールの青年時代

バルザックやミュッセの小説、そして「生理学」ジャンルで、ボヘミアンの生態は一八三〇年代から語られていた。社会現象としてすでに存在していたことも、確かである。しかしボヘミアンの相貌をあざやかに描き、その習俗を見事に語り、彼らが住んだ貧しい屋根裏部屋や、彼らが足繁く通ったカフェや大衆的な舞踏会を描いた文学作品、要するにボヘミアンの文化を表象した一編の文学作品がなければ、十九世紀文化においてボヘミアンが今日知られているような重要な位相をしめることはなかった。その作品とは、アンリ・ミュルジェール（一八二二―六一）の『ボヘミアン生活の情景』（一八五一）にほかならない。生涯をつうじて生活に窮することが多く、病に苦しみ、早世した作家であり、したがって寡作だったこともあって、文学史で大きく扱われる作家ではない。本国フランスを含めて彼の名を後世に残すことに貢献したのは、プッチーニのオペラ『ラ・ボエーム』の原作の作者だという一事である。

まず作家の生涯を簡単に辿っておこう。

仕立て職人の息子として一八二二年パリに生まれたミュルジェールだが、家族が住んでいた建物にはまじめなブルジョワたちが多く暮らしていたこともあって、両親は息子をお堅い法曹界に導こうと考えた。しかしミュルジェールは法律の勉強には興味を抱けず、絵画へ、さらには文学へと関心を向け、その世界での成功を夢想するようになる。こうして彼が二十歳頃に親しくなったのが劇作家ルリウー、詩人ノエル、彫刻家および画家のデブロース兄弟たちだった。彼らはみな同じような階層の出身で、類似した野心を抱いていたが、十分な教育を受ける機会に恵まれず、貧弱な文化資本はそのような野心を実現することを困難にした。やがて彼らはみずから「水飲み仲間」と名乗って、ボヘミアン的な芸術家集団を形成するようになり、政治的には過激な思想に染まっていった。

一八四三年夏、ミュルジェールはシャンフルーリ（一八二一—八九）と知り合い、意気投合して数か月同じ部屋で一緒に暮らした。シャンフルーリは後に、文学と絵画におけるレアリスムの理論家となり、みずからレアリスム的な小説を発表し、ドーミエやクールベを力強く擁護することになるだろう。この出会いがミュルジェールの人間関係の輪を大きく広げることになり、「水飲み仲間」とは異なる資質の若き作家や芸術家たちとの遭遇に道を拓く。その一人がフェリックス・トゥルナション、後にナダールという名でまずは風刺画家として、一八五〇年代以降は写真家として輝かしい名声を博することになるが、この当時はまだボヘミアン的な駆け出し作家にすぎない。

このナダールがミュルジェールを詩人バンヴィルに紹介し、さらにバンヴィルを介してボードレールの知遇を得る。彼らはしばしば、セーヌ川右岸にあったカフェ「モミュス」に集って文学や、芸術や、政治について熱い議論を交わしたのだった。いずれも後年、文学や写真の世界で名を成す者たちだが、一八四〇年代の彼らはまだ自分たちの美学や方法を確立していない、若き模索者たちだった。なおモミュスは、場所は異なるものの、オペラ『ラ・ボエーム』第二幕で設定されているカフェの名称であることを付言しておこう。

一八四四年、当時影響力の強かった雑誌『アルチスト』の編集主幹で、第一章でネルヴァルやゴーチエの仲間として言及したアルセーヌ・ウーセと知り合ったのが、大きな転機になる。生活の糧を得るため、子ども向け新聞やモード新聞など、ミュルジェールはあらゆる種類の小新聞に記事を寄稿して、原稿料を手にするようになったのである。七月王政期には、教育改革による識字率の上昇とそれにともなう読者層の拡大、印刷技術の進歩によって可能になった新聞・雑誌の相次ぐ創刊、鉄道の発達による流通網の整備などが寄与して、近代ジャーナリズムが誕生した。ジラルダンが一八三七年に『プレス』紙を創刊し、広告を掲載して購読料を下げ、人気作家の小説を連載した。「連載小説（ロマン・フイユトン）」というシステムの始まりである。バルザック、デュマ、ジョルジュ・サンド、ウジェーヌ・シューらがこの連載小説の旗手として、文学界を牽引していた。ミュルジェールは彼らほどに名声や収入を得ることはなかったが、ジャーナリズムの発展によって糊口を凌げたのだった。[*1]

そうした新聞のひとつ『コルセール・サタン（海賊＝悪魔）』に、ミュルジェールはボヘミアンの習俗をめぐる短編小説を、一八四五年三月から断続的に発表し続け、四年後に連載を終える。それが母体となって一八五一年に、小説『ボヘミアン生活の情景』が刊行された。ただし、この小説は連載の順序どおりに短編を配列したものではなく、作家が全体にわたって加筆修正を加え、全体の構想にもとづいて再配列している。これが現在一般に読まれている『ボヘミアン生活の情景』なのだが、じつはそれとは異なる、そしてそれ以前に公表されたもうひとつの作品、戯曲『ボヘミアン生活』（一八四九）が存在する。以下では、二つの作品を個別に論じてみよう。

戯曲『ボヘミアン生活』

『コルセール・サタン』紙での連載が終わった頃、舞台役者で脚本家でもあったテオドール・バリエールが、ミュルジェールに作品の舞台化をもち掛けてきた。連載中とりわけ評判になっていたわけでもない作品だっただけに、彼にとっては嬉しい驚きで、断る理由はなかった。現代では、話題になった小説が映画やテレビドラマに翻案されることは珍しいことではない。十九世紀フランスでも、まず小説として発表され、後にそれが舞台に掛けられるということがしばしば起こった。当時は、文学ジャンルとして演劇の地位は小説と同じほどに、あるいはそれ以上に高かったからだ。また比較的高価だった書物よりも、生身の役者たちが演じる芝居のほうが大衆に訴えかける力が強かったし、とりわけ、成功すれば小説より演劇のほうがはるかに多くの収入を著者にもたらしたからである。十九世紀末、あのエミール・ゾラも自作の『居酒屋』（一八七七）や『ジェルミナール』（一八八五）を、共作者の助力を得てみずから戯曲化している。

バリエールとミュルジェールの共作による『ボヘミアン生活』は五幕物の戯曲で、新聞に連載された物語に依拠しつつも、筋立てをより緊密で直線的な構図に仕上げている。この時代よく見られたように、台詞劇のほかに歌とダンスが挿入されるという形式になっていた。連載された短編はそれぞれ読み切りが可能なように、独立したエピソードを構成していたのだが、戯曲は主人公ロドルフの人生を中心にして、その周囲に副次的な人物たちを配置することで筋立てが展開していく。

おもな登場人物としては詩人ロドルフのほかに、彼の仲間である画家マルセル、音楽家ショナール、哲学者コリーヌ、造花職人でロドルフの恋人になるミミ、マルセルの恋人ミュゼット、ショナールの恋人フェミー、ロドルフのおじで実業家のデュランダン、そして若く裕福な未亡人セザリーヌである。舞台空間としては第一幕がデュランダンの屋敷、第二幕がパリの屋根裏部屋、第三幕がミュゼットの部屋、第四幕がセザリーヌの邸宅、最後の第五幕がロドルフの部屋となっている。この舞台設定からも、幕ごとの場所に多様性をもたせ、立派なお屋敷と粗末な屋根裏を交互に登場させて、劇的な対照を際立たせていることが分かる。

戯曲の概要は次のとおりである。

ロドルフは、裕福なおじデュランダンがパリ近郊に所有する別荘で自由気ままに暮らしているが、デュランダンのほうは彼を金持ちの未亡人セザリーヌと結婚させようと目論んでいる。ある日、別荘の庭先にマルセル、ショナール、コリーヌ、ミュゼットそしてフェミーの五人が入りこんで来て、陽気なピクニックを始める。みずからボヘミアンと名乗り、自由と芸術と愛の世界に生きると宣言する彼らに共感して、ロドルフはおじの家を出る（第一幕）。それから一年後のパリ、ロドルフは屋根裏部屋で暮らしているが、家賃を払えず家主から追いだされそうになっている。そこに花造りなどで細々と生計を立てるお針子（グリゼット）のミミが姿を現し、二人は再会する。ミミはある老人の情婦にされかけて、逃げてきたのだった（第二幕）。一八四六年十月、ロドルフとミミ、マルセルとミュゼットは一緒に暮らしている。ロドルフは、病身で健気なミミを自分が不幸にしているのではないかと懊悩（おうのう）するが、ミミは彼に永遠の愛を誓う。ある日、ロドルフの留守を見計らってデュランダンが部屋を訪ね、甥の創作活動と未来のために別れてほしい、とミミに頼みこむ。恋人の幸福のためにと、彼女は別れる決断をする（第三幕）。

セザリーヌの邸宅で舞踏会が催され、デュランダンとロドルフが招待され、やがてミミ、ショナール、マルセルもひそかにやって来る。ロドルフはセザリーヌのためにソネットを一編作り、言い寄る素振りを示し、それをミミは簾（すだれ）の陰から窺っている。ミミと夫人の緊迫感あふれる対面のシーンで、ミミはロドルフの愛を確信して、彼に永遠の愛と献身を誓うが、嫉妬したセザリーヌに侮辱されて邸宅から立ち去る。おじの策略に感づいたロドルフはミミの真心を理解する（第四幕）。それから数か月後、ロドルフとマルセルが粗末な部屋で失った恋の話をしていると、ミュゼット、続いてミミが姿を現す。浮気性のミュゼットは他の男との戯れの恋の後マルセルの元に戻り、ミミは収容されていた病院から抜け出して来たのだった。病の篤い彼女のためにロドルフは医者を呼びにやり、彼女が望むマフ（両手を入れる筒状の防寒具）を買い与える。そこにデュランダンとセザリーヌもやって来ると、ミミの真率な愛を認めて祝福する。しかしその時、ミミは息を引き取る（第五幕）。

デュランダンと若い未亡人セザリーヌを除いて、それ以外の人物たちは一八五一年の小説版『ボヘミアン生活の情景』、さらにはオペラ『ラ・ボエーム』と共通している。ロドルフとミミの悲劇的な恋、最終場面でのミミの痛ましい死は、戯曲とオペラに共通する挿話である。つまりプッチーニのオペラは、一般によく知られている小説『ボヘミアン生活の情景』ではなく、戯曲『ボヘミアン生活』の筋立てをほぼ踏襲した作品なのだ。

ではこの戯曲において、ボヘミアンの生態はどのように描かれているのだろうか。

ロドルフは当初デュランダンの家で暮らす詩人であり、まだボヘミアン的な習俗に染まっていない。別荘の庭でピクニックを始めたマルセルは、ロドルフに向かって次のようにボヘミアンを定義してみせる。

ボヘミアンは四つの方向で境界線によって区切られている。北は希望と仕事と陽気さ、南は窮乏と勇気、西は中傷、東は病院だ。〔中略〕
〔ボヘミアンとは〕根強い天職の意識に駆られて、芸術以外の生存手段をもたないまま芸術の世界に入っていく者たちを指す。野心のおかげで精神は絶えず奮い立ち、その野心は彼らの前で突撃の太鼓を打ち、未来を征服するようにと駆り立てるのだ。*2

ボヘミアンとは芸術界に沈潜し、強い野心とひそかな自負心を抱きながら、その世界での成功を夢想する者たちである。自由と希望と勇気はあり余るほどもちあわせているが、その生活は貧困や病に絶えず脅かされ、世間からの冷酷な指弾にさらされることを覚悟しなければならない。ここではボヘミアン生活の光と影が比喩的に示されている。世間的な常識、あるいは社会的秩序を体現するのがデュランダンとセザリーヌであり、ロドルフはそうした常識と秩序から離反する道を選択した。とはいえ戯曲版では、ロドルフとその仲間たちの恋模様や、陽気で無頓着な暮らしぶりが際立つことはあっても、芸術家の疎外、創造の苦しみや懊悩、愛と芸術の二律背反といった十九世紀の芸術家小説にしばしば現れる主題は稀薄と言わざるをえない。男たちは芸術家という以上に、ボヘミアンの域にとどまるのである。

戯曲『ボヘミアン生活』は、場面や舞台の変化を巧みに按配しながら、劇的な効果を高めていく。それが芝居の法則である。デュランダンがロドルフの留守中にミミに会って、彼の将来のために別れてくれと頼む場面は、ほぼ同時代のデュマ・フィス『椿姫』（この作品にも戯曲版と小説版の二つがある）と、それにもとづくヴェルディの同名オペラを想起させずにはおかない。第四幕で、ミミとセザリーヌが対峙する緊迫感漂う場面では、ミミが気品あふれる態度でロドルフへの愛を誇り高く宣言して、恋敵の激しい嫉妬を煽る。そして最終幕では、すべての人物がロドルフの部屋に顔を揃え、デュランダンとセザリーヌがミミの熱愛を知って涙を流し、ロドルフたちのボヘミアン的生き方を承認しているかに読める。

ミュルジェールの戯曲は一八四九年十一月二十二日、パリのヴァリエテ座で初演されて大成功を博した。芝居の最後でミミの死に立ち会うロドルフは、「ああ、僕の青春！ これでお前を葬ることになる」と叫ぶ。初演を観た友人ナダールは、この一節が彼らの青年時代をあまりに暗く彩る悲観的な台詞だとして削除するよう勧めたが、ミュルジェールは首肯しなかったという。

ボヘミアン神話の形成

戯曲の上演からほどなくしてミュルジェールは、新聞に連載したボヘミアン物語を単行本として刊行したい、という大手出版社ミシェル・レヴィの申し出を受けた。単行本化に際して作家は、独立したかたちで四年間にわたって連載された短い物語のつながりに配慮し、長編小説としての整合性を強めようとした。いくつかの章を新たに書き加え、場面を補った。こうして小説版は、まず戯曲と同じく『ボヘミアン生活』という表題で一八五一年一月に出版され、翌一八五二年の版から現在のような『ボヘミアン生活の情景』という表題で世に知られるようになった。

この作品には長く重要な序文がある。新聞の連載時にはなく、一八五一年の単行本化に際して初

図4　屋根裏部屋の詩人。ドーミエ画（1842）。

めて付された文章で、二つの意図が含まれていた。

第一に、芸術家伝説としてのボヘミアンの歴史的な系譜をたどることで、ミュルジェールは古代のホメロスから始めて、中世の吟遊詩人とヴィヨン、ルネサンス期の画家や作家ラブレー、十七世紀のモリエール、十八世紀のジルベールなどに言及する。いつの時代でも、ボヘミアン的作家・芸術家とは、その生活スタイルだけでなく、文学や芸術に独創的な作風をもち込んで刷新を成し遂げたという点で記憶される。

第二に、こちらのほうがより重要なのだが、作者は十九世紀のボヘミアンを定義し、その分類を試みる。まず、怪しげな放浪の民、社会の底辺に巣食う泥棒、詐欺師、人殺しなどの犯罪者、違法すれすれの胡乱（うろん）な仕事に手を染めている者たちはボヘミアンとは明確に区別される。ミュルジェールがこの点をわざわざ強調しているのは、この時点においても芸術家集団としてのボヘミアンを、社会秩序を攪乱（かくらん）する犯罪者の予備軍、危険な集団と同一視する風潮が残っていたからである。ボヘミアンとは芸術と文学の価値を信じる者たちであり、ボヘミアン性は若い芸術家たちがみな通過する状況である。貧しさと懐疑がしばしば彼らにつきまとうが、勇気と希望が彼らの人生と創作を支えてくれる。そしてこれはきわめてパリ的な現象である、と作家は力説する。要するに、「ボヘミアンとは芸術生活の研修期間であり、アカデミー、病院あるいは死体公示所に至る前段階である」[*3]。修業時代を経た後は、作品の価値を認められて華々しくアカデミー入りするか、それとも貧困に沈んで惨めな死を迎えるか、そのどちらかだというのだ。

この定義を踏まえたうえで、作家は二つの大きなカテゴリーを識別する。第一に「知られざるボヘミアン」。知られざるというのは、数は多いものの彼らの存在が社会的に認知されていないからであり、彼ら自身もそうした無名性を受け入れ、ひたすら芸術の理想を追求するからだ。彼らは「芸術のための芸術」という理念の使徒を任じ、芸術を一種の宗教に祀り上げ、自分たち自身を神格化することをためらわない。そしてしばしば、集団の領袖となる人物の支配に屈して、外部世界にたいしては排他的で党派的な態度を示す。「彼らはいわば社会の周辺で、孤立と惰性のなかで生きているのだ」。かなり手厳しい評価で、明瞭に名指してはいないものの、ミュルジェールはおそらく一八三〇年代の「プチ・セナークル」や、彼自身が一時期属していた「水飲み仲間」集団を念頭に置いている。加えて、みずからに誇大な幻想を抱いている「空想的なボヘミアン」や、奇を衒うだけで芸術への志向をもたない「素人ボヘミアン」も、「知られざるボヘミアン」の範疇(はんちゅう)に組み入れられている。そして「知られざるボヘミアンはどこかに至る道ではなく、単なる袋小路にすぎない」[*4]と、作家はばっさり切り捨てるのだ。

それに反して、ミュルジェールが「真のボヘミアン」と呼ぶ第二のカテゴリーは、芸術の使命を自覚し、芸術と社会、芸術と世界の関わりを積極的に認め、社会からの孤立を忌避し、つねに鋭敏な精神と知性を保ちながら創造の未来を開拓しようとする。「知られざるボヘミアン」と異なり、世に埋もれていることを独創性や才能の証拠と見なすような逆説を弄することはなく、作品を公表し、世間に評価されることを価値と見なす。もちろん貧困、病、家庭の柵(しがらみ)といった問題から完全に解放されているわけではないが、芸術的な探究をやめずに前進するのが彼らの特性である。この「真のボヘミアン」がミュルジェールの小説の主題の一部をなすことは、言うまでもない。

物語の舞台は一八四〇年代のパリ、主として学生街のカルチエ・ラタン。詩人ロドルフ、画家マルセル、音楽家ショナール、そして哲学者コリーヌという四人の青年たちが送る無軌道で、不安定な生活が風俗スケッチ風に描かれる。冒頭の章では、彼らがどのようにして出会い、友情の絆で結ばれ、「友愛にみちた集団」を形成するようになったかが語られる。作家、画家、音楽家はパリのボヘミアンを構成する典型的な職業カテゴリーであり、ミュルジェールはみずからが熟知する集団を登場させたのだった。もちろん売れない芸術家たちであり、したがって金銭的にはいつも窮しているのだが、それにもかかわらず至って陽気で、もちろん辛い出来事に見舞われることはあるが、総じて楽天的な青年たちだ。彼らが共有するのは芸術への愛と献身である。

> 四人の若者はそれぞれ、芸術において自説の旗を掲げていた。自分たちが等しく勇気があり、同じ希望を抱いていることを全員が認めた。お喋りし、議論しているうちに、自分たちが同じような好みをもち、精神には同じ喜劇的な駆け引きの巧妙さが具わっていることに気づいた〔中略〕。四人とも出発点は同じで、同一の目的に向かっていた。[*5]

ボヘミアン生活は、いくつかの特権的な場所と深く結びついている。彼らが住むのは屋根裏部屋である。最上階の部屋は狭く、窓が小さくて日中でも薄暗く、夏は暑く冬は冷える。もちろん当時エレベーターはないから、階段を上り下りしなければならない。という次第で、部屋代が安かった。現代の日本なら上の階ほど家賃が高いが、当時のフランスは事情が異なる。この狭い、しばしば不衛生な屋根裏部屋で青年たちは文学を語り、芸術を論じて倦むことがなかったのである。実際、ボヘミアンを特徴づけるのは堅い友情と強い団結心である。貧困も、逆境も、落胆も彼らの絆を弱めることはない。カフェのような社交空間においても、家族や知人とのときに複雑な人間関係にさらされても、彼らの友愛が変質することはなく、永続化していく。作家はしばしばその点を強調する。一例をあげておこう。

ボヘミアンたちが知り合ってから六年経っていた。日々の親しさのなかで過ごしたこの六年という長い月日は、各人の明瞭な個性を損なうことなく、考え方の一致と、ほかでは見つけられないような調和を生み出していた。彼らの生活習慣は独特で、余所者にはよく理解できないような内輪の言葉を話した。彼らをよく知らない人たちは、彼らの自由な態度を冷笑的だと見なしたが、たんに率直なだけだった。外から強制されたものにはすべて抗う彼らは偽物を憎み、凡庸さを軽蔑していた。*6

一八三〇年代初頭、ドワイエネ通りの「プチ・セナークル」がそうだったように、ミュルジェールが登場させる一八四〇年代パリのボヘミアンたちもまた、芸術の理想、感情的な価値、言語感覚そして思想の核を共有することで成立した集団だった。

しかし両者には大きな差異もあった。『ボヘミアン生活の情景』に登場する若者たちは芸術を愛するものの、芸術を神格化することはないし、芸術のためにすべてを犠牲にするという禁欲精神をもたない。ロドルフたちは創作に打ち込みはするが禁欲主義とは無縁で、むしろ快楽主義の使徒としての相貌を示す。ロドルフはある時、自作の戯曲『復讐者』がたまたま売れて五百フランの金を手にすると、仲間たちとたちまち使い果たしてしまうし、マルセルもまた絵が売れた代金を浪費するだけである。彼らにあっては、芸術は生活と対峙せず、芸術は人生の歓びを排除しないのである。

屋根裏部屋を出たボヘミアンはどこに向かうのだろうか。カフェや大衆的な舞踏会である。フランスでは十八世紀の啓蒙時代から、カフェが知的、芸術的な交流にとって不可欠の空間だった。おもに貴族の女性が主宰していた「サロン」と異なり、ブルジョワと広義の文学者がテーブルを囲んで遭遇するカフェでは、同時代の政治、社会、文学をめぐって活発な議論が展開した。ハーバーマスが見事に分析した「公共性の空間」が、そこに成立していたのである。[*7] パリ最古のカフェとされ、今も残る「プロコープ」（現在ではかなり高級なレストラン）がその典型である。ミュルジェールの小説では「モミュス」という名のカフェで、ボヘミアンと学生が集う。参加する人々の社会的地位は変わったが、カフェが市民にとって重要な社交の場であることに変わりはない。ロドルフやショナールは朝からモミュスに陣取り、そこに置かれている新聞や雑誌を読み耽り、しばしば恋人たち同伴で、大声で議論しては他の客たちの顰蹙（ひんしゅく）を買う。

他方、庶民的なダンスパーティ場は、ボヘミアンにとって手軽な娯楽施設であり、娘たちに言い寄る格好の機会だった。ロドルフは「プラド」や「マビーユ」に足を運ぶが、前者はシテ島、後者はシャン＝ゼリゼの近く、現在のモンテーニュ通りにあった大衆的な舞踏会場で、若い男女にとっては出会いとかりそめの恋の舞台だった。『ボヘミアン生活の情景』は、一八四〇年代パリの雰囲気をあざやかに伝える風俗小説でもある。

人生の歓びのひとつが恋愛であり、もちろんボヘミアンも恋をする。とはいえロマン主義的な風土が生み出した天使的で、身体性を感じさせない女性や至高の愛とは無縁で、ボヘミアンは一人の女に強い執着を示すことはあっても、軽い恋の戯れを楽しむのがむしろ通例であり、女性たちもまた男たちの誘惑に弱い。「プチ・セナークル」の詩人たちは恋をすることはあっても、男たちの集団に恋人たちを参加させることはなかった。詩と女性、芸術と愛は截然と分かたれていたからだ。他方ロドルフたちの世界では、両者には浸透性があり、一方は他方を排除しない。ロドルフの文学やマルセルの絵画が平凡な日常性と隣り合わせであるように、ミュゼットやミミはボヘ

図5　『ボヘミアン生活の情景』の挿絵。

ミアンへの真摯な愛と、裕福な男たちとの戯れの恋のあいだをしばしば往復するのだ。マルセルの恋人ミュゼットは多情な娘で、モーリス子爵の情婦になるし、プッチーニのオペラではロドルフ（ロドルフォ）に一途な愛を捧げる清純な娘ミミも、ミュルジェールの小説ではロドルフとの同棲と別れを繰り返し、金持ちの男になびいて数日姿を消すことさえ厭わない。そう、彼女たちは「グリゼット」なのだ。

グリゼットの愛と死

グリゼット grisette とは「お針子」と訳されたりするが、庶民の家に生まれ、自宅あるいは小規模な作業場での縫製や、小売り関係の仕事にたずさわっていた若い女性たちを指す。もともとは粗末な素材で織られた灰色 gris の衣服を意味するが、転じてそれを身につけていた女性を指し示すようになった。社会カテゴリーとしては十八世紀から存在したが、大きな脚光を浴びて、一定の社会的な機能を果たしたのは十九世紀前半のことだ。「生理学」ジャンルでは、このグリゼットが不可欠の項目であり、そこでは彼女たちの生活、属性、習俗、心理が具体的に叙述される。もっとも体系的な記述を展開しているのが、ルイ・ユアールの『グリゼットの生理学』（一八四一）である。

グリゼットには、いわば年齢の規定があり、十六歳から三十歳までとされる。要するにグリゼットは若い女性でなければならない。ボヘミアンがそうであるように、グリゼットもまたきわめてパリ的な現象と見なされる。ボルドーやストラスブールにも同じような仕事にたずさわり、その地方固有の美しさを具えた娘たちはいるが、「若く、陽気で、みずみずしく、ほっそりして、繊細で、粋な」娘は首都にしか見られない。それは外国の都市やフランスの地方都市ではなく、パリという都市空間においてのみ咲き誇る美しい花にほかならない。彼女たちが住むのはおもにパレ＝ロワイヤル界隈（繊維関係の業者が多かった）か、家賃の安いカルチエ・ラタンである。ミュルジェールの作品が、この界隈を舞台にしてボヘミアンとグリゼットの恋愛模様を展開する理由がここにある。

他方で、グリゼットはまっとうな労働者であり、みずから生計を立てる。針仕事は熟練と経験を必要とする仕事なので、当時の女性労働者にとっては名誉ある職種だったことを忘れてはならない。ただ給料はけっして高くなかったから、経済的には貧困の境界線上にあった。それでもグリゼットは、金銭やモノで誘惑しようとする男たちには激しい嫌悪を隠さない。「若いグリゼットは恋をしている時、けっして打算に引きずられることはない。彼女はみずから相手に身を任せるのであって、けっして自分を売ることはない」[*8]と、ルイ・ユアールは断言して憚らない。

いずれにしても、「生理学」の言説ではグリゼットはかなり肯定的な評価を下されていたことが分かる。それは文学表象にも反映している。たとえばミュッセ（一八一〇―五七）の二つの短編小説『フレデリックとベルヌレット』（一八三八）と『ミミ・パンソン』（一八四六）は、七月王政期のグリゼットの姿をあざやかに映しだす。後者は生理学ジャンルの代表作のひとつ『パリの悪魔』に収められた作品で、生理学との文学的な類縁性が明らかである。どちらもカルチエ・ラタンを舞台にした、学生とグリゼットのあいだで繰り広げられる物語である。とりわけ前者は、若い女性の貧困、家庭の不遇、満たされない愛、そして悲惨な死など、グリゼットをめぐるロマン主義的な神話の要素をすべて包含している。

グリゼットにとって恋の相手になったのは、学生とボヘミアンである。パリや地方のブルジョワ出身が多い学生にとって、グリゼットは社会階層が異なり、かりそめの恋の相手とされることが多い。ボヘミアンの場合は立場が対等だが、それでも持続的な関係にはならない。ミュルジェールの小説『ボヘミアン生活の情景』において両者の恋を表象するのが、ロドルフとミミである。二人はいっしょに暮らすようになり、幸福と快楽を味わうが、それも束の間のことにすぎなかった。ボヘミアンとグリゼットの恋はしばしば浮ついた恋であり、男も女も、けっして特定の相手にひたむきな愛を捧げるわけではないのだ。プッチーニのオペラと違って、ロドルフは絶えず愛をささやく男ではないし、ミミは贅沢を夢みて、恋人に不実を働いたりする。

いや、ロドルフとミミだけではない。芸術の理想によって結びついた男たちの共同体のなかに、若く美しい娘たちが華やかな彩りを添え、情熱の花を咲かせることはあっても、それが男たちの絆を弛緩させることはないのだ。主人公の二人、そしてやはり恋人同士となるマルセルとミュゼット、ショナールとフェミー（「染物女工」だから、彼女もグリゼット）は数か月いっしょに暮らすものの、その同棲生活は最後には破綻する。そこには大仰な別れの言葉も、痛々しい情動もともなうことがない。ミュルジェールは彼らの訣別について、次のように書き記す。

あらかじめ考えられていたわけでなく、喧嘩も動揺もなしに彼らは別れた。気紛れから生まれて愛になったこの関係は、もうひとつの気紛れのせいで断ち切られた。[*9]

ボヘミアンとグリゼットの恋に、愁嘆場はふさわしくない。思慮分別とは無縁なところで繰り広げられ、将来を思いわずらう必要のないかりそめの恋――それこそが彼らにふさわしいのだ。ひとつの気紛れから、もうひとつの気紛れへと、彼らは恋を渡り歩く。若いグリゼットからすれば、芽が出そうにないボヘミアン芸術家たちにいつまでも執着している暇はないだろう。若さと美しさは永遠に保たれる価値ではないから、グリゼットはみずからの若さと美しさを有効に活用しなければならない。無邪気で打算のないボヘミアンに心惹かれながら、彼女たちが上流階級の裕福な男たちの誘いに無関心でないのは、そのためである。ミミもまたその例外ではないのだ。そこには、高級娼婦として暮らしながら真実の情熱に目覚め、一人の男への想いに身を焦がすデュマ・フィス作『椿姫』(一八四八)のヒロイン、マルグリットのような、ロマン主義的な愛の殉教者の姿はない。

ミミは物語の終盤で息絶える。結核に蝕まれ、部屋からも追いだされそうになった彼女をロドルフは引き取り、数日後、医師の証明書を添えてピチエ病院に入れる。彼女はそこで寂しく死を迎えるのだが、ある手違いからロドルフはその臨終の場に立ち会うことすらできず、遺体は解剖に付された後に無縁墓地に葬られてしまう。戯曲『ボヘミアン生活』やオペラ『ラ・ボエーム』では、ミミは薄幸のヒロインとして愛する男の腕のなかで死んでいくが、小説の結末はまったく異なることが分かる。冷酷な最後と思われるかもしれないが、歴史の現実にはより近い。結核は、若く、美しく、そして恋する女性を襲うのにいかにも似つかわしい病、すぐれてロマン主義的な病だった。それは激しい情熱や、報われない愛に悩む女たちの命を奪うのにふさわしい、ほとんど神話的な病だった。グリゼットが年老いていくのを想像することは、難しい。成熟や老年は、彼女に似合わない。

美しいグリゼットは自由な恋に身をゆだね、激しい情熱を生きて、はかなく死んでいく運命にあったのだ。

ミュゼットは例外的なロレット

ミミの友人で、マルセルの恋人になるミュゼットについて注釈しておこう。

彼女も当初はグリゼットだが、やがてロレットへと変貌していく。ロレットとは、グリゼットと高級娼婦（クルチザンヌ）の中間に位置するタイプの女性で、一八四〇年頃からパリに登場し、当時の社会と恋愛風俗のなかで無視しがたい位置を占めた。しばしば男に囲われていた点では高級娼婦と共通しているが、高級娼婦ほど洗練されていないし、文化的な教養も具えていなかった。彼女たちに金を貢いでいたのは、おもに裕福なブルジョワ階級の男たちである。グリゼットと異なり、ロレットはみずから働いて生活の糧を稼ぐのではなく、男たちの情婦として経済的な援助をしてもらい、自分のアパルトマンをもつ。美貌と才覚に恵まれたロレットであれば、同時に複数のパトロンをもつことは珍しくなかった。グリゼットは恋をしても体は売らないのに反し、ロレットは自分の美貌と身体を商品化する。グリゼットは与え、ロレットは受け取る。どちらも出自は民衆階級だが、ロレットには、グリゼットがまとっていたような人々の共感を呼ぶ肯定的なイメージが欠落している。

ロレットもまた一八四〇年代以降、しばしば「生理学」シリーズで論じられる対象となった。『グリゼットの生理学』があったように、ジャーナリスト、モーリス・アロワによる『ロレットの生理学』も同じ一八四一年に刊行されている。アロワによれば、ロレットは贅沢の象徴である自家用馬車を好み、それに乗ってブーローニュの森を散策したり、劇場やオペラ座に繰り出したりした。甘い物が大好きで、収入の五分の一はその購入に費やされる。他方で宗教心は篤く、貧者には進んで寄付をする。慈善行為は幸福をもたらす、と確信していたからである。[*10]

アロワから十年後、ジャーナリストのエドモン・テクシエは、『タブロー・ド・パリ』(全二巻、一八五二―五三)のなかの第六十四章「グリゼットとロレット」で、両者の比較を試みている。グリゼットの習俗を描く筆致には深い共感がこめられているのに反し、ロレットにたいしてはかなり辛辣だ。いかなる種類の仕事であれ、ロレットはとにかく働くことが嫌いで、裕福な男たちと出会い、養ってもらうことを期待する。男たちの気を引くための誘惑の手練手管を熟知していて、化粧やファッションの技法にも通暁している。快楽と歓びを提供することが彼女たちの務めなのだ。[*11]

社会風俗を観察したジャーナリストたちはこうして、愛と快楽、贅沢と享楽の世界に生きるロレットの相貌をくっきりと描きだした。過去に拘泥せず、未来を思いわずらうことなく、ひたすら現在を享楽する。それがロレットの生活スタイルだった。そして、今、この時を生きるしかない彼女たちにとって、恋は束の間のアヴァンチュールとして格好の出来事だったのである。

グリゼットの世界とロレットの世界のあいだに、越えがたい境界線が引かれていたわけではなく、両者はときに透過性をもつ。生理学ジャンルの作者よりも、文学者のほうがそのことをよく意識していた。ミュルジェールの『ボヘミアン生活の情景』に登場するミュゼットは、グリゼットとロレットという二つの類型を体現することによって、その透過性を浮き彫りにしてくれる。ミュッセが描いた「ベルヌレットやミミ・パンソンの妹」といえる彼女は、次のように描かれる。

ミュゼット嬢は二十歳の美しい娘だった。パリにやって来てからしばらくすると、ほっそりして、艶やかで、いくらか野心をもち、字を知らない美しい娘たちがなるような女になった。彼女は長い間、カルチエ・ラタンの夜会の席を賑わせた。その場で彼女は田舎風の輪舞曲を、正確ではないがいつでも爽やかな声で歌っていた。おかげで巧みな詩人たちからミュゼット〔牧歌的なダンス曲、という意味がある〕という名をつけられた。その後、ミュゼット嬢は突然ラ・アルプ通りを離れて、ブレダ界隈の愛の丘に住みついた。

快楽の貴族階級の花形になるのに、たいして時間はかからなかった。彼女はしだいに有名人となり、パリの新聞の通信欄にその名が出たり、版画商人の店でその姿がリトグラフィに描かれたりした。[*12]

地方からパリにやって来た庶民の娘ミュゼットは、はじめはもちろんグリゼットであり、したがってカルチエ・ラタンの住民である。美しく、若く、いくらかの才覚があり、歌が上手な彼女は、すぐに男たちの関心を引いたにちがいない。やがて彼女はブレダ界隈に転居するが、そこはセーヌ右岸、まさしくロレットが数多く居を構えていた地区にほかならない。ラ・アルプ通りからブレダ界隈に居を移したというのは、彼女がグリゼットからロレットに変貌したことを告げているのである。セーヌ川の左岸から右岸に移ることは、単なる地理的な移動ではなく、社会的地位の上昇を意味していた。

優雅な雰囲気を漂わせるミュゼットは、奢侈(しゃし)とそれがもたらす享楽に無関心でないし、洗練された美しいものを愛するだけの趣味を具えている。そしていくぶん気紛れで、持続的な情熱を感じたことがない。しかしロレットとして彼女が例外的だったのは、金があるだけの男の情婦にはけっしてならなかったことだ。聡明な彼女は愚か者が嫌いであり、かつて貧しかった彼女は、富しか取り柄のない男を軽蔑する。彼女が愛するのは売れない画家のマルセル。ミュゼットは経済的・社会的な地位としてはロレットでありながら、心情と行動の面ではグリゼットであり続ける。だからこそボヘミアン芸術家と恋に落ちることができたのだった。

とはいえミュルジェールから見れば、若い女がグリゼットからロレットに変貌するのは、男たちの欲望が引き起こした一種の頽廃だった。「ミュゼットの気まぐれ」と題された、作品の第十九章の一節を読んでみよう。

現代の若者世代のせいで、グリゼットという種族は今や消滅した。若者世代はみずから堕落し、他人をも堕落させるし、おまけに虚栄心が強く、愚かで、乱暴だ。悪意に満ちた逆説を弄してみせようと、あの哀れな娘たちの手が仕事のために傷だらけになったことを揶揄したのだった。彼女たちの給料では、やがてアーモンド菓子も買えなくなった。若者たちはグリゼットに、みずからの虚栄心と愚鈍さまで植え付けてしまったのだ。かくしてグリゼットが姿を消し、ロレットが誕生した。ロレットは雑種であり、不作法な女性であり、凡庸な美人であり、なかば肉体、なかば芳香油で、寝室は彼女たちが心を切り売りする帳場のようなもの、それはあたかもローストビーフを切り売りするのと同断だ。ロレットの大多数は快楽を汚し、現代の雅の道を辱める者であり、帽子についている羽根飾りを提供した動物ほどの知性さえもち合わせていない。[*13]

かなり矯激な断罪の言葉だ。グリゼットの没落とロレットの誕生は、彼女たちの相手となる青年たちに責任の一端が帰せられている。女の頽廃と男の堕落は表裏一体というわけだ。純な真心によって際立つグリゼットと、みずからの美貌と肉体を商品化するロレット、前者はみずからを差し出し、後者はみずからを売りつける。そして一方から他方への移動は禁じられていないし、実際しばしば起こることだった。

十九世紀半ばの言説は、グリゼットに寛大で、ロレットには批判的だ。前者は学生街の風景を陽気にしてくれる可憐な花だが、後者は若者を怠惰と放縦の罠へと駆り立てる。しかし『ボヘミアン生活の情景』のミュゼットは、ロレット像に付着する負のイメージを払拭し、頽廃の危険をほとんど奇跡的に免れえた女性なのである。そして当時の文学において、ボヘミアン画家と恋の鞘当てを演じたロレットの稀有な例になっている。

ボヘミアン性への懐疑

一八五一年に出版された『ボヘミアン生活の情景』は、十九世紀半ばにおけるボヘミアン表象の形成に決定的な貢献をした。そしてそれは作家自身の体験を部分的に文学化しただけでなく、一八三〇―四〇年代に流布していたもうひとつのボヘミアン像との対比のなかで、作家が周到に練りあげた表象だった。

戯曲版『ボヘミアン生活』と、それにもとづくプッチーニのオペラでは、ロドルフとミミの恋とその顚末に焦点が当てられ、それを中心に作品が構成されているから、ミミの死によってすべてが終わり、その後にもはや物語がない。ヴェルディの『椿姫』や、ビゼーの『カルメン』(一八七五)や、同じくプッチーニの『トスカ』(一九〇〇)もそうだが、オペラでは、そして演劇の悲劇ジャンルでは、ヒロインが死ねば舞台の幕は下りなければならない。ヒロインの死は、すなわち舞台空間の終焉にほかならない。

他方、多くの人物が登場して繰り広げるさまざまなエピソードを集めた、風俗スケッチ集の趣を呈する小説『ボヘミアン生活の情景』は、ミミの死によって物語が閉じられるのではない。単行本で付加された第二十二章と、「青春は短し」と題された最終章において、作家は青年芸術家たちのその後の人生まで手短に語ってみせる。その変貌の契機になるのは、長く続いたボヘミアン生活への倦怠感であり、展望のない知的放浪と訣別したいという意志であり、新たな未来に向かって踏み出したいという希求である。ボヘミアン生活に固執するロドルフを、マルセルは次のように諭してみせる。

過去は過去さ。いまだに僕らを過去につなぎとめている絆を断つべきだ。昔を振りかえらずに、前に進むときが来たんだ。青春と暢気と逆説の時代はもう終わりさ。それはとても美しいし、立派な小説の材料になるだろう。でもこうした無分別な愛の喜劇、永遠に浪費できる時間があると思っている人々のように気前よく日々を無駄にすること、それにもいつか終わりが来る。社会や人生の周縁でこの先も長く暮らしていくことなんて、不可能だよ。そんなことをしていたら、人々から軽蔑されて当然だし、自分自身を卑下するようになってしまう。僕らが送っている人生は、ほんとうに人生と呼べるだろうか。僕らがあれほど自慢している自立や、自由な生き方は、平凡な長所にすぎないのではないだろうか。真の自由とは、他人なしで、自分だけで生きるということではないだろうか。〔中略〕十二月に夏用の短いコートを羽織ったからといって、才能が身につくわけじゃない。暖かくして、三度の御飯を食べても、真の詩人や芸術家になれるんだ。[*14]

若さ、無頓着、周縁性、愛のドラマ、放浪——そうしたボヘミアン性の特権は、ある時期までは尊い価値であり、創造の翼をあたえてくれるかもしれないが、永続することはない。自由と無秩序、才能と逸脱を混同してはならない、とマルセルは説く。先に注釈した「序文」のなかで、作家が「知られざるボヘミアン」と「真のボヘミアン」を区別していた議論が、マルセルの言説と共鳴していることが分かる。ロドルフは一冊の本が批評家たちの注目を浴び、最終章においてボヘミアンたちは大きな変貌を遂げる。彼の忠告が功を奏したかのように、マルセルはサロン展に出品して賞を授与され、絵が売れて邸宅を構えるまでになり、ショナールが作った曲はコンサートで歌われ、コリーヌは遺産相続して、裕福な娘と結婚する。貧困と不遇をかこった彼らは皆それぞれの道で成功を収めるか、富と安定した生活を手に入れて終わるのだ。そしてあのミュゼットまでが、ロレット生活に別れを告げて、郵便馬車の宿駅長と結婚するということが、マルセルの口からロドルフに伝えられる。

なんと意外な終わり方、あまりに散文的で反ボヘミアン的な結末、と思う読者は多いだろう。事実、刊行当時も作家の友人たちはこの結末に異議を突きつけた。ブルジョワ的な価値規範に対する反抗によって規定されるボヘミアンが、世俗的な成功とブルジョワ的な安楽に充足してしまっていいものだろうか。それは彼らがそれまで標榜(ひょうぼう)していた美学や行動指針への許しがたい背反ではないだろうか、というわけである。しかしミュルジェールは、ひとが暢気で放浪的なボヘミアン生活をいつまでも続けられないことをよく知っていた。ボヘミアン的青春の行き着く先が、貧窮と孤独による惨めな死か、あるいはそれなりの成功による穏やかなブルジョワ化のいずれかであることを、ミュルジェールは自覚していたのである。

第三章　政治の季節

「水飲み仲間会」

ミュルジェールが『ボヘミアン生活の情景』で描いてみせた一八四〇年代の若き芸術家集団のイメージは、当時のボヘミアンの典型として受容され、一種の伝説と化していく。ひとつの文学作品が一世代の集団肖像画として機能するという、文化現象の表れをそこに見てとることができる。現代であれば、一本の映画やミュージカルやテレビドラマが一世を風靡して、社会現象と化すさまに似ている。

しかし、彼が創りあげた集団表象のうちに、彼の文学者・芸術家仲間や、同時代人たちが皆みずからの姿を認めたかというと、けっしてそうではない。ロドルフたちがボヘミアンの浅薄な戯画だと批判する者がいたし、とりわけ「水飲み仲間会」の描き方には、当事者だった人たちから苦情が出た。これはボヘミアン的な青年たちによって一八四一年に結成された実在した集団で、何か公的な性格をもつ団体などではなく、戯れに付された名称である。名前の由来には二つの説がある。まず節約のため、あるいは主義として酒を口にせず、水しか飲まなかったからというもの。次に、これは反語で、じつは彼らは皆酒好きで、水を口にしなかったからという説。いずれにしても、この会のメンバーは文学と芸術についてまじめに語りあい、必要に応じてお互いを扶助したという。

『ボヘミアン生活の情景』では、この「水飲み仲間会」への言及が二度出てくる。第一に「序文」においては、真のボヘミアンと対比される「知られざるボヘミアン」のひとつの範疇として、唯我独尊の傾向が強く、孤立と無軌道のなかで生きる集団の存在が指摘されていた。そこでは明瞭に名指されていないが、これが「水飲み仲間会」への言及になっている。次に、作品の第十八章「フランシーヌのマフ」に登場する。この第十八章は、『ボヘミアン生活の情景』全体の筋の流れから独立した、それ自体で完結した一章で、登場する人物はこの章だけにしか姿を現さない。同じ建物に住んでいた、才能ある若き彫刻家ジャックと、グリゼットで恋人フランシーヌの半年間にわたるはかない悲恋物語が展開する。フランシーヌは結核で若くして息絶え（結核は当時の文学で、若く美しい女性を襲う典型的な病）、ジャックもまたその才能を蕩尽（とうじん）したかのように、わずか二十三歳で貧困のなかで世を去る。このジャックが「水飲み仲間会」の一員で、作中においてこの集団は、芸術の理想のために清貧と自由の生活を選ぶのだが、そこで比較の対象にされるのが、バルザックの作品『幻滅』（一八四三）に出てくる「セナークル」である。

ジャックは「水飲み仲間会」と呼ばれる集団の一人だった。これはあの素晴らしい小説『パリにおける地方の偉人』（『幻滅』第二部のタイトル）に登場するキャトル＝ヴァン通りの有名なセナークルを真似て創設されたらしかった。ただしセナークルの英雄たちと水飲み仲間には大きな違いがあって、模倣者が皆そうであるように、水飲み仲間は自分たちが応用しようとするやり方を誇張したのだった。その違いは次の一事からだけでもよく理解できるだろう。バルザック氏の著作では、セナークルの成員は最後にはみずからの目標に到達し、成功するやり方はすべて良いものだということを証明しているという点だ。*1

この集団では、愛もまた芸術の犠牲に供される。重篤な病状の恋人の治療費を手に入れようと、金になる仕事を引き受けたジャックを、集団の領袖ラザールは「君の愛の宣言は、芸術家としての敗北だ」[*2]と冷たく拒むのだから。

ミュルジェールは、『ボヘミアン生活の情景』への批判を真摯に受けとめたのだろう。四年後の一八五五年に文字どおり『水飲み仲間たち』と題された作品を発表して、ボヘミアン表象の修正を試みた。第一章で、水飲み仲間会の一人で登場人物のアントワーヌは、世間には大きな誤解があるとして、その誤解を払拭しようとする。

われわれは、困難な生活が引き起こす苦境にはたやすく順応しますが、正当化するより実行するほうがたやすい道徳には従いません。極端に厳格な人間でもありません。変化してもわれわれの芸術観が損なわれないのならば、今の生活をより良い生活と喜んで交換しますよ。われわれは若い男ですから、青年期に許される快楽や愉しみから離れて閉じこもるのは、しばしば辛いことです。さまざまな誘惑に襲われることはよく知っていますが、それを押し返すのです。そして他の場所には見いだせないわれわれの愉しみと快楽を、創作活動そのもののなかに感じているのです。[*3]

禁欲や自己犠牲は、青年たちにとってつねに容易というわけではないが、それが創作を促すのならば進んで受け入れる。自分たちはけっして高慢で閉鎖的な集団ではなく、質素で時には孤立した生活を、芸術の理想を実現するためのやむをえない手段として選択するのだ、とアントワーヌは主張する。しかしこのような修正戦略にもかかわらず、『ボヘミアン生活の情景』が紡ぎだした強固なイメージは残り続ける。そのことに苛立ったのだろう、ミュルジェールの作品と並行しながら、さらには彼の死後も、かつて彼と行動を共にした作家たちによって、異なるボヘミアン像を提示する作品や回想録が書かれることになった。

シャンフルーリの反駁

その筆頭は、ミュルジェールと一時期同居したシャンフルーリだろう。みずからもボヘミアン時代を経験し、文学と絵画の世界に精通した証人であり、作家や美術批評家として活躍した彼からすれば、『ボヘミアン生活の情景』で語られたボヘミアンの生態はいくらか牧歌的で、理想化されすぎており、ボヘミアン性がはらむ卑俗さやいかがわしさを払拭されている。ミュルジェールの小説が『コルセール・サタン』紙に連載されたのと同じ頃、一八四五年にこの同じ新聞に載ったシャンフルーリの短編『シャン・カイユ』は、社会の底辺で生きる青年版画家の赤貧洗うがごとき生活を、いささかも諧謔(かいぎゃく)の調子を交えることなく淡々と、ほとんど冷徹な筆致で描いてみせる。

皮革職人の家庭に生まれたシャン・カイユは、父親に暴力を振るわれたのをきっかけに家を出て、画学生たちと粗末な屋根裏部屋で共同生活を始める。やがてその生活にも嫌気がさして、一羽のウサギだけを友として孤独な暮らしに甘んじる。作家は、彼がボヘミアンであることを明言している。「シャン・カイユは、生涯ボヘミアンであり続けるあの不幸なボヘミアンという種族の一人だった」[*4]。ボヘミアンはその境遇から抜けだすことができない。他人に搾取されても、それに気づかないほどのお人好しでもある。主人公は才能があり、腕の確かな版画家なのだが、その才能を見抜いた狡猾な画商サミュエルは、保護すると見せかけて彼の作品を二束三文で買い取り、それをレンブラントの高弟の作品だと偽って蒐集家に法外な値で売りつけて、利益を得るのだ。主人公が恋した女性は姿を消し、飼っていたウサギも死ぬ。救いようのない絶望と孤独に苦しみ、飢えと病のため彼は失明し、最後は救貧院に収容される。版画家にとって視力を失うことは、存在理由を喪失することに等しい。救貧院に入るのは、悲惨な死が近いことを暗示する。ここで語られているのは、ミュルジェールの作品からはほど遠い、何とも絶望的なボヘミアンの没落の物語にほかならない。

シャンフルーリは後に、ある批評家から「ボヘミアンの王」と呼ばれるようになった。そこには一抹の善意と積極的な評価も含まれていたのだが、当人は肯んじなかった。『秋の物語』(一八五四)と題された作品の一章で、彼はその批評家に反駁する書簡という形式のもとに、ボヘミアンをめぐるみずからの意見を表明する。確かに二十代の一時期はボヘミアンと形容されるような生活を送っていたが、文筆で身を立てられるようになった現在、この呼称は自分にはふさわしくないという自負があった。

ボヘミアンとは何か、あなたに申し上げましょう。それは自惚れが強くて嘘つきの、怪しい物書き連中の一団で構成されています。どこにでもいて、どこでも出会えますが、一年に百行の文章を書くことすらありません。こうした連中は、ボヘミアンの肩書を誇示します。十二年も前からパリの路上を歩き回りながら、さまざまな人間関係や、新聞とのコネを無理やり作りあげ、どこかに短い記事や宣伝文を掲載させることもできます。しかし、生活は楽ではありません。

このような集団の王とか会長と呼ばれることを、なぜ私が拒否するかお分かりでしょう。みずからのペンだけで暮らしている者はボヘミアンではないのです。過去の世紀の貧しい詩人たちに適用される時には栄光に満ちたこのボヘミアンという言葉は、新しい言葉として受容され、受け入れられていますが、じつは怠惰と、無知と、胡乱な習俗から出来あがっているのです。[*5]

ボヘミアンに駆け出しの売れない作家が多いことを認めつつ、しかし創作に邁進するほどの律儀さをもち合わせず、ボヘミアンという称号がみずからの隠された優越性の証しになると思い上がっている怠惰で無知な男たち——これが、シャンフルーリが一八五四年、つまりミュルジェールの『ボヘミアン生活の情景』から三年後に下した定義である。ここには生産的な無頓着さも、創造活動を促すような自由も、未来を見据えた希望もない。『秋の物語』の作者は、過去を否定することで、みずからの現在を正当化しようとした。

ボヘミアン像の修正

ミュルジェールが死んだ翌年の一八六二年、三人の共著による『三人の水飲み者による、真のボヘミアンの歴史に資するためのミュルジェールの物語』(以下、『ミュルジェールの物語』)という長い表題の本が刊行された。アドリアン・ルリウーが第一部、レオン・ノエルが第二部、そしてナダールが第三部を担当している。これは三人の友人によるミュルジェールへの追悼文であると同時に、彼が創りあげたボヘミアン像を脱神話化しようとした試みでもある。とりわけ第三部が興味深い。

フェリックス・ナダール（一八二〇―一九一〇）は、ジャーナリスト、作家、風刺画家、回想録作者など多様な顔を有していた。今日では、とりわけ肖像写真家および気球冒険家として歴史にその名を残している。写真の草創期に活躍した彼は、一八五〇年代にパリ中心部に写真館を設け、多くの著名人の肖像写真を撮った。当時のおもだった作家、画家、音楽家、政治家で、ナダール写真館の扉をくぐらなかった者は稀である。ナダールによる肖像写真は、人物の内面的な真実と、当人すら意識していなかった秘められた心理さえも、観る者に示唆してくれる。

とはいえ、写真家としての成功は一八五〇年代後半以降の話であり、それ以前はジャーナリストや風刺画家として不安定な生活を強いられた時期が長い。一八三八年頃からリヨン、続いてパリの新聞・雑誌に、記事や劇評や小説を発表し始めるものの、小新聞への散発的な寄稿だけで生活が保障されるわけはなく、早くに父親を亡くしてからは母と、五歳違いの弟アドリアンを養うという状況下で、長い間貧しい生活を強いられた。その時期に、ナダールはミュルジェールやシャンフルーリ、さらにはボードレールの知己を得た。一八四〇年代のパリでボヘミアン生活を過ごした彼は、そのあらゆる側面を体験的に熟知していた人間なのである。[*6]

『ミュルジェールの物語』のなかで、ナダールはミュルジェールの性格に率直な判断を下している。ミュルジェールは誠実そのものと言えるような人柄で、他者への配慮にもあふれていた。友情に篤く、人情味があり、けっして恩知らずなことはしなかったから、友人たちから愛され、経済的な援助を受けたことも一再ならずあった。しかしその優しさの半面、集団を導くような積極性には欠けていたという。そしてドイツの文学と哲学に親しんだものの、「彼には真の哲学的精神が欠けていた。つまり、心情の偉大さと完全に一致しながら、思想家の作品へとまとめ上げ、人間の良心が善と呼んだものをもたらす精神の高貴さが欠けていた」[*7]。ミュルジェールの本質的な寛容さは、彼の作品にも浸透している。だからこそ、戯曲『ボヘミアン生活』の最後で、「ああ、僕の青春！これでお前を葬ることになる」とロドルフが慨嘆した場面に、ナダールは激しく反発し、その削除さえ求めたのだった。作家がこの結末に固執し、ナダールの提案を受け入れなかったことは先に述べたとおりである。

ナダールは、当時のボヘミアンたちがどれほどの困窮生活に甘んじていたかを具体的に語っている。ある者は、田舎から母親が送ってきたジャガイモばかりを食べて一週間過ごした。しかも、調理するための火がなかったので、生（なま）のままかじって飢えをしのいだという。三、四日に一度しかまともな食事にありつけない者もいた。とりわけ辛かったのは冬の寒さである。ある男は、薄手の上着一枚をまとっただけでセーヌ右岸の大通りを放浪した末に、疲労と飢えと寒気のために動けなくなり、公共水汲み場のかたわらで眠り込んでしまったという[*8]。第三者の体験、ボヘミアン一般に生起しえた経験として叙述されているが、ナダール自身の個人的体験がかなり含まれているかもしれない。

ナダールがこのような側面を強調するのは、ミュルジェールの小説がそれを巧妙に隠蔽し、牧歌的な暢気さを実際以上に際立たせていると考えたからである。そしてそれは、『ボヘミアン生活の

図6　売れない画家の苛立ち。ドーミエ画（1842）。

情景』の作者に限ったことではなかった。

ナダールは次のように書き記す。

> 私が思うに、誰も十分には語らなかったこと、極端な称賛者も、どうでもいいような現実主義者さえもあえて認めなかったこと、それは犠牲者の名前を記した正確で忠実な調書であり、何人かの者が長いあいだ耐え忍んだ貧困の正確で、けっして詩的ではない細部である。その貧困はあまりに常軌を逸していて、想像もできないほどなので、数年経つとその悲劇の当事者にさえ、まるで遠い昔の悪夢のようにありえない亡霊としか思えないほどなのだ[*9]。

ナダール自身にとってもけっして無縁でなかっただろうこうした貧困を指摘するのは、そこから這い上がった自分を誇るためではないし、ボヘミアン仲間の偉大さを称賛するためでもない。困窮と飢えと放浪によって結ばれたこの集団、この「友愛に満ちた共同体」の誰一人として世俗的な誘惑に屈しなかったからである。同胞からの、そして同胞への敬意が自尊心を支え、ボヘミアン集団の絆を強めたのだった。その自尊心と絆こそが、ボヘミアン集団の本質だった。そしてその集団のなかから、ボードレールやバンヴィル、そしてみずからの名を挙げはしないもののナダールのように、その後の文学界で認知されるようになった者が出た。「われわれの時代から見れば、ボヘミアンは高いところにのぼった」[*10]というナダールの回想には深い感慨がともなう。

ナダールが執筆した『ミュルジェールの物語』第三部に、キャロル・ダネルという石版画家が登場する。一八三〇年代末にナダールが知り合った男で、フランス人の父とポーランド人の母のあいだに生まれたダネルはミュルジェール、シャンフルーリ、ナダールより少し年長で、ボヘミアン集団の中心的な存在だった。若くてまだ芽の出ない画家、詩人、ジャーナリストたちが彼を慕って、自然に集団が形成されていった。温厚で歓待好きなダネルはどこか「ドン・キホーテと聖フランソワ・ド・サル」に似たところがあり、「ダネルほど無私無欲で慈愛心にあふれる男はいなかった」[*11]とナダールは記している。当時はまだ無名だったミュルジェールもまた、そうした彼の慈愛心と鷹揚さの恩恵に浴した一人だった。このダネルとの付き合いが、ボヘミアン集団に新たな次元を付加することになる。政治性という次元である。

政治化と秘密結社

ナダールが一八五六年に刊行した短編集『私が学生だった頃』のなかに、「ルクーの生と死」と題された物語が収められている。カルチエ・ラタンに住むルクーは、優秀な法学生で将来を嘱望されながら、生来の無頓着と暢気さのせいでボヘミアン生活に埋没していく。善良なルクーは周囲の者たちから慕われるが、みずからの才能を浪費し、カフェに入り浸って体調を損なった挙句に若死にする。ナダールとその仲間たちをモデルにして、脚色を加えながら、一八四〇年前後のパリのボヘミアン生活を描いた佳編であり、作家ナダールの確かな才能を感じさせてくれる。この作品の冒頭では、七月王政期に社会主義やユートピア思想が多くの若者の心をとらえたさまが喚起されている。そしてカルチエ・ラタンの青年たちがきわめて政治化し、ときには官憲と衝突したことを語っている。この政治性は、ミュルジェールやシャンフルーリの作品ではほとんど払拭されているが、やはりボヘミアン文化を特徴づける要素のひとつと言ってよい。

実際、ブルジョワ王政と呼ばれた七月王政時代、フランスは産業革命の進展にともなって地方から多くの人口が首都に流入し、パリには過酷な労働と貧困にあえぐ民衆層が形成されつつあった。そうした状況のなかで、共和派の蜂起が繰りかえされ、サン゠シモン、フーリエ、プルードンらの社会主義思想が浸透したのだった。政治的な熱狂に感染したボヘミアンは少なくないし、ナダールもその一人だった。

彼はもともと、政治的には左翼的な心性の持ち主であった。一八四〇年代初頭に彼が協力した新聞や、みずから編集において主要な役割を果たした『コメルス』紙などは、共和主義への支持を隠さなかった。彼が交流をもったボヘミアンたちにしても、政治的にしばしば共和主義や社会主義への親近感を表明していた。ナダール自身は、カトリック的社会主義を標榜して若者や学生に人気の高かったラムネーに傾倒する。警察当局はそのようなナダールをひそかに監視していたようで、一八四二年と一八四三年の警察調書が残っており、現在はナダールの『書簡集』に収められている。

それによれば、ナダールは「過激な共和派として細心の注意を要する人物である。何度も暴動に加わった」として官憲からマークされ、さらに次のように記されている。

『コメルス』紙の元記者であるトゥルナション氏〔ナダールの本名〕はもっとも危険な人物の一人であり、きわめて反社会的な理論をカルチエ・ラタンで流布させている。

そのうえトゥルナション氏は理工科大学校の数人の生徒の信頼をかちえることに成功し、彼らをいわば支配し、いつでも彼らを動員できる。トゥルナション氏はラムネー氏に心酔するもっとも活動的な信者の一人である。

厳重な監視を要する。[*12]

ナダールは、危険な社会主義思想に心酔し、学生たちをいつでも政治運動に駆り立てられる要注意の煽動者と見なされている。しかし、彼が実際にそこまで危険人物だったかどうかは、疑問の余地が大きい。残された彼の手紙や周囲の証言を読むかぎり、警察側の反応が過剰だったという印象を受ける。

一八四八年の二月革命によってブルジョワ王政が崩壊し、第二共和政が成立すると、ナダールは新たな政治体制を熱烈に支持した。革命と共和政の樹立に興奮したナダールは以前にもまして政治熱にとらわれ、当時ロシアの圧政に虐げられていたポーランドを救済するためにと、軍隊に入って義勇軍としてポーランドに向かおうとさえした。一八四八年はパリだけでなく、ベルリンやウィー

図7　1848年二月革命のバリケード。ボヘミアンにとっては政治の季節だった。

ンでも革命が勃発して旧い体制を転覆させた年であり、まさに革命の年だったのである。そのような時代の熱狂に共鳴し、友人のキャロル・ダネルがポーランド系ということもあって、ナダールは抑圧された国への愛に目覚めたにちがいない。だが計画性に乏しい、いかにも無謀な行動だったから、通過したプロイセン国内で疑惑をもたれて逮捕され、フランスに列車で送還される羽目になった。

一八四八年十二月に迫った大統領選挙で、ルイ・ナポレオン（後のナポレオン三世）が優勢とみると、ナダールは彼の変節ぶりを揶揄するために、「レアック氏の公的、私的生活」と題する風刺画シリーズを発表する。レアック氏とはもちろんルイ・ナポレオンを暗示し、その誕生から始めて、姑息な少年時代、怪しげな商品を開発して儲ける実業家時代、老獪（ろうかい）な処世術で出世していく政治家時代とその生涯をたどりながら、ルイ・ナポレオンの臆面もない日和見主義を浮き彫りにしている。政治的な風刺画として見事である。

このナダールの例に見られるように、ボヘミアンはたんに売れない作家・芸術家集団であっただけではない。彼らは同時にきわめて政治化した集団であり、現実に政治行動をためらわなかった。若い駆け出し作家の多くは社会主義思想、とりわけフーリエ主義に共鳴した。後に高踏派の領袖となるルコント・ド・リールは、フーリエ派の新聞『平和的民主主義』に寄稿したし、ボードレールは二月革命時、武器を手にしてバリケードに上ったのである。

ボヘミアンと政治の結びつきは、ボヘミアン集団にたいする権力側からの警戒感を強めた。七月王政期には、共和主義者、社会主義者、さらにはブランキのような無政府主義者の一部はボヘミアンと同一視される傾向さえあった。当時、浮浪はそれだけで法に触れる軽犯罪だったから、ボヘミアンの生活スタイルにはつねに一種の胡乱さがつきまとっていた。ましてや彼らが政治運動に関与すれば、気楽な芸術家集団というイメージには収まらなくなる。共和主義に深く同調したナダールが官憲に目をつけられていたことは、先述したとおりである。

七月王政期に暗躍した秘密結社とボヘミアンのつながりを指摘したのが、リュシアン・ド・ラ・オッドというジャーナリストである。一時期、パリの共和派と交流のあった彼は、警視総監ドレセールにスパイとして雇われ、反政府的な活動に従事する者たちをひそかに観察した。このオッドが一八五〇年に、『一八三〇年から一八四八年に至る、秘密結社と共和派集団の歴史』と題された著作を刊行する。それによれば、革命は陰謀と不可分であり、その陰謀はさまざまな秘密結社の存在なしには実現されない。一八四八年に七月王政を崩壊させた二月革命も例外ではなく、この事件には、暴動や陰謀をそそのかすいくつかの集団が関わったとされる。

学生でありながら大学の講義には出席せず、怪しげな小新聞の編集部やカルチエ・ラタンの居酒屋に入り浸り、煽動者の指図で政治に首を突っ込む「学校の若者たち」――それは他方で、歴史家ミシュレが社会の進歩と民主化の担い手として希望を託した集団である。あるいはまた、体制に反抗し、一時的な政治的熱狂に駆られて蜂起する「不満分子」、他の欧州諸国から逃れてパリに居を構えた「政治亡命者」もいる。たとえばナダールの友人だったポーランド系のダネルがそうだったように。「それはフランスの体内に侵入したウィルスで、フランスの革命病を悪化させる」[13]と、オッドは断罪する。こうした危険な集団のひとつが、ほかならぬ「ボヘミアン」とされる。オッドが描くボヘミアンの肖像は次のようなものだ。

至るところに、とりわけフランスに、普通の生活を嫌う空想家たちの集団が存在する。休息と快楽が労働と節約の報酬にほかならないことを、一般の人々はよく分かっているが、この集団はけっして働かず、つねに楽しんでいたいと主張する。そのような生活を申し分なく送るためには多額の年金が必要だが、彼らにそれはないから、一種の乞食集団となり、胡散臭い居酒屋が彼らの巣窟になる。こうした連中は地方にはほとんどおらず、皆首都に押し寄せる。首都パリこそは、怠惰が栄え、ある種の皮肉が存分に発揮される唯一の場所だ。この社会の変種がどこで生まれるのか言うのはむずかしい。社会の上層であろうと下層であろうと、この変種はどこからでも出てくる。あまり感覚的でなければ、あるいは犯罪に手を染めるほどの度胸がなければ、その構成員の一部はほぼまともな人間だが、大多数は堕落の本能が染みついていて、何としてでもその本能を満足させようとする。

この集団のなかに、小集団の首領や、バリケードの指揮官が見いだされる。*[14]

オッドが定義したようなボヘミアンは、芸術と文学の理想を求める貧しい若者たちではなく、怠惰で享楽を求めるだけの落伍者にすぎない。違法な行為に走らず、正直な市民でいるとすれば、それはたんに犯罪に手を染めるだけの勇気を欠いているからだ。パリで暮らし、ブルジョワ的な生活様式を拒否するのは、ミュルジェールの『ボヘミアン生活の情景』の作中人物たちと共通するが、ここには屈託のない陽気さや未来への希望が完全に欠落している。それは不穏ないかがわしさを発散する、危険な集団なのだ。

マルクスの応答

このオッドの診断に敏感に反応したのが、あのカール・マルクスだった。プロイセン政府の言論統制から逃れるように、若きマルクスは一八四三年末から一八四五年初頭にかけて、およそ十四か月間パリで暮らした。直接的な接触はなかったにしても、半ば亡命者だったマルクスがボヘミアンたちの行動を目にする機会はあったにちがいない。オッドが秘密結社の温床として「政治亡命者」の存在を強調したとき、そこにはパリでドイツ語による政治新聞を発刊したプロイセン人たちも含まれていた。

出版されて間もないオッドの本を『新ライン新聞』紙上で書評したマルクスは、ボヘミアンと、プロレタリアの陰謀活動のつながりを指摘する。マルクスによれば、この活動は、通常の職業に就きながら時におうじて行動する陰謀家と、すべての営為を陰謀に向ける職業的な陰謀家という二つのグループによって担われている。いずれも、その生活空間はボヘミアンのそれと重なると彼は主張する。マルクスが考えるボヘミアンとは、芸術や文学とは無縁なところで、ひそかにあるいは公然と政治に関わり、合法的な手段ではなく陰謀によって社会の転覆を目論む連中である。

彼らの多くはブルジョワ社会一般と直接衝突を起こし、軽犯罪裁判所にもっともらしい様子で出頭してくるのだった。個々の点では自らの行動よりもむしろ偶然に支配された彼らの不安定な生活、居酒屋――ここが共謀者たちが落ち合う場だったのだが――だけが唯一の決まった行き場であるような彼らの不規則な生活、彼らが否応なしに知り合うことになるいかがわしい人物たちとの交遊関係、そうしたものが、パリでボエーム〔ボヘミアン〕と呼ばれる生活圏に彼らを引き込んでいく。プロレタリア階級出身のこうした民主主義的ボヘミアンたちは、働くことをやめてそのために身を落とした労働者であるか、あるいはルンペンプロレタリアの出で、この階級のだらしない習慣をみなそのままだらしない生活にもち込んでいるような連中であった。こうした職業的な陰謀活動家の生活はすべて、ボエームのもっとも顕著な特徴を帯びている。*15

まともな勤労への意欲を喪失し、居酒屋に入り浸り、陰謀家たちに容易にそそのかされ、放縦な生活へと落伍していった労働者──それがボヘミアン集団の核をなすと見なされているのだ。

こうしたボヘミアン観は、マルクスの主著のひとつ『ルイ・ボナパルトのブリュメール十八日』(一八五二)にも受け継がれている。これは、ルイ・ボナパルトが一八五一年十二月のクーデタによって共和政を転覆させ、政治の実権を掌握してから間もなくして書かれた、矯激な反ナポレオンの弾劾文書である。ルイ・ボナパルトは第二共和政下の一八四八年十二月の選挙で大統領に選出され、その後は巧みに権力機構を堅固なものにし、軍隊を掌握してクーデタを成功させた。マルクスによれば、彼の権力基盤そのものが秘密結社めいた胡乱な集団によって維持されており、それを構成していたのは次のような者たちだった。

> いかがわしい生計手段をもつ、いかがわしい素性の落ちぶれた貴族の放蕩児と並んで、身をもち崩した冒険家的なブルジョワジーの息子と並んで、浮浪者、除隊した兵士、出獄した懲役囚、脱走したガレー船奴隷、詐欺師、ペテン師、ラッツァローニ〔浮浪労働者〕、すり、手品師、賭博師、ポン引き、売春宿経営者、荷物運搬人、日雇い労務者、手回しオルガン弾き、くず屋、刃物砥ぎ師、鋳掛け屋、乞食、要するに、はっきりしない、混乱した、放り出された大衆、つまりフランス人がボエーム〔ボヘミアン〕と呼ぶ大衆がいた。*16

オッドと異なり、ここでマルクスは社会の底辺に棲息する者、犯罪によって生活する者、貧困にさらされる労働者だけでなく、もともと帰属していた階級から放り出された一部の貴族やブルジョワまでもボヘミアンの範疇に組み入れている。「いかがわしい」という言葉が反復されているように、ルイ・ボナパルトの権力を隠然と支えていたのは、犯罪性と合法性のはざまで暗躍する名もない大衆であり、クーデタという非合法な行為を容認した群衆だった。

ベンヤミンは『パサージュ論』のなかで、マルクスによるオッドの論評を長々と引用している。彼にとって、第二帝政期のパリをめぐる考察、とりわけその政治的側面の考察において、陰謀や秘密結社は避けて通れない主題だったからである。ベンヤミンによるマルクスの論評の引用は、『ボードレールにおける第二帝政期のパリ』(一九三八)で再び行なわれる。その第一部はまさに「ラ・ボエーム」と題されており、ベンヤミンはマルクスのボヘミアン観を参照しながら、それをボードレールの文学世界を読み解くために活用しようとした。『悪の華』には「屑屋の酒」と題された詩編が収められており、そこでは社会に反抗し、より良い未来を夢想する人物類型として屑屋の相貌が描かれている。屑屋が皆ボヘミアンだったわけではない。しかし政治化したボヘミアンは、ボードレールが表象した屑屋のなかに、みずからの肖像を読み取ることはできただろう。

フロベール『感情教育』のボヘミアン群像

一八四八年の二月革命前後は、まさに政治の季節だった。歴史家ミシュレのコレージュ・ド・フランスでの講義に熱狂し、共和主義に共鳴した学生たちや、社会主義に希望を見いだした作家や芸術家は政治化した。フーリエ派の新聞『平和的民主主義』は、ルコント・ド・リールをはじめとする若い文学者たちを引きつけたし、写実派芸術の領袖となる画家クールベは、プルードンの思想に共感を示した。文学の領域でも、ミュルジェールやシャンフルーリの作品と異なり、政治活動に乗りだすボヘミアンを登場させた重要な文学作品が存在する。フロベールの代表作のひとつ『感情教育』（一八六九）である。

一八二一年生まれのフロベールは、ボードレール、ミュルジェール、シャンフルーリらと同世代であり、故郷のノルマンディー地方から首都パリに出てきて、一八四〇年代初めに学生生活を送っている。一八四〇年から一八五一年までのパリを時代背景とするこの小説は、作家みずからの世代の自画像になるはずだった。一八六四年十月、作品の執筆に着手して間もない頃、フロベールはある手紙のなかで次のようにみずからの意図を表明している。

> 私は一か月前から、パリで展開する現代風俗小説に取り掛かっています。自分と同世代の人々の精神史を書きたいのです。「感情史」というほうがより正確かもしれません。愛と情熱の物語ですが、今日ありうるような情熱、つまり受動的な情熱の物語になるでしょう。私が着想した主題は真実味にあふれていると思いますが、まさにそれゆえにあまり面白くないかもしれません。[*17]

「自分と同世代の人々の精神史」を書きたいという作家の意図は、この作品の歴史的位相をよく示している。作品全体を貫く思想、テーマ、時代風土などはすでに明瞭に規定されていて、完成作でも大きな変化を蒙ることはない。この作品では、一八四〇年代の心性と社会の変貌が、主人公フレデリック・モローの脆弱で不毛な愛と対位法的に描かれていく。そして一八五一年十二月のルイ・ナポレオンによるクーデタの挿話は、一世代に共有された理想と夢が最終的に崩壊したことを悲劇的に告げるのである。

この作品では、主人公の周囲に共和主義や社会主義を支持する青年たちが集って、政治的な議論を展開し、時代状況を診断する場面がしばしば出てくる。なかには、路上での反政府デモが原因で官憲といざこざを起こす者までいる。出自も感性も異なる彼らに共通するのは、二月革命の成就には誰もが喝采するという点だ。政治化したこの集団には、素性も生活手段の方法もよく分からない、ボヘミアン的な人物が交じっている。たとえば、ルジャンバールは共和派の新聞を愛読し、政治的な野心を抱いているが、積極的な政治参加を試みるわけではない。二月革命の直後には、パリの街路を遊歩者よろしく放浪するだけで、あらゆる党派を罵倒する。そして最後には、すっかり落ちぶれ、亡霊のようになって毎晩カフェや居酒屋に陣取るようになる。展望を欠いた、その日暮らしに甘んじるボヘミアンの典型と言えるような人物である。

『感情教育』のなかで一度、はっきりボヘミアンと名指されるのがユソネという登場人物だ。文学的な野心をもち、軽喜劇風の脚本を書くが、劇場側に受理されることはない。やがて活動の場をジャーナリズムに転じ、なかば政治的、なかば文学的な新聞を編集するが、泡沫的な存在に終わってしまう。フランス革命の意義を否定した王党派の思想家ジョゼフ・ド・メストルの賛美者だと自認する彼は、保守的な傾向を強めていく。二月革命勃発の直後には、民衆に奪取される王宮に姿を現すが、民衆に革命の主役を認めようとはしない。やがて反動的な姿勢を露わにし、第二帝政期にはパリの劇場と新聞・雑誌を支配するジャーナリズムの大御所として君臨することになる。素性のうさんくさい文学的ボヘミアンから、その対極となるジャーナリズムの成功者への変貌――その変貌はボヘミアン的な原理への違反行為であり、だからこそフロベールはユソネをボヘミアンと名指すことで、その変節を暗に咎めたのだった。

画家ペルランの軌跡は、より起伏に富んでいる。彼はさまざまな理論書を繙いて、美の理想を追求し、美をひとつの宗教のように尊重する。写実主義の美学には関心を示さず、芸術の目的は精神的な高揚を生じさせることだという信念を抱いている。凡庸なものとブルジョワを嫌う点ではボヘミアンだが、世間的な栄光を夢みるのはあまりボヘミアンらしくない。革命が勃発すると仲間たちと同じように政治熱に感染し、共和政府にたいして芸術を庇護し、芸術家たちの生活を保障するよう求める。その時彼が描いた作品は次のようなものだ。「その絵は、処女林のなかを走る蒸気機関車を運転するイエス・キリストを描きつつ、共和国、あるいは進歩、あるは文明を表したものだった」[*18]。

産業革命の象徴たる蒸気機関車と、キリストという宗教的イコンを結合させ、そこに政治的なメッセージをこめたこの絵は、殖産興業のイデオロギーを推進して、後に第二帝政期の政策に影響を及ぼすサン＝シモン主義を反映した図柄になっているが、その教条主義には作家フロベールの痛烈な皮肉が看取される。このペルランは、第二共和政が当初の原理を見失って保守化するのと並行するかのように、やがて芸術にとってもっとも好ましい政体は王政であるとして、ルイ十四世の時代を称賛する始末である。かくして「ペルランはフーリエ主義、ホメオパシー、心霊術、ゴシック芸術、人道主義絵画に熱中した後、最後は写真家になった」[*19]。彼の関心の対象にはまったく一貫性がなく、その支離滅裂さがこのボヘミアンの本質である。確固たる美学をもたず、状況と時代の流行に迎合したような作品しか描かず、最後は写真家に転業するこの人物に、フロベールの筆はあまり好感のもてない相貌を付与している。そしてこのペルランのモデルが、あのナダールだと言われているのだ。

ルジャンバール、ユソネそしてペルランは、主人公フレデリックと交流をもつ人物とはいえ、『感情教育』のなかで重要な役割を果たすわけではない。しかしその人生の軌跡は、一八四〇―五〇年代のパリのボヘミアン文化の様相をつつましく、しかしあざやかに浮き彫りにしているのである。

第四章　第二帝政期の変化

言説空間の変貌

七月王政末期、一部の若きボヘミアンたちは政治化し、一八四八年の二月革命ではみずから政治行動に乗りだす者がいた。しかしルイ・ナポレオンのクーデタによって第二共和政（一八四八―五一）はその短い時代の幕を降ろす。それはロマン主義イデオロギーや社会ユートピアの挫折であり、ボヘミアンたちを政治の領域から遠ざけることにつながった。革命時に銃を片手にバリケードに上ったボードレールは詩の創作へと向かい、ナダールは政治的風刺画から手を引いて、やがて写真家として成功を収め、詩人ルコント・ド・リールは象牙の塔に閉じこもった。

ルイ・ナポレオンが国民投票による信任を得て、ナポレオン三世として即位することによって始動した第二帝政（一八五二―七〇）は、フランスで産業革命が飛躍的に進展し、資本主義体制と植民地政策が相乗的に成立していった時代として記憶される。幕末の日本と外交関係を築いたフランスはまさにこの時代にあたり、フランスの公使として江戸幕府と折衝したレオン・ロッシュ（一八〇九―一九〇〇）が、それ以前に北アフリカの植民地経営に関与した軍人だったというのは偶然ではない。国内では鉄道網が整備されて主要都市が結ばれ、パリにはターミナル駅、中央市場、証券取引所、デパートなど近代産業社会を担う経済空間が整備され、ひととモノと資本が流通する。ベンヤミンが『パサージュ論』で指摘したように、流通＝循環＝交通（フランス語ではいずれもcirculation）はこの時代を特徴づけるキーワードである。そしてこのような時代の風潮を象徴するのが、一八五五年と一八六七年にパリで開催された万国博覧会にほかならない。一八六七年の万博は日本が初めて参加した万博として記憶されているが、その後もパリはほぼ十年ごとに万博を開催しており、十九世紀後半のパリはまさに万博都市だった。

このような時代状況からして、第二帝政期は華やかで、繁栄した時代として語られることが多い。確かに、植民地政策の恩恵もあって経済的には潤い、宮殿ではしばしば「帝国の饗宴」が催されたが、華やかさには影の部分がつきまとう。そのひとつが検閲制度だった。第二帝政はそれ以前と較べて、言論・出版の自由を厳しく制限した時代として知られる。帝政に移行した年の一八五二年に発布された法令によって、新聞を創刊するに際しては政府の認可を得なければならなくなり、一定の税金が課され、反政府的な論調を強めれば「警告」を受けた。そして警告を二度受ければ、容赦なく廃刊に追いこまれたのである。戯曲と風刺画には事前検閲が適用されたし、小説や詩の場合に事前検閲はなかったものの、司法当局によって「道徳、宗教、良俗に反する」として起訴され、有罪となれば、作者と出版社には罰金と出版差し止めの措置が科されたのだった。ボードレールの『悪の華』とフロベールの『ボヴァリー夫人』が一八五七年、この理由によって裁判沙汰になったのは、フランス文学史上で有名な事件である。

このような条件下では、作家やジャーナリストの側に自己規制が働くようになるのが当然だろう。新聞は読者に真実を知らせることではなく、読者を楽しませることをめざし、そのためにスキャンダラスな出来事や、上流階級の噂話や、ゴシップ記事や、興行界の逸話で紙面を飾るのに余念がなかった。こうして政治色を排した娯楽用の小新聞が、この時代に数多く刊行されたのだった。その代表は、モイーズ・ミヨーが一八六三年二月に創刊した『プチ・ジュルナル』である。競合する新聞に較べて三分の一の価格に抑え、犯罪、事故、情痴事件など三面記事的な話題を中心に据え、刺

図８　ボヘミアンたちが集った新聞のひとつ『ボヘミアン、非政治新聞』1855年４月８日号のトップ面。

激的な冒険小説を連載することで読者数を急速に伸ばしていった。印刷技術の進歩により、大量の部数を迅速に印刷できるようになったこと、七月王政期から続いていた教育制度の改革により識字率が上がり、それまで出版物と縁のなかった人々が読書市場に参入し、読者層が拡大したことも、このような流れを促進した。ブルデューが『芸術の規則』のなかで示したように、十九世紀半ばにフランスの「文学場」の構図と力学は大きく変貌したのである。[*1]

　そうしたなかで、ボヘミアンの実態と表象もまた変わらざるをえなかった。小新聞は通りや広場で売られ、カフェや公共図書館に置かれ、一般市民の家庭のなかにまで入りこんでいく。記事の書き手たちは、一八三〇―四〇年の世代と異なり、文学的な野心を抱いていたわけではなく、したがって芸術のためではなく生活のための手段として新聞、雑誌の世界に参入した者たちだった。こうして新たなボヘミアン集団が形成されていく。

「ブラスリー・デ・マルティール」

とはいえロマン主義的な、あるいはミュルジェール的なボヘミアンが消滅したわけではないし、文学、批評、ジャーナリズムの道を志す者たちがカフェに集って、酒のグラスを片手に議論を闘わせ、ときには自作を朗読するという習慣は残る。第二帝政期でも、とりわけパリ北部モンマルトルにあった「ブラスリー・デ・マルティール」が、ボヘミアン作家たちの集合場所として活気を呈していたことを、作家アルフォンス・ドーデ（一八四〇―九七）が回想録『パリの三十年』（一八八八）のなかで語っている。

南仏から一八五七年に首都に出てきたドーデは、作家としてデビューする前の一時期、ボヘミアン集団と交流をもっていた。「おどけ者とミュルジェールのボヘミアンの終焉」と題された章によれば、ドーデはある男に連れられてこの「ブラスリー・デ・マルティール」を訪れ、そこで数多くの作家や批評家たちに出会った。時代は一八五八年頃で、このブラスリーが文学の世界で大きな影響力を振るっていたと回想している。

「ブラスリー・デ・マルティール」は、今でこそ静かで、通りに住む小間物商人たちがカード遊びに興じているくらいだが、当時は文学におけるひとつの権力だった。ブラスリーが審判を下し、ブラスリーをつうじてひとは有名になれた。帝政が課した深い沈黙のなかで、毎晩八十人から百人の男たちがパイプをふかし、ジョッキを飲み干しながらそこで立てる騒音を耳にして、パリの人々は振り向いたものだ。男たちはボヘミアンと呼ばれ、それに満足していた。当時は政治色がなく、週刊だった新聞『フィガロ』が、たいてい彼らが作品を発表する媒体だった。〔中略〕

夜の十一時頃、あらゆる声の喧騒にあふれ、パイプの煙が充満したブラスリーはまさに一見の価値があった。[*2]

カフェが創作活動の舞台になり、文学場において一定の権威を有するという風潮は第二帝政期にも、そして後述するようにその後の時代になっても変わらない。「ブラスリー・デ・マルティール」では、ミュルジェールが「テーブルのまん中に君臨し」、ミュルジェールは作家として認められ、当時はパリがワグナーの音楽への愛を熱く語っていた。ミュルジェールはレアリスムの領袖となったシャンフルーリがワグナーの音楽への愛を熱く語っていた。民衆詩人ピエール・デュポンは四十五歳にしてすでに老衰し、詩を朗読しても嗄れた声に昔日の勢いはなかった。「芸術においていまだ未開拓のものに取り憑かれていた偉大な詩人」ボードレールが姿を現すと、若きドーデはその端正なたたずまいと舌鋒鋭い機知に驚きを隠せない。詩人や小説家だけでなく、哲学者、画家、彫刻家もそこに陣取っていた。[*3]

このようにドーデの回想録は、作家たちの印象深い肖像をちりばめているが、他方で、没落し、文学と芸術の世界から消えてしまう者たち、貧困や絶望のなかで命を絶つ者もいたことを忘れてはいない。「ブラスリー・デ・マルティィール」とそこに集うボヘミアンたちは、『ボヘミアン生活の情景』で描かれたカフェの内部とボヘミアンを彷彿させるが、その裏には暗く過酷な現実がひそんでいたのである。ドーデの回想録はそれから三十年を経て、ロマン主義的なボヘミアン性の一八五〇年代における残光に敬意を表すると同時に、ミュルジェール的なボヘミアン文化の継続がむずかしくなっていたことを冷静に見きわめてもいた。

ボヘミアン神話の元祖ミュルジェールが一八六一年に死去すると、多くの文学新聞と作家たちからは追悼の賛辞が捧げられた。前章で触れたが、翌年出版されたノエル、ルリウー、ナダールの共著『三人の水飲み者による、真のボヘミアンの歴史に資するためのミュルジェールの物語』は、『ボヘミアン生活の情景』が定着させたボヘミアン像を微調整しながらも、最終的には、逆境と闘いながら芸術を人生の目標に据え、創作に打ちこむ青年たちの姿を描いたという点で、ボヘミアン文化を価値づける試みだった。

ゴンクール兄弟のボヘミアン観

しかしこの本が刊行されたのとほぼ同時期に、ミュルジェールの経歴と成功を意識しながら、ある作家がそうしたボヘミアン表象に根本的な異議を唱えた。その作家とはゴンクール兄弟（兄エドモン一八二二―九六、弟ジュール一八三〇―七〇）、問題となる作品は『シャルル・ドゥマイー』（一八六〇）と『マネット・サロモン』（一八六七）である。

ゴンクール兄弟は今日、十九世紀後半のパリの文壇、芸術世界、社会そして日常風俗に関する貴重な証言になっている長大な『日記』の作者として、そしてフランスでもっとも権威ある文学賞「ゴンクール賞」に冠せられた名前として記憶されているが、フランスでも日本でも多くの読者に恵まれている作家ではない。再評価がめざましく進んだのは、この三十年ほどのことである。『日記』のほかに、少なからぬ小説、歴史書、美術批評を書き残した。小説はフロベールやゾラの小説と並んで、レアリスム文学を代表する作品群であり、十八世紀フランスに関する歴史書は、二十世紀のアナール学派が先鞭をつけた社会史の先駆とされるほどだ。兄エドモンは日本美術への関心も高く、『歌麿』（一八九一）と『北斎』（一八九六）はこの二人の画家についての最初の体系的研究であり、日本趣味（ジャポニスム）の流布に貢献したことは重要な業績に数えられる。

ミュルジェールが死の床にあった頃、ゴンクール兄弟は『日記』のなかに次のように書き記している。

> 腐敗によるこの死は、ボヘミアンの死そのものであるように思われる。ミュルジェールの死や、彼が描いた世界の死など、そこではすべてが混沌としている。夜中に創作するという放蕩、貧困の時代とどんちゃん騒ぎの時代の繰り返し、治療されない梅毒、家庭のない生活の有為転変、まともな夕食を取らずに夜中に食べる生活、質屋通いの憂さ晴らしのために飲むアブサン。人を摩耗させ、燃え尽くし、殺してしまうようなあらゆるもの（一八六一年一月二十八日）[*4]。

ゴンクール兄弟が、ミュルジェール的な生き方にいささかの共感も示さなかったことをよく示す一節である。

ゴンクール兄弟自身、一八五〇年代初頭に小新聞の創刊にたずさわるなどジャーナリズムを体験している。ナダールや、画家ガヴァルニの知己を得たのもこの頃である。新聞に記事を寄稿していたが、そのひとつで引用した卑猥な詩句のせいで、一八五三年には訴訟沙汰にまでなった。転換期のジャーナリズムを身をもって体験した世代に属しており、第二帝政期のボヘミアンの生態を熟知していたのである。実際、一八五〇―六〇年代のゴンクールの『日記』には、ボヘミアンや新聞の商業主義を概嘆する記述がしばしば読まれる。

ミュルジェールが『ボヘミアン生活の情景』を書いた時、五、六年後にひとつの権力となるものの物語を書いていることに、彼自身は気づいていなかった。しかし、現実にそうなのだ。現在では、五フラン硬貨で動くけちくさい世界、広告に頼る同業者集団が君臨し、支配している。そして生まれの良い人間にいかなる場所も与えようとしない(一八五六年五月十六日)[*5]。

ミュルジェールの作品では、ボヘミアンは社会の周縁でつつましく生きる存在であり、その純粋性や世俗的成功への恬淡(てんたん)さが強調されていたのにたいし、今やボヘミアンはジャーナリズムの制度的な力をつうじて文学空間を支配しようとしている。ボヘミアン・ジャーナリストたちが徒党を組み、その仲間意識が排他的に作用して、真の才能をもつ文学者を文学場から排除することにつながっている、とゴンクールは告発したのである。排除される良心的な文学者の相貌に、ゴンクールはみずからを投影していたにちがいない。ボヘミアンの支配は商業主義的な戦略によって強固なものになっていく。

あらゆる文学者が今や売りものになっている。たんに値段の問題であり、文学者にどのようにして金を出すかが問題なのだ。もし文学者のほうが金を拒否すれば、人々はいくばくかの評判と、名声と、勲章で彼を買収する（一八五七年十二月九日）。[*6]

痛烈な断罪の言葉である。『日記』のなかでは歯に衣着せぬ毒舌家であり、他者にたいしては悪意のこもった容赦ない批判を浴びせるゴンクール兄弟であってみれば、このような記述は多少割り引いて解釈するほうがふさわしいだろう。同業者からしかるべき敬意を払われていたとはいえ、世俗的な成功とは生涯無縁だった彼らには苦々しい思いもあった。こうしたゴンクール兄弟のボヘミアン観をよく例証するのが、『シャルル・ドゥマイー』（初版では『文学者たち』というタイトル）である。

この小説は、一八五〇年代パリの文壇とジャーナリズムを舞台に展開する。はじめの数章では、第二帝政下の厳しい言論統制のなか、政治色を払拭することで発展した小新聞の舞台裏が明かされる。『スキャンダル』紙はそのような小新聞のひとつであり、創刊者であるナシェット、クチュラなど数人のジャーナリストは、かつては文学の道を志したものの、今ではゴシップ記事や空疎な雑報記事で糊口を凌いでおり、彼らの周囲にはその日暮らしの売文家たちが群がっている。ゴンクール兄弟の見立てによれば、この時代の小新聞が文学の風景を変貌させつつあり、文学者と文学の質を低下させ、読者大衆の趣味も堕落させている。

とはいえ、小新聞は今やジャーナリズムを構成する一大勢力となっており、その波及効果は無視できないほどになっている。「小新聞はひとつの権力だった。それは一国民の習俗が変化することで突然出現するような支配のかたちになった」[*7]。新聞が重要なメディアとして権力の一部になるという認識は、ゴンクール兄弟が近代の言論構造を鋭敏に把握していたことの証左だろう。そしてこの小新聞の隆盛に貢献したのが、『シャルル・ドゥマイー』の作者が新たなタイプのボヘミアンと見なした集団にほかならない。

十年ほど前から文学界に登場してきた新たな要素が、小新聞の発展をいっそう促すことになった。祖先や知識の蓄積がなく、帰属する故郷を過去にもたず、どんな伝統にも縛られない新しい種類の人々が公に知られ、名前が誇示されるようになったのである。彼らの仲間の一人が書いた魅力ある書物『百スー硬貨をめぐる旅』の尻馬に乗って、ボヘミアンたち、つまり窮乏によって絞めつけられ鞭打たれる貧しい集団は、その前の世代、一八三〇年の人々がそうしたように芸術の世界に入ったわけではなかった。一八三〇年の人々の大多数、とりわけその最良の人々は裕福なブルジョワ階級に属していた。他方、ボヘミアンは野心の追求と人生の必要性を区別しなかった。欲望のせいで信念が抑えつけられた。文学で得られる報酬が下がったせいで貧困を強いられるボヘミアンは、小新聞に寄生する運命にあったし、小新聞からすればボヘミアンこそはまさにうってつけの人間だった。食べ物や履物にも事欠き、生活のために闘わなければならない恐ろしい軍隊、準備の整った軍隊だったのだから。[*8]

『百スー硬貨をめぐる旅』とは架空の表題で、ミュルジェールの『ボヘミアン生活の情景』への間接的な言及である。一八三〇年代のボヘミアンたち、ドワイエネ通りに集った若き作家志願者たちや、カルチエ・ラタンの屋根裏部屋で暮らした青年芸術家たちは、つつましい生活のなかでも芸術の理想を失わず、楽天的な態度を保つことができた。しかしゴンクール兄弟が描く一八五〇年代のボヘミアンにはそのような側面はない。過去や伝統に束縛されないという利点はあるものの、芸術の洗練や文学創造への志向は欠落している。彼らは挫折と貧困ゆえに、人間と社会にたいする怨恨の念にとらわれ、その怨恨を鬱積させることでますます社会から孤立していく。ジャーナリズムの近代化、ブルデュー流に言えば「文学場」の近代化は、華々しい成功を収める一部の作家やジャーナリストを生みだすと同時に、文学場の周縁に、あるいはその底辺に数多の落伍者をもたらすことにもなる。それは芸術、文学の世界のプロレタリアートと言える存在であり、マルクスがルンペン・プロレタリアート、オッドが陰謀家集団と形容した集団と境界を接するような人々である。

『シャルル・ドゥマイー』は、このようなボヘミアンたちと、まじめで才能ある作家たちを対比することで、ボヘミアンの有害性を強調する。作家の成り損ないである『スキャンダル』紙のジャーナリストは、才能に恵まれた真の作家を迫害するからである。小説の主人公シャルルは真摯に文学の理想を追求し、やがて『ブルジョワ階級』というタイトルの小説でパリの批評家と読者層から高い評価を得る。それを妬んだナシェットは、シャルルが妻に宛てた手紙をひそかに手に入れ、それを公にするとシャルルを脅す。手紙の内容の暴露は避けられたものの、こうした卑劣な仕打ちに幻滅した彼は田舎に隠棲する。しかし田舎の静謐な暮らしが彼の心を癒すことはなく、やがて彼は精神錯乱の徴候を呈するようになり、最後は失語症に陥って、シャラントン精神病院に収容されてしまう。作家にとって言葉を失うこと以上の悲劇はなく、何とも陰鬱で絶望的な結末だ。『シャルル・ドゥマイー』は堕落したボヘミアンが、才能ある作家を破滅させる物語として読めるのである。

『マネット・サロモン』と第二帝政期の画壇

他方『マネット・サロモン』では、一八四〇―六〇年代のパリを舞台に、画塾で修業する若い芸術家たちの生態、希望、理想とその挫折、そして画壇やサロン展のありさまが語られている。その限りでは、十九世紀半ばの画家たちを登場させた群像劇である。十九世紀フランス文学には、芸術を主題にし、画家を主人公に据えた小説が少なくない。バルザック『知られざる傑作』(一八三二)、ゾラ『制作』(一八八六)、モーパッサン『死のごとく強し』(一八八九)などと並んで、『マネット・サロモン』はこのジャンルを代表する大作である。

美術の歴史や、同時代の動向に精通していたゴンクール兄弟だけに、一八四〇年代における古典主義の凋落、「デッサン派」のアングルと「色彩派」のドラクロワの競合、さらにはパリの南フォンテーヌブローの森の近郊に住み着いて風景画に新たな境地を開いた「バルビゾン派」など、当時の絵画潮流をめぐる動きがていねいに書き込まれている。またパリ郊外の田園地帯の風景や、セーヌ川で陽光を浴びながら船遊びをする場面などは、後の印象派絵画を想起させずにいない。とはいえ『マネット・サロモン』刊行からしばらくして、兄エドモンは印象派の台頭を目撃するわけだが、たとえばゾラのように印象派の画家たちを高く評価することはなかった。ゴンクールの作品では、同時代の美術と画家の状況をめぐる長い議論が展開し、時代の新たな要請に呼応するような絵画を模索する試みが語られている。そして作中人物の何人かは、実在した芸術家を明確なモデルにして造型されたことが知られている。

中心人物となるアナトールとコリオリスは同じ画塾で学ぶ二人の青年だが、その資質と美学は大きく異なる。少年時代からデッサンの才能を示すアナトールは、級友たちから敬意の念を捧げられるが、真の芸術への志向を抱くに至らず、厳しく、過大な期待を息子に託す母親に育てられた反動で、芸術家の自由で、解放的な生活への憧れを示す。その時、ボヘミアン性は人生のひとつの選択肢として輝きを放って見えるのだ。

実際のところ、アナトールは芸術に惹きつけられるというより、芸術家生活に憧れていた。アトリエの暮らしを夢想していた。その憧れには中等学校生によくある空想と、彼本来のさまざまな欲求が交じっていた。彼がアトリエの暮らしに見ていたのは、遠くから眺めれば美しく映じるボヘミアンの領域だった。つまり貧困の物語、しがらみや規則からの解放、自由、無規律、奔放な生活、偶然、冒険、日々の意外性〔中略〕、いわば永遠に続くカーニヴァルだった。芸術家の生活はほんとうは厳しく辛いものなのに、アナトールが思い描いていたのはそのようなイメージと誘惑にほかならなかった。*9

しかし芸術家としての彼の趣味はむしろ守旧的で、ブルジョワ的な価値観の枠から大きく踏みだすことがない。当時若い画家たちにとっての登竜門だったローマ賞の選に漏れると、浮遊するような日常性のなかで「人道主義的なキリスト」というタイトルの作品を構想する。それはフーリエ流の社会ユートピア、自由主義的なカトリシズム、共和主義の友愛思想、ウジェーヌ・シューの『パリの秘密』が抉り出したような社会の底辺への同情に満ちたまなざしを、キリストというこのうえなく伝統的な形象のなかに無媒介に凝縮させたような作品である。キリストは、フーリエ主義者たちが構想した理想共同体ファランステールの盟主として地上に再臨するというわけだ。

キリストと現代性、宗教とユートピアの結合は、前章で触れたフロベール作『感情教育』で画家ペルランが、産業革命の象徴たる蒸気機関車を運転するキリストを描いた奇矯な絵を想起させる。同じ時代背景をもつ二作品が類似した挿話を創出したのは、偶然ではない。ユートピア思想、社会主義、共和主義は、一八四〇年代のボヘミアンの多くが共鳴したイデオロギーであり、ゴンクール兄弟の作品はアナトールという人物をつうじてその表象を再現する。しかもアナトールはこうしたボヘミアン性を維持しながら、一八五〇年代に入っても生活を改められない。怠惰と無気力が芸術への意欲を削ぎ、彼の生活は根なし草的な頽廃への道をたどることになる。

このような生活がもたらす惰弱さと堕落のなかで、アナトールはしだいに意志の力を失っていった。絵の仕事を求めることも怠けがちだった。みずからを恥じる哀れな男の臆病さゆえに、金になる仕事をあえて探そうとせず、ひとに会って絵の注文を取ろうともしなかった。

彼の内面では、最後の気力と矜持(きょうじ)の念が崩壊しつつあった。画家としての天職が絶えようとしていた。芸術家が没落し、貧しくなった時でさえ保っている夢や経歴の幻想、頽廃と、食べていくために課される仕事という商業主義のなかでも芸術家を支えてくれるもの、いつかは芸術に復帰するという信頼と信念と望み、自分がつねに芸術家であると感じる誇り——それもすべて無くなりつつあったのだ。[*10]

ゴンクール兄弟が第二帝政期のボヘミアンに下す峻厳な診断は、以上のようなものである。ミュルジェールやナダールの時代のボヘミアンは貧困と不安定さにさらされながらも、芸術の理想を掲げ、仲間たちとの友愛を信じ、未来に希望を託すことができた。他方アナトールは惰弱と無気力に埋没し、同業者との連帯に期待することができず、絵を描くという作業そのものへの関心を喪失していく。それは文字どおり芸術家の死である。アナトールはかくして「まったくのボヘミアン、パリの浮浪者、食べることと生活すること以外に野心がなく、その日暮らしをするだけの男であり、偶然を当てにし、成り行きにまかせ、飢えと隣り合わせで生きていた」[*11]。アナトールは最後に植物園の助手となって、芸術の世界と訣別する。ここに見られるのは、理想を喪失したボヘミアンの頽廃した姿にほかならない。

それにたいして、アナトールの友人コリオリスの経歴はかなり異なる。オリエントに長く滞在した彼は、帰国後そのモチーフを取り入れ、当時画壇に君臨していたドゥカンの様式とは異なる斬新なオリエンタリズム絵画を創出し、一八五二年のサロン展に出品した三点の作品によって人気を博すが、その成功は束の間にすぎない。やがてアトリエのモデルをしていた女性マネットと同棲し、バルビゾンに隠棲して風景画を手掛けるものの、成果は上がらない。ゴンクールの作品において、芸術と結婚、および家庭は両立しないのだ。実際、マネットに出会う前のコリオリスは独身主義者であり、女性といっしょに暮らすことが創造力の発露を阻害すると考えていた。

コリオリスは結婚しないと心に決めていた。結婚が嫌だったからではなく、それが芸術家に許されない幸福だと思われたからである。芸術の仕事、創作の追求、作品の静かな懐胎、努力の集中は、やさしくて気の紛れる若い女と共にする結婚生活とは両立しえないと考えていた。

〔中略〕

彼によれば、独身こそ芸術家に自由と、力と、知性と、良心を保証してくれる唯一の状態なのだった。[*12]

この決意に反して、コリオリスはマネットに惹かれ、子どもをもうけ、最後には妻とする。アトリエのなかで、画家とモデルは不可避的に出会う。モデルとしての女性、したがって身体的存在としての女性は芸術表現に必要だが、芸術家である男にとっては危うい躓き（つまず）の原因になりうるのだ。コリオリスはマネットの出現によって、芸術家と人間の相克、超越性と現実性の葛藤を生きる運命を背負うことになる。母親になったマネットは金銭的な安定と世間体ばかりを気にするようになり、それがもたらす閉鎖的な環境のなかで、一時期は将来を嘱望されたコリオリスの才能は朽ち果てていく。愛という人間性の表現と、芸術という超越性を両立させることはむずかしいからである。愛や情熱を芸術活動の霊感源と見なすロマン主義や、女性との交流を生活の一部とするボヘミアン性の視点はそこにない。

芸術と愛の二律背反は、すでに『シャルル・ドゥマイー』にも看取されたテーマだった。アナトールとコリオリスは状況が異なるとはいえ、どちらも最後は芸術上の野心を失い、凡庸な日常性に埋没していく。それは芸術家の死にほかならない。ゴンクール兄弟の二つの小説が共通して示唆するのは、卑小なジャーナリストや画家が、真に才能ある者の経歴を損なうこと、一八五〇年代のパリにおいて文学や美術の世界が、小新聞が支配するジャーナリズムの商業主義という危険にさらされていたことである。第二帝政期に刊行され、当時の文学界と画壇に生きるボヘミアン群像を表象した『シャルル・ドゥマイー』と『マネット・サロモン』は、どちらもボヘミアンとその影の側面をめぐる冷徹なレアリスム的表現を提示してくれる。

文学と絵画という異なる領域を舞台にするとはいえ、どちらの作品でも、みずから選択したボヘミアン性に埋没する者たちに、ゴンクール兄弟の筆は容赦ない批判を浴びせる。ボヘミアン性は無力さであり、理想の喪失であり、安易さとの妥協であり、他者への羨望にほかならない。そしてボヘミアンに迫害された者には、狂気や才能の枯渇という象徴的な死が待っている。作家として同時代的な成功と無縁だったゴンクール兄弟は、恵まれた家産のおかげでボヘミアン的な境遇を免れた。二人の知的、芸術的な貴族主義は、ボヘミアン的な価値観の危うさに警告を発したのだった。

ゾラ『クロードの告白』の射程

ゴンクール兄弟が一八六〇年代に、頽廃的ボヘミアンと商業的ジャーナリズムが真の芸術創造を阻害する、と警告を発していたのとほぼ同じ時期、一人の駆け出し作家が異なる観点とテーマのなかに、ロマン主義的なボヘミアン神話への批判を落とし込んだ。エミール・ゾラ(一八四〇―一九〇二)と彼の作品『クロードの告白』(一八六五)である。ゴンクール兄弟がいくつかの小説や歴史書で一定の知名度を得ていたのにたいし、一八六五年時点のゾラはまだ無名であり、『クロードの告白』は自伝的色彩の濃い彼の処女長編小説として世に出た。

物語の舞台は同時代のパリ。主人公の青年クロードは、貧しく孤独な詩人であり、愛と文学の栄光を夢みながら学生街の暗い屋根裏部屋で暮らしている。同じ階に、ローランスという名の貧しい娘が住んでいて、ある晩、神経症の発作を起こす。事の成り行きでクロードがベッドのそばで見守ったこともあり、やがてクロードはローランスを愛するようになり、部屋代を払えない彼女を自分の部屋に引き取り、同居生活が始まる。ローランスは地方の貧困家庭に生まれ、パリに出てお針子(グリゼット)となり、やがて娼婦に身を落としていた。クロードは彼女を何とか堅気の女に生まれ変わらせようとするが、成功しない。それでもパリ南郊の美しい田舎を散策したりして、幸福な時間を共有する。

図9　パリ郊外の野原でくつろぐ若い男女。作者ガヴァルニは、パリ風俗を描いた版画家として有名。

同じ建物に、クロードの同窓生で気楽な学生生活を送るジャックが、恋人のマリーといっしょに暮らしていた。マリーもまた若い娼婦である。浮気っぽいローランスがジャックとも関係をもっていると他人に吹きこまれたクロードは、激しい嫉妬に苦しむが、初めて愛と快楽を共有した女と別れられない。しかし最後には、素行の改まらないローランスの不実と放縦を責めて部屋から追い出し、みずからも故郷のプロヴァンス地方に帰る。

『クロードの告白』は形式的に、主人公が友人たちに書き送った手紙によって構成される書簡体小説である。一人称で綴られる手紙という形式は、語り手の告白を誘発しやすい。ただし友人たちからの返信はなく、一方通行なので、かつてスイスの批評家ジャン・ルーセが書簡体小説をいくつかの型に分類したうえで、「独唱型の書簡体小説」と名づけたジャンルに属する。[*13] これはセナンクールの『オーベルマン』（一八〇四）などに見られるタイプで、ロマン主義的な形式と言えるだろう。

パリの屋根裏部屋で暮らす詩人や暢気な学生は、すでに一八三〇年代からお馴染みのボヘミアン情景の人物であり、ゾラは彼らのボヘミアン生活を語っている。彼らの束の間の恋の相手や欲望の対象が若いお針子や娼婦であるということ、場末のダンスホールで催される仮面舞踏会、さらにはジャックの部屋で行なわれる若者たちのお祭り騒ぎの場面も、ロマン主義文学でお馴染みだ。実際ゾラはそのことを意識していたし、かつて作家たちが、学生やボヘミアンたちとお針子が気軽な恋愛に興じるさまを描いたことも熟知していた。したがって文学的な記憶としてそのような女性の名が喚起されることには、何の不思議もない。

君たちはミミ・パンソンやミュゼットのような女たちを知っているだろう。十六歳の頃にはそうした娘たちを夢想し、おそらく探し求めたことだろう。彼女たちの恋人は気前が良く、女性に美しさとみずみずしさ、やさしさと率直さをもたらした。女性たちを、自由な愛と永遠の青春を体現する見事な人物類型に仕立てた。[*14]

ミミ・パンソンはミュッセの同名小説に登場するお針子、ミュゼットは『ボヘミアン生活の情景』でマルセルの恋人になる女性である。二十歳前後のゾラは、ミュッセやジョルジュ・サンドの小説を読み耽り、その恋愛観に共鳴していた。一八四〇年生まれの彼の世代にとって、ボヘミアンとお針子の恋は青春時代の夢想を刺激する神話として機能していたことが分かる。

しかし、そのようないかにもロマン主義的な、あるいはミュルジェール的な道具立てに騙されてはならない。青年期にロマン主義文学を読み耽ったとはいえ、ゾラは新たな文学を開拓しようとしていた。『クロードの告白』は、パリで生きる貧しいが屈託のない、陽気な若い男女の生態を描いた小説ではないし（『ボヘミアン生活の情景』との違い）、芸術家や作家たちの群像劇でもない（ゴンクール兄弟の作品との違い）。それは一見したところボヘミアン文学の意匠を借りつつ、実際はロマン主義的なボヘミアン表象を解体しようとした作品なのだ。

主人公クロードは神経症的で、病的なまでの嫉妬に苦悶し、内向的な夢想家としての相貌が強い。ローランスとの生活は、短い時間を除いて愛の幸福をもたらすことがない。詩人とはいえ、この作品ではボヘミアン性と創作活動を結びつける要素がほとんど感じられないのである。ローランスとの出会いと愛が、彼にとって文学的な霊感源になることもない。作者によって「詩人」と形容されてはいるものの、クロードは詩を書かない詩人であり、ボヘミアン伝説が示唆するのと異なり、『クロードの告白』は芸術家の誕生を告げる小説からはほど遠いところに位置している。小説の刊行直後、新聞で新刊本の書評を担当していたある批評家に宛てた手紙のなかで、ゾラはミュルジェールと自分を明瞭に差異化していた。

今度の日曜日、あなたはきっとミュルジェールのボヘミアン、その明るい詩情においてとても陽気で、しかし偽りに満ちたあのボヘミアンについてお話しなさることでしょう。ところで、私があなたに献呈する書物『クロードの告白』もまた、同じボヘミアン生活を扱った物語です。ただし、恐るべき悲惨と苦悩にさらされる真のボヘミアンの物語です。
あなたが私を喜ばせてくれるというご厚意をおもちになると想定して、この機会にお知らせする次第です。あなたは、私の小説に登場するローランスとミュゼットやミミを対比し、口当たりの良い嘘の隣に、悲痛な真実を並置してくださるものと思います。[*15]

ミュルジェールのボヘミアン像、より広くロマン主義的なボヘミアン像にたいするゾラの訣別の意志は強い。『クロードの告白』の作家は、みずからの幻想を清算し、ボヘミアンの理想化されたイメージを払拭しようと試みたのである。

ロマン主義時代の神話を解体しようとするこのような意志は、もうひとつの側面にも表れている。ユゴーの戯曲『マリオン・ドロルム』（一八二九）やデュマ・フィスの『椿姫』（一八四八）に典型的なように、十九世紀前半の文学には、淪落の淵に沈んでいた女が男の純粋な愛に触れて、真の情熱に目覚めることで再生する「贖罪する娼婦」というテーマがある。あるいはまた、やはり青年時代のゾラが愛読した歴史家ミシュレの『愛』（一八五八）や『女』（一八五九）では、女性が愛によって女らしさを開花させ、愛によって精神と身体の成熟に達するという思想が開陳されていた。それにたいして、クロードが愛し、更生させようとするローランスは、一時は彼の熱意にほだされるものの、最終的に悔い改めることはない。彼女は最後までみずからの欲望に忠実なだけで、汚辱から脱け出ることがない。彼女を待ち受けているのは、クロードによる部屋からの追放という運命である。『クロードの告白』によるボヘミアンの脱神話化は、ゾラにとってミュッセやミシュレの呪縛からみずからを解放する試みでもあったのだ。

『クロードの告白』は若書きの未熟な作品である。しかし、女の神経症とその悲劇、一人の女と二人の男を巻き込む三角関係、絶望的な嫉妬、悲劇を凝視するまなざしなど、その後ゾラ文学において執拗に回帰してくる主題を提示しているという点で、きわめて興味深い。

じつはゾラによるボヘミアン神話への異議申し立ては、美術批評というまったく別の分野でも表明される。その詳細を論じる前に、ゾラが美術の世界と関係するようになった経緯を簡単に振りかえっておこう。

ボヘミアン芸術家像との訣別

エミール・ゾラは生まれたのはパリだが、少年時代を南仏の町エクスで暮らし、中等学校の級友たちと詩作に耽ったり、郊外の野原を歩き回ったりした。その級友の一人が、後の画家セザンヌ(一八三九—一九〇六)である。十八歳でパリに転居したゾラはその後数年間、ボヘミアン的な生活を送っている。土木技師だった父を幼い時に亡くし、貧しい母子家庭に育ったゾラは、まさにカルチエ・ラタンのいくつかの通りを転々としながら屋根裏部屋で暮らしたのだった。文学の道を志していたが、生活のため気の進まない仕事をしながら糊口を凌いだ。『クロードの告白』のなかで、ロマン主義的なボヘミアン神話を否定したのは、みずから一八六〇年前後のパリでボヘミアンの現実を体験したという認識がゾラにあったからだ。

当時のゾラと、エクスにいたセザンヌのあいだでは頻繁に手紙が遣り取りされた。若い頃の親友に遠慮はいらない。お互い自分の夢や、喜びや、恋愛の悩みなどを率直に打ち明けている。当時の二人はユゴーやミュッセの詩を暗唱できるほど愛読し、彼らに倣った詩を書いていた。後に小説のテーマと構造を大きく変えるゾラと、絵画に革命をもたらすセザンヌが、青年時代にはいささか時代遅れのロマン主義に傾倒しながら、下手な詩作を試みていたと知ると、思わず苦笑したくなるというものだ。一八六〇年四月、セーヌ川沿いの倉庫で働いていた二十歳のゾラは、セザンヌ宛の手紙で次のように告白している。

僕の生活は相変わらず単調だ。書き物机に身を屈めて自分でも何だか分からないことを書きつけながら、まるで馬鹿になったように、起きていながら眠ったようなものだが、そんな時突然、鮮明な思い出が脳裏をよぎる。僕らの陽気な野遊びや、僕らが好んだ景色の思い出が。そしてひどく胸が締めつけられるんだ。僕は顔をあげ、陰気な現実を目にする。部屋は埃っぽく、古い書類に埋まり、大部分は愚かしい多くの事務員にあふれている。[*16]

南仏への郷愁の念が、パリでの生活をいっそう陰鬱なものにしていた。意に染まぬ仕事に就きながら、若きゾラは野心と夢だけはふんだんに抱いていたのである。

一八六一年、セザンヌがエクスからパリに出てきて、画塾に通いだす。人付き合いが苦手なセザンヌはパリの生活にあまり馴染めず、その後パリとエクスを往来する年月を過ごす。銀行家だった父親からの仕送りを得ていたものの、この時期のセザンヌはかなりの貧困を経験しており、その点ではゾラと同様だった。若い二人は自分が何になれるのかよく分からない。急速に近代化が進む第二帝政期の豊かさと華やかさの恩恵に浴することもなく、貧しさと不安のなかで、根なし草的なボヘミアン生活を送ったのだった。二〇一七年に日本でも公開されたフランス映画『セザンヌと過ごした時間』は、ゾラとセザンヌの友情と、その亀裂を同時代の芸術潮流と絡ませながら描いた秀作だが、このようなボヘミアン的側面をていねいに描き込んでいた。

ゾラとセザンヌはやがて、後に印象派と呼ばれることになる若い画家たちと知り合う。一八八〇年代に入って彼らの絵が売れるようになり、社会的にも認知されることは周知のとおりである。しかしそれ以前の若い頃のセザンヌや、ルノワールや、モネが経済的に困窮したのは事実であり、カフェで議論に興じたり、転居を繰りかえしたりという生活様式はボヘミアンのスタイルだった。カフェは久しい以前からボヘミアン芸術家たちにとって格好の集いの場であり、若き日の印象派の画家たちは一八六〇年代にはカフェ・ゲルボワ、一八七〇年代にはヌーヴェル・アテーヌを溜まり場にしていた。

カフェ・ゲルボワはパリ北部バティニョール地区にあったカフェで、その近くにアトリエを構えていたマネが、友人や仲間を集めるようになる。当初は不定期な集まりにすぎなかったが、マネの美学と才能に共感する者たちが定期的に集うことを望んだので、毎週金曜日の夕方にカフェの一室を借りることになった。画家（モネ、ドガ、ピサロ）のほかに小説家（ゾラ、ゴンクール、ドーデ、デュランティ）、詩人、版画家、批評家、さらにはナダールのような写真家にまで、グループの輪は拡大していった。そこは展覧会や、若い芸術家や、創作の新潮流などをめぐって談論風発のありさまだった。当時の様子をモネは次のように回想している。

こうしたお喋りと、絶えず意見が衝突するさまほど興味深い光景はなかった。人々は精神を覚醒させ、お互いに無私無欲で率直な探究に向けて鼓舞しあい、多くの熱狂を経験したものだった。その熱狂が何週間も皆を支え、最後には思想が完成した形になるのだった。カフェから出るといつでもよりたくましくなり、意志はより堅固になり、思考はより明確で明晰になったものだ。[*17]

ここに描かれているのは、一八三〇―四〇年代のカフェに見られたような無頓着で暢気なボヘミアンの生態ではなく、多様な分野からの参加者たちが、開かれた精神で生産的な議論を展開する光景である。もちろん若く、まだ名を成していない芸術家・作家が多く、経済的な困窮から解放されていたわけではないから、ボヘミアン的な雰囲気と無縁ではなかった。しかし彼らにとって、ボヘミアン性は単なる通過儀礼であり、足早に通り過ぎるべき人生の一段階だった。ゾラは後に芸術家小説『制作』において、カフェ・ゲルボワの集いや、印象派の誕生や、若い芸術家とアカデミズム絵画との葛藤を物語化することになるだろう。ヌーヴェル・アテーヌの雰囲気は、アイルランド生まれでパリに長く暮らした作家ジョージ・ムアの自伝的作品『一青年の告白』（一八八八）においても活写されている。そこの常連だった画家と作家（マネ、ドガ、ヴィリエ・ド・リラダン、デュランティ、カチュール・マンデスなど）の肖像が精彩に富む筆致で素描されているが、この点については、外国人作家が書き残したパリ・ボヘミアンの観察に関する第九章で、あらためて論じることにしたい。

とはいえ、美術史で印象派の誕生と発展を語るに際して、ボヘミアン的な風土が強調されることはあまりない。実際マネとドガは裕福な銀行家の息子であり、バジールは地方の名家に生まれ、セザンヌは一八八六年に父親の遺産を相続してからは、生活苦から解放された。たとえ絵が売れなくても、サロン展で入選しなくても、経済的な困難と無縁な者たちがいたのである。ゾラはそれをよく知っていたし、一八六〇年代に『オランピア』や『草上の昼食』が美術界の激しい糾弾にさらされたマネを、彼こそ絵画の革新者であり、新たな色彩の美学を開拓したのだとして熱烈に擁護した時、彼の生活ぶりがボヘミアンとは大きく異なると指摘するのを忘れなかった。

芸術家の生活というものは、礼儀正しくて文明化した現代にあっては、静かなブルジョワの生活であり、カウンターの向こうで胡椒を売るようにアトリエで絵を描くのである。一八三〇年の長髪族は幸いなことに完全に姿を消してしまい、わが国の芸術家たちはかくあるべき存在、すなわち普通の人生を生きる人々になったのである。[*18]

一八六〇年代、美術批評家として健筆を振るい、絵画の新潮流を熱烈に擁護したゾラの『エドゥアール・マネ――伝記批評研究』(一八六七)のなかに読まれる一節である。かつて対立軸として措定された芸術家とブルジョワの間に、もはや根本的な違いはない。商人の生活に譬えられているように、芸術家とはアトリエで日々絵を描くことを職業とする市民の一人にほかならない。画家とは今や、社会の規範や価値観を否定することによってみずからの存在を規定するのではなく、市民社会の日常性を生きる人間なのである。「一八三〇年の長髪族」とは言うまでもなくロマン主義的なボヘミアン芸術家を指しており、皮肉な揶揄である。続いてゾラは、マネの経歴や身体的な細部や物腰についても述べる。

きわめて些細なこれらの事柄について、私は強調せざるをえないのだ。同時代のふざけ屋たち、公衆の笑いをとって日々の糧をかせぐ者たちは、エドゥアール・マネを一種のボヘミアン、いたずら小僧、滑稽なお化けにしてしまった。そして、公衆はこうした冗談や戯画をそっくりそのまま真実と受け取ったのである。本当の真実は、金で雇われたからかい屋が創りだした空想の操り人形とはうまく合致しない。ありのままの人間を示すのは良いことだ。*19

こうしてゾラ自身によって「ボヘミアン」という語が口にされるのだが、それはまさしく、一八六〇年代の誠実な画家を、時代錯誤的なボヘミアン神話の紋切り型から切り離すためにほかならない。画家とはもはや、潜在的な才能ゆえにさまざまな逸脱を免責される者ではなく、清貧に甘んじながら未来の栄光を期待する者でもない。芸術とはひとつの職業であり、あらゆる職業にはそれなりの技術と熟練が要請される。芸術家は日々のたゆまぬ努力をつうじて、創作活動を行なっていくことを求められるのだ。

このように無規律なボヘミアンからほど遠い芸術家の肖像は、ゾラの評論から数年後に描かれた二枚の絵にあざやかに示されている。まずファンタン＝ラトゥールが一八七〇年のサロン展に出品した《バティニョール地区のアトリエ》は、マネのアトリエに集った画家や文学者たちを描いた作

図10　ファンタン＝ラトゥール《バティニョール地区のアトリエ》（1870）。

品である。中央では、絵筆をもってカンヴァスに向かうマネが椅子に座り、その周囲に彼を尊敬するルノワール、モネ、バジール、そしてゾラらが配置されている。ほとんど黒づくめの服装で、なかには蝶ネクタイをした者もおり、皆しかつめらしい表情を見せている。作品全体に厳かな雰囲気が漂い、律儀なブルジョワたちの集団肖像画と見紛うばかりである。

もう一枚は、バジール作《ラ・コンダミーヌ通りのバジールのアトリエ》（一八七〇）。画面はより広角でとらえられ、全体的に明るい光が差し込んでいる。これもアトリエに集う芸術家たちの姿を描いた作品で、モデルたちもほとんど同一人物だが、よりくつろいだ様子を見せている。音楽学者メートルはピアノを練習し、バジールは制作中の自分の絵をマネに見せて批評を乞

図11　バジール《ラ・コンダミーヌ通りのバジールのアトリエ》(1870)。

い、階段の手すりに寄り掛かったゾラは、階段下に腰掛けるルノワールと歓談している。

どちらの絵も、マネを中心にして形成されつつあった新たな流派の胎動を伝えるものであり、芸術家たちは絵を描くというひとつの労働の場において表象されているのである。彼らは皆、しかるべき端正さと品格を具えており、律儀な市民を思わせる。とりわけバジールの作品はブルジョワの私生活空間の室内を背景にしており、ゾラのマネ論の主張を裏付けるような構図になっている。一八七〇年当時はまだ高い知名度を享受していなかった若きゾラが、どちらの作品にもうやうやしく登場しているのは、彼と若き画家たちとの濃密な交流と友情を雄弁に語っている。

しかも興味深いことに、ここには女性が

一人も姿を現していない。まるで芸術創造の場は女性を排除するかのように、黒い衣服を身にまとった男たちだけの空間が現出しているのだ。厳密に言えば、バジールの作品においてアトリエの壁に掛けられた絵のなかに、女性の姿が描かれている。しかし、それは動かない絵画表象として一方的に見られる存在にすぎず、女性が芸術家たちの集まりに参加しているわけではないので、両者の分断が際立つ。一八三〇—四〇年代に生きた気紛れで、無頓着で、そしてグリゼットと同棲したボヘミアン芸術家とはなんという違いだろう。ガヴァルニやドーミエが描いた芸術家の肖像と対照的に、この二枚の作品は新たなタイプの芸術家像を提示している。芸術において前衛的であることは、もはやボヘミアン性を要請しないのだ。

第五章　ボヘミアンからパリ・コミューンの闘士へ

ゴンクール兄弟はその『日記』や、小説『シャルル・ドゥマイー』、『マネット・サロモン』をつうじて、ミュルジェールとその同志たちが作りあげたボヘミアン像を批判した。そこでは文学、美術そしてジャーナリズムの分野で、ボヘミアンは真の芸術家が才能を開花させるのを妨げる有害な存在として描かれていた。他方ゾラは『クロードの告白』や『制作』において、無名の作家や画家の精神を蝕む宿痾（しゅくあ）としてボヘミアン性を位置づけた。方向性は異なるものの、ボヘミアン性と芸術創造のつながりを意識しつつ、そのつながりの不毛性を最終的に確認するという点では共通していた。

彼らと同じく第二帝政期のパリで暮らし、みずからボヘミアン生活を余儀なくされ、その窮乏と苦悩を身をもって体験した作家がいる。ゾラより少し年長で、ゾラと同じく地方で育ち、若い頃首都パリにやって来て、オスマンによる都市改造で変貌しつつあったパリで暮らし、ゾラと同じように貧困と孤独を知った。ゾラと異なるのは、その作家はクーデタによって権力を簒奪したナポレオン三世の体制に強く反対し、共和主義の理想を熱烈に支持して、一八六〇年代後半には過激な政治運動に加わって、その指導者の一人になったことである。ゾラと違って、彼の作品が商業的な成功を博することは生涯をつうじてほとんど一度もなかった。

その作家とはジュール・ヴァレス（一八三二—八五）である。

ヴァレスの生涯

わが国ではあまり知られていない作家なので、ここでヴァレスの生涯を簡単にたどっておきたい。高等中学の教師を父として、フランス中部オーヴェルニュ地方の町ル・ピュイで一八三二年に生まれたヴァレスは、父親の転勤にともなってリヨン、ナントなどで暮らした後、一八五〇年にパリに居を構える。当時のパリは第二共和政の時代で、一八四八年十二月の選挙で大統領に選出されたルイ・ナポレオンの支持者であるボナパルト派、王党派、共和派、社会主義者など多様な思想のもち主たちが割拠していた。ヴァレスは学生街のカルチエ・ラタンで共和主義者たちと親睦を深め、プルードンの社会主義にも共鳴して、しだいに政治活動に身を投じていく。共和派を代表し、その思想的支柱だった歴史家ミシュレの講義をコレージュ・ド・フランスに通って聴講したのも、この頃である。一八五一年十二月二日早朝、ルイ・ナポレオンが軍事クーデタによって共和政を崩壊させると、ヴァレスは仲間たちと反乱を組織し、バリケードを築き、武装して民衆を蜂起させようとしたが、民衆の多くはルイ・ナポレオンを支持し、第二帝政の成立を容認することになる。この政治的な挫折は深いトラウマをヴァレスの心に残し、彼をいっそう過激化させることにつながった。

当時フランス西部ナントに住んでいたヴァレスの父は、息子の反体制的な行動に不安を募らせ、父権を利用して息子をナントに呼び戻し、医師の診断書を根拠にナントの精神病院に強制的に入院させた。ジュール・ヴァレスが精神錯乱を患っており、ときにはあまりに興奮の度合いが高いので、自分や周囲にたいして危害を加える恐れがある、と診断されたからだった。二か月後に、治癒したとして退院するが、この出来事がヴァレスと父親の関係を決定的に損なったことは言うまでもない。一八五二年の春にはパリに戻り、仲間たちとの交流を取り戻し、カフェや居酒屋で政治や、社会や、文学をめぐる談議に耽りながら、やがてジャーナリズムで頭角を現すようになっていく。一八五〇年代から六〇年代にかけて、『フィガロ』『エポック（時代）』、さらにはリヨンの『プログレ（進歩）』

などで、政治問題のみならず文学、芸術、社会習俗など幅広い主題を論じて、数多くの記事を執筆し、それらが『反抗者たち』（一八六五）、『街路』（一八六六）にまとめられて出版された。画家クールベ、作家アルフォンス・ドーデ、ゴンクール兄弟らの知遇を得たのもこの頃である。

一八七〇年夏、フランスと隣国プロイセンの間で戦争が勃発し（普仏戦争）、敗れたフランスは第二帝政が崩壊した。その後、共和派と労働者階級を中心とする臨時政府が首都で成立する一方で、アドルフ・ティエールを首班とするヴェルサイユ軍は、パリを包囲したプロイセン軍とひそかに交渉して、両国の紛争を終わらせようとした。しかしプロイセンへの徹底抗戦を主張する臨時政府とその支持者たちはパリ市内に立てこもり、ヴェルサイユ軍との武力衝突に進展してしまう。民衆は「パリ・コミューン」を組織して人民による民主政を唱えたが、これはマルクスが世界初の労働者階級による政権と名づけた制度である。しかし一八七一年五月末の「血の一週間」の激戦の末、コミューンはヴェルサイユ軍に敗北し、多くのコミューン派闘士が犠牲になった。フランス近代史における最大の悲劇的な内乱にほかならない。ヴァレスはコミューン側の中心人物の一人として活躍し、二月―四月には『民衆の叫び』紙を発行してコミューンの理想と闘いを訴え続けた。そこに発表された一連の記事は、当時の民衆の苦悩と希求を伝える貴重な資料である。コミューンの壊滅後、ヴェルサイユ政府の追及を恐れてヴァレスは地方に逃れ、その後ベルギーを経由して同年十月にはロンドンに落ち着いた。

内乱によるコミューン側の死者の数は、捕らえられて銃殺された者を含めて三万人と言われる。最後の激戦地となったパリ北東部ペール＝ラシェーズ墓地には、コミューン派戦士が並んで銃殺されたという壁が現在も残る。銃殺されなかった者もその多くは遥か彼方、南太平洋に位置するヌーヴェル・カレドニー（ニューカレドニア）島に流刑となったし、ヴァレスのように辛くも生き延びて国外に脱出した者もいた。ヴァレスと同じくロンドンに亡命した者の一人がシャルル・ロンゲで、後にマルクスの長女イエンニーの夫となる。

ロンドン亡命後、ヴァレスの新たな人生が始まる。一八七二年七月には、軍事法廷で欠席裁判の結果、死刑宣告を受けたこともあり、フランスへの帰国は望めなくなった。そうした状況のなか、ヴァレスは執筆活動に打ちこむようになる。内乱の歴史を語る『パリ・コミューン』（一八七二）、ロンドンでの体験と印象を語る『ロンドンの街路』を一八七六―七七年に雑誌に連載し、自伝三部作『ジャック・ヴァントラース』の第一巻『子ども』（一八七九）、第二巻『学士さま』（新聞連載後、一八八一年に単行本化）などを書いた。もちろん本名のままでは発表できないので、友人たちの計らいにより匿名で発表されたのだった。

一八八〇年七月、コミューン闘士にたいして恩赦が与えられると、ヴァレスはその数日後パリに帰還し、作家・ジャーナリストとしての活動を続けた。一八八三年にはみずから創刊した新聞に、自伝三部作の第三巻『反逆者』を連載して（単行本は死後出版の一八八六年）、コミューン闘士の目をとおして見たパリ・コミューンの悲劇をあらためて喚起してみせた。その二年後、持病の糖尿病が悪化して死を迎えた。葬儀には数多くの共和派や社会主義者が参列したという。[*1]

反抗者の肖像

このように波瀾万丈の人生を送ったジュール・ヴァレスは、生涯をつうじてボヘミアン生活と縁が深かったと言えるだろう。それなりの教育を受けた野心的な地方出身の青年が、パリに居を構えて大学に入学し、将来のキャリアを夢想するのは当時よく見られた現象である。文学の世界で言えば、バルザックやフロベールがそうだったし、ヴァレスより年少のゾラの世代にもまた当てはまる。バルザック作『ゴリオ爺さん』（一八三五）の主人公ラスティニャック、一八四〇年代のパリを舞台にするフロベール作『感情教育』（一八六九）の主人公フレデリックは、どちらも地方の町から法律学を修めるためパリにやって来た学生で、フレデリックの周囲にボヘミアン的な人物が配されていることは、第三章で指摘したとおりである。『反逆者』のなかで、ヴァレスもまた『人間喜劇』を読みながら、バルザック的な野心家の青年のひそみに倣おうとする誘惑を隠せない。

ラスティニャックやセシャールやリュバンプレの物語は、私の脳を鷲掴みにした。『人間喜劇』はしばしば辛い生活の悲劇を語っている。——つけで奪うように手に入れた、あるいは期限までに支払うという約束で買ってきたパンや衣服、それに加えて飢えによる発熱や支払い拒絶証書がもたらす震えが描かれている。野心や苦悩の点でわたしの兄弟であるこれらの主人公について語るとすれば、何か胸をえぐるような言葉が見つかるはずだ。*2

バルザックの代表作『ゴリオ爺さん』、『幻滅』そして『娼婦盛衰記』の中心人物たちは、一八五〇年代のパリで暮らしたヴァレスのように窮乏に直面するわけではない。しかし人生のさまざまな苦難に直面し、貧困すれすれの生活に陥り、『幻滅』のリュバンプレに至っては最後に監獄で自殺する。地方から首都にやって来た青年、財産や人脈やつてのない青年にとって、野心を実現することは容易ではない。とりわけヴァレスのように政治的な信条と活動を隠さず、帝政に公然と反対していた者にとって、状況は過酷だったにちがいない。

そこには世代の偶然も絡まっている。一八三二年生まれのヴァレスは十九歳のときに、つまりまさに社会でみずからの道を切り拓こうとしたときに、ルイ・ナポレオンのクーデタに遭遇したのだから。この出来事が彼の世代の運命に致命的な亀裂をもたらしたこと、それから二十年近く経ってもこの出来事が深いトラウマを残していたことを、ヴァレス自身が後年はっきりと言明している。一八六八年九月八日に発表されたある新聞記事のなかで、彼は自分より上の世代とみずからの世代を比較しながら、歴史の不運を嘆かずにいられない。自分より上の世代の人間たちも同じように政治の挫折を経験したとはいえ、それ以前に青春期を過ごし、人生の歓びを味わい、未来の希望を夢想できた。しかし自分たちは、人生の入り口に差し掛かると同時に敗北を喫し、閉塞状況と対峙せざるをえなかった。

これは言っておきたいのだが、彼らはわれわれほど不幸ではなかった！
彼らはまだ幸福な青年時代の時間をもてた。確かに収穫から種を拾い集めることはできなかったし、道半ばで倒れたものの、少なくとも花を摘み取ることはできたのだ。
一八四五年に二十歳前後だった者たちは、生きるということが何かは分かっていた。他方われわれがそれを知ったのは一年間にも満たない！　一八五〇年、われわれは高等中学を卒業したばかりだった。そして一八五一年にはすでに敗者になっていたのだ![*3]

「一八四五年に二十歳前後だった者たち」としてヴァレスが想起するのは、ミュルジェール、ボードレール、シャルル・バルバラなどである。そこにフロベールやルコント・ド・リールを加えることもできるだろう。ボードレールとルコント・ド・リールは一八四〇年代に社会主義思想(とりわけフーリエ主義)に共鳴し、一八四八年の二月革命ではバリケード上に身を置きさえした。その後成立した第二共和政の数か月間、政治化した青年たちは確かによりよい社会を夢想できたが、一八五一年十二月のルイ・ナポレオンによるクーデタは、その第二共和政をわずか三年で終焉させ、強権的な帝政への道を拓いた。クーデタにたいして一部のブルジョワや労働者階級は武器を手にして抵抗したが、国民の多くはルイ・ナポレオンを支持するか、あるいは沈黙を守った。そこに生じた国民の深い分断と、共和派の若者たちが味わった苦い挫折は、たとえばフロベールの『感情教育』第三部で語られているとおりだ。サルトルは浩瀚なフロベール論『家の馬鹿息子』第三巻(一九七二)において、この歴史的な挫折が、フロベールやルコント・ド・リールの世代が第二帝政期において「芸術至上主義」(芸術のための芸術)を標榜する態度を決定づけたと論じた。[*4]

いわば闘う前にすでに敗者となったヴァレスの世代にとって、心理的衝撃はいっそう深刻だった。同じ論説記事のなかで、彼は次のように述べる。

そう、われわれは雄牛のように額に傷を負った。多くの者がそのせいで正気を失った。作家、芸術家、詩人などひとつの集団が丸ごと、そのせいで頭が混乱してしまったのだ。彼らのうちどれだけの者がシャラントン〔パリ郊外の精神病院〕に収容され、どれだけの者がペール＝ラシェーズ墓地に眠っていることだろうか。

クーデタという槌の一撃が人々の頭を割り、ぺちゃんこにした。彼らは病んだ脳のなかで思考が衰え、理性が消滅していくのを感じた。[*5]

しかしヴァレスの世代にとって、芸術至上主義は選択肢になりえなかった。第二帝政という抑圧的な時代にあっても、あるいはそういう時代だからこそなおさら、彼らは政治や社会から目を背けない文学風土を築こうとした。共和政の蹉跌を体験したことで、第二帝政期のボヘミアン集団の一部は政治化せざるをえなかった。ヴァレスが体現するこの時代のボヘミアンは、反抗と異議申し立てのボヘミアンにほかならない。そしてそれが、後にパリ・コミューンの闘士となった時のヴァレスの言動に波及することになるだろう。

一八五〇―六〇年代のヴァレスはパリで貧しい生活を送りながら、カルチエ・ラタンのカフェに足繁く通って文学仲間たちと交流を深め、政府の密偵たちの目を掻い潜りながら政治や社会思想をめぐる議論に加わっていた。第二帝政期のボヘミアン群像の、もうひとつの姿がそこに立ち現れてくる。一八五三年の夏には、反ボナパルト派の陰謀に加担したという罪で逮捕され、一か月余りパリのマザス監獄に収監されてもいる。その後、批評家ギュスターヴ・プランシュの秘書を務めたり、さまざまな小新聞に記事を書いたり（ほとんど金にはならなかったらしい）、学校の補助教員や小売業で生計を立てた時期もある。文筆業で身を立てようとするものの、人脈もなく、過激な政治思想を標榜する地方出身の男を、パリの文壇とジャーナリズムはけっして温かく迎え入れたわけではない。第二帝政期は新聞、雑誌にたいして検閲が課されていた時代だから、状況はいっそう厳しかった。

そのヴァレスから見れば、かつてのロマン主義的な風土のなかで形成されたボヘミアン像に賛同できるはずはなかった。実際、自伝三部作の第三巻『反逆者』において、一八六〇年代から一八七一年のパリ・コミューンに至る時代を語りながら、ヴァレスは一八六一年二月一日、ミュルジェールの葬儀の列に加わった体験を想起している。有名作家の死に際して(しかも国葬だった!)市民がどのように振舞うのか、その墓前でどのような弔辞が述べられるのか、ヴァレスは興味津々だったのだ。しかし、この勲章までもらった作家ミュルジェールには通り一遍の賛辞が捧げられ、多くの参列者が涙を流し、棺にはバラの花が置かれ、聖水が振りかけられただけだった。ボヘミアン生活の文学表象によって読者に記憶されていた作家は、文壇の名士として手厚く埋葬されたのだが、ヴァレスはそこに違和感を覚えずにいられなかったと告白する。

わたしは物思いにふけりながら、帰ってきた。そして突然、腹のなかに怒りの震えを感じた。さらに一週間経って、わたしは自分の心のうちにうごめいているものを理解した。ある朝、それが何か分かったのだ。〔中略〕

彼らは臆病者たちのボヘミアン集団を空想した。わたしは彼らに、絶望した者と恐るべき者たちから成るボヘミアンを示してやろう。*6

ヴァレスの代表作のひとつ『反抗者たち』の最初の構想が、こうして生まれた。パリ・コミューンとイギリス亡命を経験した後の回想だから、一八六〇年代初頭の状況を劇的な色彩に染めあげたという面はあるだろうが、その点を捨象しても、彼がミュルジェール的な表象の枠から外れて、当時のボヘミアン集団の真実を再現しようとしたことがよく分かる。「反抗者」と題された長い記事が『フィガロ』紙に発表されたのは、五か月後の一八六一年七月である。そこでは、ミュルジェールが語った一八四〇年代の無邪気なボヘミアンや、ゴンクール兄弟の小説が糾弾した才能ある芸術家を蝕む邪悪なボヘミアンや、ゾラが描いた目的性の欠落したボヘミアンと異なる人物像が立ち現れる。

パリの街には、何よりも自由を欲し、世間によって提供される地位を受け入れず、みずからの才能と大胆さを恃(たの)んで立場を築こうとする者たちがいる。激しく燃えるような意志と野心を具える彼らは他人と妥協しようとせず、踏み固められた出来合いの道を進もうともしない。ヴァレスは彼らを「反抗者たち réfractaires」と名づけ、それを一八六五年の著作の表題に掲げたのだった。彼らの職業はじつにさまざまである。売れない詩人や、まともなアトリエをもたない画家、粗末な楽器しかない音楽家はすでにロマン主義時代からボヘミアン集団の常連だが、ヴァレスはそこに鑿(のみ)をもてない彫刻家や、荒唐無稽な発明家や、学校を放逐された教師たちを加える。彼らは皆、世間の規範に従うことを拒否し、ときには無謀な冒険に飛び込む。彼らは運命的に出会い、お互いが反抗者であることを認め、貧困や飢えと闘うために連帯する。カルチエ・ラタンのカフェに行けば、旧い知り合いや同郷の仲間に遭遇するという幸運に恵まれるかもしれない。そして食事や酒にありつくことができるかもしれない。

屋根裏部屋があればいいほうで、それさえなければ彼らは道端や、橋の下で眠るだろう。当時「浮浪」はれっきとした軽犯罪だが、警官と擦れちがったら体裁を取り繕うしかない。ときにはパリ西部のブーローニュの森、東部のヴァンセンヌの森、さらにはもっと郊外の田園地帯にまで足を延ばして眠る場所を探すことになる。教会のなかでこっそりうずくまっていれば、司祭に追いだされずにすむこともあった。

彼らはどのような仕事に手を染めたのだろうか。ヴァレスのように地方から首都にやって来たものの、確かなつてがなければ従事できる職業の領域は限られていた。新聞や雑誌に寄稿できれば幸運なほうで、彼らはしばしばジャーナリストの記事や、司祭の説教文や、作家の原稿をひそかに代筆してわずかばかりの報酬を受け取った。大学の試験や、役所に採用されるための試験で替え玉受験したり、教会や礼拝堂に飾る宗教画に彩色を施したりすることで、かろうじて糊口を凌ぐことができたという。そのうえで彼らは飢えと寒さのなかで新聞記事や、小説や、戯曲を執筆するのだが、無名の彼らに関心を示す編集者や出版社はほとんどない。「反抗者」たる一八六〇年代のボヘミアンの言動に世間は冷たいまなざしを向け、ときには犯罪者扱いするほどだった。

一八六〇年代の貧窮

ヴァレスの特徴は、カルチエ・ラタンでのみずからの放浪生活をつうじて知り合った人物たちを登場させて、彼らの肖像と生態を具体的に描いている点である。その多くは名声に到達することなく、社会から忘却され、野心も矜持も失い、みじめに消えていった。「パリの無法者」と題された『反抗者たち』の一章は、そうした男たちの短い評伝集になっている。

十九世紀初め、ギリシアの独立戦争に参加し、東洋学者として本を著したシャックは、貧困に苛まれ、スプーン一個をポケットに入れて病院や兵営に入りこんで粗末な食事のおこぼれをねだり、その後はモンパルナス墓地で葬儀の参列者に加わって、泣きながら死者の徳を讃える。これは当時、遺族が金を払って意図的にやらせた行為であり、通常は女性を雇い、「泣き女」と言われた。シャックはそうした仕事に手を染めるほど零落したのだった。他方、悲劇詩人としての成功を夢みて一八五一年パリにやって来たフォンタンは、『黒い亡霊』と題された哀歌を書いたが注目されることもなく、その後はカルチエ・ラタンの公共図書館やオデオン座の回廊で日々を過ごし、何日も食事を口にできず、パリを取り囲んでいた城壁の下や公園の樹木の下で眠った。しかしセーヌ県知事オスマンによるパリの都市改造によってそうした放浪の自由が奪われ、最後は新聞配達をしながら細々と暮らしたという。

ヴァレスが喚起したもっとも印象的な人物は、批評家ギュスターヴ・プランシュ(一八〇八―五七)である。「著名な反抗者」と形容されるプランシュは、すでに一八三〇年代から、『両世界評論』や『デバ』など当時を代表する新聞・雑誌に文学や演劇をめぐる批評を発表し、その舌鋒鋭い論調で知られていた。ヴァレスが彼の知遇を得たのは一八五五年冬のことで、その後一時期は彼の秘書を務めたこともある。権威ある媒体に寄稿する有名な批評家だけに、世間一般は、そして当初はヴァレス自身もプランシュが裕福な批評家だと思っていたという。しかし現実は違っていた。原稿料の収入がさほどなかったにもかかわらず、みずからの著名性ゆえにプランシュは質素な生活に甘んじることができず、誇りを維持し、体裁を取り繕うために収入が許す以上の生活を送っていたからである。身近にいて、プランシュの勤勉と仕事ぶりをつぶさに観察したヴァレスからすれば、才能に恵まれ、有名性を獲得したとはいえ、プランシュは本質的にパリのボヘミアン文学者である。それゆえ彼はプランシュの人生に深い哀悼を捧げたのだった。

この苦悩に満ちた知性を目にすること、これほど低俗な苦しみに蝕まれた心のもち主を目にすることは、なんとも悲しい光景ではないだろうか。この男プランシュは邪悪な人間ではなかった。彼が辛辣で厳しい批評家になったのは、羨望のせいではない。彼が書いた偉大な記事の根底には卑小な感情など微塵もなかった。ペンを手にするプランシュがときとして陰気で、興奮していたのは、悲痛で、恐ろしく、過酷な貧窮があったからにほかならない。聡明で、冷静で、現実的な作家である彼は、飢餓に殺される詩人の種族に属していた。〔中略〕プランシュはみずからの最後の一片がなくなるまで、自分を焼き尽くし、滅びようとしていたのである。[*7]

ヴァレスは、これらのボヘミアンを拷問にさらされる囚人に譬えさえした。確かに、死刑囚と異なり執行人によって首を刎ねられることはないが、第二帝政期に繁栄を謳歌したブルジョワ社会の無理解と冷淡さによって、彼らは知的、精神的な拷問を受けたのだと作家は嘆く。彼らを待ち受けていたのは、寂しく、しばしば悲惨な人生の終末だった。彼らの多くは貧困や、病の末に病院や救貧院で亡くなる。当時、自宅ではなく病院の粗末なベッドで死ぬことは、悲惨さの象徴にほかならない。擦り切れた外套のポケットにはパイプの破片が残り、宿泊料を払わずに出たホテルには書きかけの原稿の入った鞄が放置され、仲間のアトリエには完成できなかった石膏像を残すような者がいた。なかにはセーヌ川に身を投げ、引き上げられて死体公示所にさらされる者もいた。ヴァレスによれば、ブルジョワをはじめとする世間の人々はボヘミアンについて大きな誤解をしている。ミュルジェール的なボヘミアンが甘受できた穏やかな清貧と反対に、一八六〇年代のパリが孤立したボヘミアンに突きつけたのは、究極的な貧窮だったのだ。

真の、おぞましい、恐るべき貧困というものがある。旗を掲げるでもなく、叫び声や怒りの稲妻を投げつけるでもない貧困、しかし犠牲者の命を少しずつ削り、毎年多くの男たちを埃と泥のなかに横たわらせる貧困、知性の炎を消し、心をうち砕いてから肺を蝕み、血を吸うような貧困があるのだ。

そう、あれらの墓地には多くのひとたちの遺骸が横たわっている。彼らは放蕩や、気紛れな疫病や、火事や、コレラや、戦争で死んだのではない。病や、老いや、苦痛や、愛ゆえに死んだのでもない。寒さと飢えのせいで死んだのだ。[*8]

政治と闘争

ヴァレスは、第二帝政期のボヘミアンの実相を明らかにしただけではない。そこから彼は、反抗の狼煙（のろし）を上げ、社会構造の変革をめざす思想を構築し、パリ・コミューンでそれを実現しようとした。観察や分析に安住するのではなく、現実的な行動に訴える道を選択したのだった。無邪気で、社会のあり方を根本から問うことなく、屋根裏でのつつましい生活を受け入れ、みずからの運命に忍従するボヘミアンを、ヴァレスはきっぱりと拒否する。純粋な理想や野心を抱いて地方から首都パリに出てきた若き芸術家、作家、知識人、ジャーナリスト――あるいはそれをめざす者たち――が排除され、社会の底辺と貧困へと追い込まれ、落胆と絶望の淵に沈んでいくのは、彼らの怠惰や無能さのせいではない。パリ社会の構造そのものに病弊が巣食っているのだ、とヴァレスは考えたのだった。

彼はジャーナリズムと文学を、社会の底辺に生きる者たちの利害を代弁するための武器、彼らを連帯させるための手段にしようとした。死後出版となった自伝三部作の最終巻『反逆者』の第三章において、ヴァレスは一八六五年の『反抗者たち』の意図について次のように回想した。

〔ミュルジェールの〕『ボヘミアン生活の情景』を読み、そこで語られている暢気でバラ色の生活を信じていた若者たちの名誉を、わたしは救ってやったのだ。この騙された哀れな若者たちに向かって、わたしは真実を大きな声で語ってみせたのだ！

若者たちがまだあのような生活を試みるとすれば、酒場の肥やしか、マザス監獄の餌食になるぐらいが落ちだろう！　三十歳を過ぎた頃には、自殺や狂気の犠牲となるか、救貧院の看護人か監獄の看守に首根っこを押さえられることだろう。若くして死ぬか、しかるべきときに名誉を失うだろう。

わたしは彼らに同情などしない。自分の傷口を覆っていた包帯を引き裂いたうえで、失われた青春の十年が人間の心にどれほどの深淵を穿つものか、わたしは彼らに示してやったのだから。[*9]

ヴァレスのいわば教育的な配慮が同時代の青年層の心に届いたかどうかは、いま問題ではない。特筆すべきは、このようなヴァレスの姿勢がボヘミアンの文化史において重要な転機をなすということである。一八三〇年代のドワイエネ通りのボヘミアン作家、ミュルジェールの『ボヘミアン生活の情景』の主人公たち、あるいはゴンクール兄弟の小説に登場するジャーナリストたちは、社会秩序の正当性そのものを疑問に付すことはなかった。それは政治の世界に足を踏み入れることであり、あくまで芸術や文学の世界で自由と創造性を希求した彼らは、政治に関与することを良しとしなかった。それに対して、ヴァレスの『反抗者たち』において初めて、ボヘミアンは明白に闘争的な姿勢を示し、みずからが人間にふさわしい尊厳をもって生きる権利を社会に求めた。

ただし、一八六五年に刊行されたこの『反抗者たち』の登場人物は、まだ武装蜂起までは考えていない。しかしヴァレスと彼の同調者たち、『反抗者たち』に描かれた者たちは、一八六〇年代の末には公然と社会への抗議を行動に移すようになり、その延長線上にパリ・コミューンの蜂起が位置づけられる。一八六五年の作品はその意味で、コミューン闘士としてのヴァレスの未来を予言した書物と言えるだろう。パリ・コミューンとその鎮圧を語る『反逆者』は、政治化したボヘミアンの悲劇的な終焉を語っているのだから。ヴァレスが表象した新たなタイプのボヘミアンは、十年と

図12　クールベ《ジュール・ヴァレスの肖像》(1861頃)。

いう短期間で、底辺の貧困からバリケード上での戦いまでという振幅の大きな、そして劇的な推移を性急かつ濃密に生きたのだった。

ボヘミアンからパリ・コミューンへ

一八六〇年代の後半、パリのカフェやブラスリーにはボヘミアンたちが集まって政治談議に耽るようになっていた。フーリエやプルードンの社会主義、ブランキの無政府主義が彼らの関心をそそり、彼らの正義への欲望を掻き立てていた。ヴァレスはそのような場で画家クールベや、ボードレールが高く評価した民衆詩人ピエール・デュポン（一八二一―七〇）らと友誼を結んだ。

ヴァレスは、クールベが描いた民衆や労働者の姿には早くから共感を覚えていた。現代では、クールベはフランス・レアリスム絵画を代表する画家としての地位が確立しているが、一八六〇年代では事情が異なる。文学においても美術においても、レアリスムは異端であり、文壇と画壇で受容され、評価されていた美学と価値観に照らし合わせれば不謹慎で、卑俗な芸術にほかならなかったからだ。クールベ自身がそうだったように、レアリスムの作家、画家は、共和主義や社会主義との親近性が強く、したがってクールベがヴァレスとプルードンの有名な肖像画を描いたのは、いささ

図13　クールベ《プルードンと子どもたち》(1865)。

かも偶然ではない。
ヴァレスは一八六六年三月、『エヴェヌマン』紙に寄せた記事のなかで、すでに一八五〇年代に《石切り工》や《オルナンの埋葬》などクールベの傑作を見た時の衝撃的な感動を想起しつつ、一八六六年時点で、彼が批評家と大衆の無理解にさらされ続けていることを嘆かずにいられない。人々はいまだにクールベが「馬小屋かボヘミアンのにおいのするものしか描こうとしないし、またそれしか描けない」[*10]と非難していたのだ。レアリスムがボヘミアン的な猥雑性の等価物として規定される風潮が強かったということである。文学と芸術の前衛的な動きを警戒する言説が、それをボヘミアン性と結びつけたのは、逆にボヘミアン性が有する潜在的な革新性を証言するものだろう。

第二帝政末期、カフェはフランスの政治風土においてますます重要な役割を果たすようになり、反政府的なグループが集う格好の場になっていく。「自由帝政」と呼ばれた時期で、帝政自体がかつてほど言論を締め付けなくなったという事情も作用していた。数年後、パリ・コミューンの運動を中心的に担うことになる人物たち——ヴァレスはその一人である——は、そうした場で新たな体制の成立を準備し、その見取り図を描いたのだった。そこにはその後、第三共和政下で一時期、フランス国家の指導者となるガンベッタ（一八三八—八二）や、急進派の政治家として重きをなすジョルジュ・クレマンソー（一八四一—一九二九）も含まれていた。

当時のヴァレスが新聞・雑誌に発表した論説記事には、過激な主張と、不安げな躊躇がしばしば共存している。たとえば先に引用した一八六八年九月八日の記事の最後のページでは、社会正義と平等を求めつつも、武力を用いたあからさまな政治闘争とは距離を置こうとしていた。「わたしは戦場を離れる。〔中略〕これは反抗者の手になる訣別の手紙である。ただし訣別の手紙であって、遺書ではないと思っている」[*11]。実際、それは一時的で、戦略的な撤退の身ぶりにすぎなかった。

一八七〇年九月、プロイセンとの戦争（普仏戦争）に敗れて第二帝政があっけなく瓦解し、共和政が宣言されて、国防政府が樹立された。とはいえ国防政府の正統性がすべての国民によって認められたわけではなく、多くの国民は戦争の継続を望んだ。しかし新しく選ばれた議員（その多くは貴族だった）から成る国民議会の支持を背景に、政府の首班アドルフ・ティエールは一八七一年三月、プロイセンと仮講和条約を締結してしまう。プロイセン軍に包囲されていたパリの住民と国民衛兵はそれに反対して抗戦を主張し、三月十八日には大砲などの武器を確保し、バリケードを築いて蜂起した。この時点では、パリのブルジョワと民衆は同じ目的を共有していた。その後実施されたパリ市議会の選挙では革命派が躍進し、三月二十八日にはパリ・コミューン（革命自治政府）が宣言されることになる。

後世の歴史家たち、とりわけマルクス主義系の歴史家たちからは、このパリ・コミューンが最初の労働者政府、あるいは社会主義政権と見なされることが多い。そうした側面は否定できないにしても、民衆蜂起の伝統が強いパリという都市で、敗戦と包囲という極限的な状況のなか、直接民主制にもとづく共和政を自治体の内部で実現しようとした試みである、と言うほうがよりふさわしいだろう。

ヴァレスはパリ・コミューンに積極的に関与した。一八六〇年代のボヘミアン「反抗者」は、一八七一年の首都で新たな社会革命の理想を唱えるイデオローグになる。そのために新聞『民衆の叫び』を二月に創刊し、その編集主幹として四月末まで記事を書き続けた。この新聞にはクールベも寄稿しており、あらためて二人の友情関係が裏付けられる。一八六五年の『反抗者たち』や一八六八年の論説記事のなかで、自分が一八五一年のクーデタによる政治的敗北という苦汁を嘗めた世代だ、ということを強調したヴァレスにとって、帝政の崩壊と、それに続いて成立したパリ・コミューンは、自分たちの世代にとって歴史的な権利回復の瞬間として認識される。『民衆の叫び』三月二十六日号において、彼はコミューンの樹立が「勝利した共和主義者たちの集団を矜持と歓びで酔わせる」と、湧きあがる興奮を隠そうともしない。そして次のように続ける。

図14　パリ・コミューン鎮圧後、処刑されるコミューン派の闘士たち（1871年6月）。

ああ、偉大なパリよ！

われわれは臆病だった。お前と別れ、お前の場末から遠ざかろうと話していたのだ。場末はもう息絶えたと思っていたのだから！

赦してほしい、名誉の祖国、救済の都市、革命の野営地よ。

何が起ころうとも、われわれが再び敗れ、明日死ぬことになろうとも、われわれの世代は慰めを感じている！

――われわれは二十年間の敗北と苦悩の代償を手にしているのだから。

ラッパよ、風のなかで鳴れ。太鼓よ、野原で響け！[*12]

コミューン成立がもたらした至福のなかで、ヴァレスの高揚感がよく伝わってくる。政治や社会の変動の中心に位置してきた都市パリへの称賛は、詩と小説をつうじて革命都市パリにオマージュを捧げ続けたヴィクトル・ユゴーを想わせるものがある。感嘆符を多用し、叙事詩的な調子を奏でる文体もユゴーと類似している。しかしそれ以上に重要なのは、ヴァレスがここでも世代の概念をもち出して、パリ・コミューンを一八五一年のクーデタにたいする二十年後の報復と捉えていることだ。一八六〇年代の政治的で、闘争的なボヘミアンにとって、芸術至上主義や帝国の享楽性に浸っていることなど論外だった。パリ・コミューンに加わったボヘミアンの多くは、多様な思想に培われた社会革命の理想を標榜することをためらわなかった。もちろんその実現が難しく、新たな敗北に直面する可能性をヴァレスはうすうす感じてもいた。一八四八年の二月革命とその終焉を想起しながら、彼は『民衆の叫び』に掲載した別の記事に次のような一文を記しているのだから。

ああ哀れな共和国よ！　一八五一年には、われわれの腕のなかでひとつの共和国が殺された。一八七一年のいま、目の前でもうひとつの共和国の名誉が汚されている。われわれはいつも騙され、一杯喰わされ、痛めつけられる。民衆はいつも飢えて、血だらけなのだ。[*13]

五月末の「血の一週間」という悲劇の結末を思えば、ヴァレスの文章はまさに予言的としか言いようがない。パリの革命的民衆と一体化し、その民衆の希求と不安を『民衆の叫び』に載せた一連の記事で定式化したヴァレスは、その最中にもボヘミアンだった青年時代の反抗心や、誇りや、苦悩を忘れることができなかった。反抗や闘争においては勇猛果敢なボヘミアン性は、たとえ一時的なものであれ勝利や体制のなかでは居心地が悪い。プロイセン軍に包囲され、ティエール率いるヴェルサイユ軍も迫り来るという危機のなか、民衆による自治の推移を目の当たりにしながら、彼はボヘミアン文化の限界に直面したにちがいない。

パリ・コミューンの首謀者の一人として死刑を宣告され、辛くもパリを脱出してイギリスで長い亡命生活を送り、恩赦によってようやく一八八〇年に帰国したヴァレスは、その間も、そして死の年までジャーナリスト、作家としての活動をやめなかった。出自と、受けた教育によってブルジョワジーに属し、第二帝政期の社会状況において排除と侮蔑の対象になったと感じたヴァレスのような人間は、明確な階級的帰属を自覚できなかった。彼のボヘミアン性は政治的だが、そして根本的な反抗性がその基底にあったが、社会的な帰属の意識は揺れ動いた。『ボヘミアン・パリ 一八三〇—一九三〇』の著者ジェロルド・シーゲルは、この時代のボヘミアンの政治性を定義するに際して、それがブルジョワジーへの帰属意識の曖昧さがもたらす政治スタイルであり、そのさまざまな表現はこの曖昧さを劇場化した表象にほかならないと指摘した。[*14]

ボヘミアンではない社会活動家たちも、同じような緊張や葛藤を経験しただろうが、彼らは共和主義や、社会主義や、プルードン思想など明確な思潮や、ときには党派に賛同し、一体化することができた。そのようなイデオロギー的な帰属意識によって、彼らはボヘミアン的な心性と行動にたいして一定の距離を保ちつづけた。とはいえ、ヴァレスに代表されるような政治的ボヘミアンが社会の現実によって試練にさらされ、その試練と勇敢に対峙したことは否定できない。ボヘミアン性を生み出したのはブルジョワ社会それ自体である。ボヘミアン集団が社会のあり方そのものを問いかけたという意味で、一八六〇年代からパリ・コミューンに至る時期ほどボヘミアンが政治化したことはないし、その後もないだろう。

反コミューンの論理とレトリック

コミューンはパリが中心だったが、他の都市でも規模の差こそあれ生起した。こうして流血と多くの犠牲をともなう内乱だっただけに、それが同時代や後世のフランス人の心理と思想に絶大な影響を及ぼすことになった。十九世紀最後の四半世紀、フランスはパリ・コミューンが引き起こした歴史的トラウマを引きずり、それと葛藤したのである。パリ・コミューンの鎮圧直後に書かれた『フランスにおける内乱』のなかでマルクスは、この出来事が資本家階級にたいする労働者階級の闘争の産物であり、労働の経済的解放をめざすための史上初の政治形態だった、と高く評価した。彼によれば、その失敗の原因は、プロイセン軍とヴェルサイユ政府の結託による抑圧と、コミューン政府がパリの経済機構をしっかり掌握できなかったことにある、と結論づけた。[*15]

ヴァレスのようにコミューンの一員として闘った作家はけっして多数派ではなく、多くの作家、知識人は反コミューンの立場を鮮明にしていた。文学史家ポール・リドゥスキーは、事件の目撃者だった作家たちが書き残した書簡、日記、回想録、小説、詩の読解をつうじて、パリ・コミューンを糾弾した文学者たちの心性を分析してみせた。[*16] ゴンクール兄弟の『日記』、フロベールの書簡集、デュ・カンの『パリの痙攣』（一八七八）、テーヌの歴史書『近代フランスの起源』（一八七六—九三）などが示すのは、作家たちがパリ・コミューンに社会的、政治的な価値を認めようとせず、それを集団的な病理現象という次元に矮小化し、ときには神の呪いとさえ形容したことだ。パリ・コミューンを病理と見なす考えを、たとえばデュ・カンは次のように要約してみせる。

精神病理学が定式化した見解を斟酌しながら、道徳家は問いかける。コミューンとは、中世の歴史によってわれわれの記憶に残された壊疽性エルゴチン中毒や、舞踏病や、悪魔憑きに似た病理現象ではないのか、と。この病はパリがドイツ軍によって包囲されている間に、過度の興奮と、窮乏と、風俗の紊乱と、何度も公言された戯言の影響で発生し、過度にアルコールを摂取したことで維持され、さらには悪化し、三月十八日以降その頂点に達したのだろう。それから病は屁理屈の癖や、激越な錯乱や、ジャコバン派を模倣するという狂気や、殺人衝動や、強烈な快楽を求める欲望や、放火癖に転じていった。[*17]

パリ・コミューンという歴史の出来事が中世に蔓延した疫病に譬えられ、その疫病がコミューン派の人々の頽廃と、犯罪性癖と、狂気によって説明されていることが分かる。一八七一年の出来事は、社会的な闘争としてではなく、敗戦とプロイセン軍による包囲という例外的な状況につけ込んで、パリの街を奪取した一握りのならず者たちの所業、獣的な本能を満たそうとする血に飢えた動物の行為として描かれる。コミューン派の人間は社会からの脱落者、邪悪な労働者、やくざ者といった負の烙印を押されてしまう。

こうした文学においては、善と悪、正義と不正を対立させる単純化した倫理的な二元論が支配している。テーヌの著作は、一八七一年の出来事がもたらした衝撃のもとで構想されたフランス革命論、より正確には反革命論であり、十九世紀における革命の伝統がフランスの嘆かわしい宿痾であり、それを払拭しなければフランスは復活できないと論じた。その激越な革命否定によって、その後の保守思想や右翼陣営にとってバイブル的な意義を有するようになった著作である。

これらの文学者は、パリ・コミューンとボヘミアン性を直接結びつけたわけではない。ところが事件直後の一八七一年七月、十九世紀をつうじて大きな影響力をもった保守系雑誌『両世界評論』に発表された「ボヘミアンの終焉──最近の出来事における文学の影響」と題されたほぼ三十ページに及ぶ論考は、表題からも分かるように、両者の関係に焦点を据えた。著者はエルム＝マリ・カロ、当時はそれなりの声望を得ていた哲学者で、後年アカデミー・フランセーズ会員にもなった。カロにとって、パリ・コミューンとは何よりもまず「文明」を脅かした「野蛮」であり、秩序を揺るがした騒擾（そうじょう）にほかならない。

わたしたちは野蛮から解放された。しかし知っておくべきは、文明にたいするこの激烈な攻撃において、教養ある野蛮が跋扈（ばっこ）したことである。あの武装した集団を指揮していたのは才能ある作家たちであり、才知に恵まれた者たちだった。そのうちの何人かは流行による成功を手に入れたし、なかには大通りの舗道で束の間の名声を期待できる者さえいた。それこそが、最近の出来事の顕著な特徴である。*18

社会への異議申し立てを野蛮と見なし、それが文明への挑戦であると断罪するのは、当時の保守派が用いる常套句であり、文明と野蛮の対比は先に言及したゴンクール兄弟、デュ・カン、テーヌの著作にも頻出する。十九世紀前半であれば、首都パリの底辺に住む貧しい労働者たちが、都市という文明を脅かす「蛮族」に譬えられたものだった。十九世紀においては、野蛮から文明に移行することこそが進歩というものであり、いかなる形態であれ野蛮への退行は嘆かわしいということになる。

しかし一八七一年の出来事においては、それ以前の蜂起や反乱に見られなかった特異な点があった。それまで蜂起や反乱の先頭に立っていたのは、バルベスやブランキなどバリケード戦の常連や職業的な陰謀家であり、そこに加わっていたのは都市の周縁や底辺に住む労働者や職人だった。他方、パリ・コミューンを主導したのは、ジャーナリズムや文学や科学の領域で活動する者たちであり、カルチエ・ラタンの学生たちであった。とりわけ「文学的ボヘミアン集団がまさしく、それに見合った自治政府のなかに侵入してきた[*19]」とカロは指摘する。文学的ボヘミアンは、新聞・雑誌をつうじて革命的ボヘミアンと一体化し、社会変革の思想を伝播させようとしたが、それは「病的な現象」であり、道徳的な頽廃にすぎないとされる。

カロは、十九世紀初期からのボヘミアンの歴史的推移に無知なわけではない。ミュルジェールが表象したボヘミアン像に言及しながら、その無邪気で害のない習俗を指摘しつつ、ボヘミアン性がフランスの文学や知性を毒してきたと手厳しく批判する。ミュルジェールのボヘミアンは既存の芸術に抵抗したが、一八六〇年代のボヘミアンは社会と制度に反旗を翻し、みずから「反抗者 réfractaire」と名乗った。これはヴァレスが自著の表題にした語であり、読者としてはカロの論説でヴァレスの名に出会うことを予期する。実際カロは、ヴァレスの『反抗者たち』を数度にわたって引用し、そこにパリ・コミューンの廃墟へと至った原因を読み取ろうとした。享楽的な志向と、富や贅沢を求めての奔走によって特徴づけられる第二帝政の時代風土が人々の心性を堕落させ、理想ではなく羨望や嫉妬を煽ったのであって、ヴァレスが反抗者と命名した者、つまり文学的ボヘミアンは、じつは羨望に蝕まれた落伍者にすぎない、とカロは激しい口調で断罪する。そして若者や労働者の想像力を過度に刺激して、偽りの自由や逸脱した正義の理想を振りかざした、とするのだ。

彼らが解放しようとしたのは他人の自由ではない。回復させようとしたのは他人の権利ではない。それは以前から配慮されていた。彼らは崩壊した権力の代わりに、群衆の独裁制を敷こうと望んだ。群衆によって、群衆とともに統治しようと考えた。この復讐の女神の真の名は正義ではなく、羨望だったのだ。[20]

カロによって病的な現象、一種の錯乱、歴史的な誤謬とまで見なされたパリ・コミューンの勃発と制圧は、それに先立つ二十年間に醸成された倫理の混乱と知性の衰退の論理的な結果にほかならないとされ、その責任の大きな部分が文学的ボヘミアンに帰される。では、こうした現象をもたらした原因はどこに探し求められるべきなのだろうか、とカロは問いかける。

第一に、革命以後のフランス近代文学は、人間の欲望や嫉妬を過度に肥大させ、倫理的な頽廃をもたらした。カロはバルザックの小説を例として挙げるが、実際、たとえば『金色の眼の娘』（一八三五）の冒頭では、近代社会において金銭と快楽こそが階層を問わず人々を野心や、行動や、創造へと駆り立てるとして肯定されていた。第二の要因として、宗教的な規範の衰え、とりわけ今や広く瀰漫（びまん）している無神論が挙げられる。そして第三に、フランス革命の歴史が美化され、神話化されることでフランス人の脳裏に刻まれてしまったことである。社会主義者ルイ・ブランやプルードンの思想がそれを継承したことで、誤った革命の理念が正当化されてしまったとカロは言う。パリ・コミューンは一七九三年のジャコバン派独裁の嘆かわしいパロディだ、という認識がそこにある。このような歴史観は、先述したテーヌの『近代フランスの起源』にも共有されており、反革命思想の重要な底流になっている。

カロの「ボヘミアンの終焉」は、ボヘミアン性を断罪するだけでなく、それを生み出した第二帝政という時代の病弊を抉りだした診断書でもある。そして最後に、フランスの再生のためには、正しい自由と正義と秩序の名において、文明を立て直すような健全でリベラルな思想こそが必要だ、という処方箋で結んでいる。

ヴァレスの一連の著作が、一八六〇年代の政治化した文学ボヘミアンの心情と論理を証言するとすれば、カロの論説は反ボヘミアンのレトリックと倫理観を露呈する。肯定するにしても否定するにしても、この時代のボヘミアン性が文学や芸術の領域にとどまる現象ではなく、政治や社会思想の圏域にまで介入した幅広い運動であることが明らかになったはずだ。パリ・コミューンは炎と銃殺刑のなかで終焉したが、ボヘミアンがそれとともに消滅したわけではない。その後、第三共和政という新たな時代風土のなかで、われわれはボヘミアン性のさらなる変貌に立ち会うことになるだろう。

第六章　芸術家集団の変容——イドロパットからシャ・ノワールへ

文学や芸術の領域で新たな潮流が生まれる時、それは一人の作家や芸術家の孤独な営みによるのではなく、一定の美学と思想を共有する複数の人々が集団をなし、ひとつの運動を形成することによって実現する。その際、ときには一種の機関誌として新聞や雑誌の発行をともなうことが多い。

セナークルという現象

ボヘミアンの生態と、文化史上の意義を考察するうえでも、こうした集団的運動としての次元を無視できない。作家や芸術家は、たった一人でボヘミアンになれるわけではない。ボヘミアンは仲間を求め、仲間同士で行動することが多い。共通の行動指針にそくして彼らは活動し、創作に打ちこんだ。あるいはまた友人同士が集って、幻想や気紛れの想像世界を浮遊した。ミュルジェールの『ボヘミアン生活の情景』に描かれた世界は、まさにそのような仲間関係の親密さを示していた。フランス社会においてそもそもカフェは、孤独に沈潜するための場ではなく、社交や語らいへといざなう空間なのだから。

芸術家集団は、十九世紀フランスでは「セナークル cénacle」と呼ばれる。一八二〇年代、作家シャルル・ノディエがアルスナル図書館で催した集まりがその嚆矢（こうし）で、ロマン主義の母胎のひとつになったことはよく知られている。十九世紀半ばには、作家・批評家エドモン・デュランティが雑誌『レアリスム』を創刊して、新たな芸術、文学運動を牽引した。同じ頃、詩の領域では、ルコント・ド・リールのサロンに若い詩人たちが集結して、後に高踏派（パルナス）と呼ばれることになるグループが形成された。第四章で話題にしたゾラと印象派について言えば、パリ北部バティニョール地区にあった「カフェ・ゲルボワ」に、マネ、ゾラ、ピサロ、ルノワールらが集まって既成のアカデミズムに反抗の声を上げたのだった。そして十九世紀末には、マラルメの自宅で催された「火曜会」、エドモン・ド・ゴンクールのパリ西部の邸宅での集いもまた、文学者と芸術家にとって重要な遭遇の場になった。

彼らはそこで議論し、作品を朗読し、お互いに批評しあうことでそれぞれレアリスム、高踏派、自然主義、象徴主義の基礎を築いた。十九世紀において、新たな文学運動の勃興とセナークルの活動は分かちがたく結びついている。このような文学史的事実を踏まえつつ、しかしそれにたいして批判的な距離を取りつつ、作家たちはしばしばセナークルを小説世界のなかに登場させた。バルザックの『幻滅』、ミュルジェールの『ボヘミアン生活の情景』、ゴンクール兄弟の『シャルル・ドゥマイー』、ゾラの『制作』、カミーユ・モクレールの『死者の太陽』(一八九八)などの諸作品において、セナークルは理想の砦、ブルジョワ社会に抵抗する集団、社会から隔絶した孤独な芸術家の集まりとして表象される。[*1] そこに共通しているのは、セナークルがひとつのユートピアとして描かれていることだ。そしてボヘミアンはそのユートピアの幸福な構成員として価値づけられることもあれば、逆にユートピア内部の友愛の絆を脅かす危険分子として断罪されることもある。

セナークル的な芸術運動の構成要素としてボヘミアンの生態を語ったのは、小説、つまり虚構の物語だけではない。十九世紀フランスでは、文学者による回想録もまた数多く書かれた。回想録は広く言えば自伝ジャンルの一部だが、「自伝」においては、作者が自分の祖先や生い立ちから始めて、自己形成の歴史を中心にしてみずからの生涯を語るのにたいして、文学者による「回想録」は、みずからが関わった文学運動の推移や、その過程で出会った作家仲間の肖像に焦点を据えるのが特徴である。ゴーチエの『ロマン主義の歴史』(一八七七、死後出版)、シャンフルーリの『青年時代の回想と肖像』(一八七二)、そして本書で言及したゴンクール兄弟の『日記』、ヴァレスの『反逆者』などは、同時代の芸術や文学の動向をよく伝えつつ、そこに関わったボヘミアンたちの肖像をあざやかに浮き彫りにしてくれる。

同じことは、一八七〇年代以降の第三共和政期の文学状況についても言えるだろう。パリ・コミューン鎮圧の余燼(よじん)がくすぶるなかで、一八七一年七月『両世界評論』に発表されたカロの論文はボヘミアンの終焉を宣言したが、実際にはボヘミアンは新たな局面に入っていく。消滅したのではなく、変貌を遂げたのだった。第二帝政期は、「自由帝政」と呼ばれた最後の一時期を除いて、言論や表現を厳しく監視した時代だったのにたいして、第三共和政期の一八八一年には、新聞・雑誌を対象とした検閲制度が廃止された。もちろん、あらゆる面で表現の自由が許されたわけではなく、とりわけ社会秩序や性風俗をことさら紊乱させるような文学作品――少なくとも当局側がそのように判断した作品――は、この時代でも訴訟沙汰になる危険があったが[*2]、言論表現の自由化が大きく進み、新聞・雑誌の発刊が容易になったことは否定できない。それは文学者と芸術家がさまざまな集団を形成して、みずからの美学を宣言するのを促した。

他方で、第三共和政は第二帝政とすべての点で断絶したわけではない。政治体制の変化と、社会的、文化的な連続性は異なるふたつの問題である。十九世紀最後の四半世紀には、それ以前から始動していた産業革命のさらなる進展、それにともなう消費社会の機運の高まり、一八八〇年代のジュール・フェリー法による無償の公教育の制度化、それがもたらす識字率の飛躍的な上昇などが相俟って、フランス文化は大衆化の度合いを高め、享楽的な傾向が強まる。そして世紀末から、二十世紀初頭のベルエポック期までを特徴づける豊かで華やかな時代風潮が現出するのである。もっとも、それは同時にフランス（およびヨーロッパ列強）が技術革新と軍事力を背景にして、アフリカ、中近東、さらにはアジアへと植民地主義政策を拡大した時代だったことを、忘れてはならない。

若い作家や芸術家やジャーナリスト、あるいはそうなりたいと思っている学生たちが、カルチエ・ラタンのカフェや居酒屋に足繁く通って、議論に花を咲かせ、理想を熱く語りあうという雰囲気は、第三共和政になっても変わらなかった。この界隈のカフェは、いつでもボヘミアンたちにとって格好の溜まり場になってきた。しかし集り地区は同じでも、そこでボヘミアンたちが練る戦略と行動様式は変化していく。その変化を体現するのが、エミール・グドー（一八四九―一九〇六）という名の人物である。

作家、ジャーナリストとして小説や詩集を残しているが、現在では文学史にその名が記されることもない。彼が率いた文学運動「イドロパット」（これについては後述する）は短命に終わり、顕著な作品を後世にまで伝えなかったため、フランスで刊行される浩瀚な文学史でさえ言及することが稀な文学現象だが、パリのボヘミアンという主題からみると、ひとつの転機をなしている。グドーの回想録『ボヘミアン生活の十年』（一八八八）は、一八七〇年代から八〇年代にかけて新たな美学と社交性に依拠して展開したボヘミアン生活をめぐる、このうえなく貴重で示唆的な証言になっているのだ。この時代のパリでボヘミアン性と文学、芸術の新たな関係性を模索したのは、グドーや、後に論じるロドルフ・サリスやアルフォンス・アレーなど、一八五〇年前後に地方都市で生まれ育ち、第三共和政が不安定な船出をした一八七〇年代前半にパリに居を構えた者が多い。もちろん年齢構成と出身地ですべてが説明できるわけではないが、文学と芸術の領域で刷新が出来する際には、世代がひとつの重要な指標となるようだ。

エミール・グドーと一八七〇年代のパリ

グドーは南仏の町ペリグーに生まれ、高校卒業という当時としては立派な学歴をたずさえ、文学的な野心を抱いて、一八七〇年代初頭に首都に出て来た。懐には二百フランの金、旅行鞄のなかには韻文劇と現代喜劇の原稿、そして書きかけの小説の草稿を潜ませていたという。成功を夢みてパリにやって来た多くの青年層に共通するプロフィールと言ってよい。居を構えたのは、もちろん部屋代の安いカルチエ・ラタンである。「『ボヘミアン生活の情景』の良き読者として、伝統にしたがって、パリの新参者である私はカルチエ・ラタンに住み着いた！ アンシエンヌ＝コメディ通りにあった間口の狭い家具付きの宿で、屋根裏部屋があって、至るところ古びていた。故郷の高校の同窓生が数人、すでにその家に住んでいた」[*3]と、グドーは回想録の冒頭に書き記す。

当面は役所の臨時雇いでわずかばかりの報酬を支給されるだけだったが、それが当時、正規の公務員職をめざす者たち、あるいは文学の世界に生きる者たちの多くがたどる道程だった。たとえば自然主義作家として名を成すユイスマンスとモーパッサンは、やはり一八七〇年代にそれぞれ外務省と海軍省の下級役人として勤務した経験をもつ。役所仕事は単調で、張り合いの感じられないものだったが、地方から出てきた青年の最低限の生活を保障してくれた。自由な時間を活用して、グドーは同類の士たちと交わり、夜や週末には屋根裏部屋で創作に励んだのである。

文学や雑誌の世界で地歩を築こうとすれば、カルチエ・ラタンのカフェで作家や、批評家や、ジャーナリストの知遇を得て、彼らに才能を認めてもらわねばならない。オデオン広場に面したカフェ・ヴォルテールはそうした文学カフェの典型で、グドーはそこで詩人ヴェルレーヌの姿を垣間見ることができた。ヴェルレーヌもまた、晩年には同じ界隈で落魄（らくはく）の放浪生活を送ることになるだろう。ブルデュー流に言えば、カフェはつねに重要な「文学場」であり、知的な討論の坩堝だった。その伝統は、二十世紀半ばにサルトルやボーヴォワールなどの実存主義作家たちが執筆の場にした、パリ六区サン＝ジェルマン地区のカフェにまで連綿と連なるものだ。

当時のパリのカフェは、現代日本のカフェのように客が一人で読書したり、仕事をこなしたりするような静かな空間ではなく、友人や仲間が集い、情報を交換し、議論し、新たなマニフェストを立ち上げるような空間、その意味で知的、芸術的な高揚感が沸騰しているような空間だった。当時を代表するジャーナリストの一人アルフレッド・デルヴォーの『パリの愉しみ』（一八六七）は、首都のさまざまな文化施設や娯楽空間を叙述した都市社会学的な著作だが、そのなかでカフェに多くのページを割き、それが文学生活と、その一部であるボヘミアン現象と深くつながっていることを強調した。[*4] そこではもちろん、かつてミュルジェールとその仲間が常連だったカフェ・デ・マルティールや、カフェ・ヴォルテールも言及されている。

上流階級のサロンや、成功した芸術家のサロンが、どちらかと言えば守旧的な趣味の砦だったのにたいし、カフェが革新の坩堝だったことを示すもうひとつの証言をあげておこう。レオン・ドーデ（一八六七―一九四二）である。『月曜物語』や『風車小屋便り』の作家として日本でも知られているアルフォンス・ドーデの長男として生まれたレオンは、長じてジャーナリスト、作家になり、さらには政界に進出して右派の国会議員として活躍することになるのだが、いま肝要なのはその点ではない。文学的にも政治的にも保守派だった彼が、回想録『サロンと新聞』（一九一七）のなかで、両者を対比しながら次のように述べている。

> 私は次のような命題を提出する。カフェがサロンで生まれた名声を破壊することはできるが、サロンはカフェで確立した評判を覆すことはない。〔中略〕カフェは真率さと自発的な諧謔の学校であるのにたいして、サロンは一般に、凡庸と愚かな流行の学校にすぎない。カフェは素晴らしいヴェルレーヌと、偉大で純粋なモレアスを、サロンはロベール・ド・モンテスキウと、数多くの無益な、あるいは滑稽な詩神（ミューズ）を生みだした。[*5]

ジャン・モレアス（一八五六―一九一〇）は象徴主義の詩人、理論家として活躍した。モンテスキウ（一八五五―一九二一）は作家、美術批評家で、ダンディな貴族として評判を得ていたが、今日文学史で論じられるほどの作品を残していない。

パリを愛し、粗末な部屋で創作にいそしみながら、グドーもまたこうした活気と知的刺激に富むカフェ文化の雰囲気に浸っていた。彼は当初、詩人として身を立てようと思っていたので、当時の主流だった高踏派と距離を置くことで、新たな詩の潮流を開拓しようと夢想した。高踏派は、ルコント・ド・リールとテオドール・ド・バンヴィルが中心になって、ロマン主義的な情動の昂ぶりを抑制しつつ、詩法と技巧を極限まで洗練させることで、高度に彫琢された詩句を創造しようとした。第二帝政期の強圧的な政治体制のもとで、政治や社会の動きから一線を画して芸術の自立性を追求した「芸術のための芸術」(芸術至上主義)が、彼らの基本理念になっていた。普仏戦争の敗北と、それがもたらした帝政から共和政への移行という社会の激変は、グドーの世代に文学上の刷新が必要であり、それが可能だという意識を植えつけていたのである。

新人たちの集団、戦後世代の集団のなかで、われわれは革命的だと感じていた。まったく異なる二つの時代の間で溝が広がったように思えた。オペレッタは死んだ、演劇の刷新が必要だ、詩の再生が必要だと人々は叫んでいた。より生き生きした詩、豊かな韻律に仕える者たちの敬虔な手によって聖櫃(せいひつ)に閉じ込められないような詩を求めていたのだ。無感動な詩神(ミューズ)に生気を吹き込み、精力と活気を付与し、今や力を有する群衆のなかを詩神がより人間的な足取りで歩くのを見たい、と思ったのである。[*6]

オペレッタ(喜歌劇)とは、オッフェンバックの作品に代表される第二帝政期に流行したジャンルで、帝政の享楽的性格を表す。「豊かな韻律に仕える者たち……」以下の一節は、詩的技巧の洗練を重視した高踏派への皮肉な当てこすりである。もちろんグドーの文学野心はなかなか実現しなかった。役所で終日、退屈な帳簿仕事をこなした後、粗末で寒い部屋に戻って詩作に励むためには、みずからの未来を恃む忍耐強い信念が求められたことだろう。ある文学雑誌に原稿をもち込んだものの、編集方針にそぐわないとして門前払いを喰らったことがあるし、またある時は、若者のための文学新聞を創刊したいという、誰かが出した広告の呼びかけに応じて指定された場所に赴いたものの、提案者から「創刊のための資金をあなたが集めてください」と言われ、詐欺まがいのやり方に唖然としたこともあった。グドーの回想録は、パリのボヘミアン青年が遭遇するさまざまな逆境のエピソードに事欠かない。

ミュルジェールの時代からそうだったように、若く貧しいボヘミアン作家たちのあいだに共感と友情が芽生えるのに、たいして時間は要しない。グドーは、一八七〇年代に交流した同世代のジャン・リシュパン（一八四九―一九二六）や、ポール・ブールジェ（一八五二―一九三五）をめぐって、回想録の第三章で印象的な肖像を素描してみせた。

ブルジョワを嫌ってボヘミアン生活に飛びこんだ詩人リシュパンは、みずから「浮浪者たちの王」を任じ、暴力的な言動と奇抜な服装によってカルチエ・ラタンで名を馳せた。一八七六年に出版された『乞食たちの歌』は、貧しい者、社会に虐げられた者の反抗をかなり矯激な調子で表現し、パリ・コミューンを称賛する詩も含まれる。その点ではジュール・ヴァレスとの親近性があり、実際リシュパンはヴァレスへの賛辞を惜しまなかった。しかしこの詩集は公序良俗に反するとして検察当局から起訴され、有罪となって、作家はパリのサント＝ペラジー監獄に一か月収監されるという憂き目に遭った。第二帝政期に較べれば文学への検閲は弱まったとはいえ、社会的、政治的、宗教的な要素が絡まれば官憲による監視から逃れられる時代ではなかったということだ。

　他方ブールジェのほうは、後年は洒脱な恋愛心理小説の作家として人気を博すことになるが、青年時代には詩人としての成功をめざし、古典語の教師として生計を維持しながら、詩のモダニズムを追求して孤独な創作を続けていた。一八七八年に刊行された彼の詩集『エデル、ある芸術家の日記』は、一青年の文学的、知的な自画像と見なされうる作品で、ボヘミアン性の自由と理想に魅了されながら、他方で洗練されたダンディスムの誘惑に駆られ、上流社会との接触に無関心ではない詩人の姿を示してくれる。リシュパンとブールジェの例は、十九世紀末のボヘミアン性が一方でデカダン美学と、他方でダンディスムと結びつきうることを証言しており、それ以前との違いが露呈している。ボヘミアン集団の活動空間は相変わらずカルチエ・ラタンだが、そこに漂う精神は時代とともに変化していく。

『瀝青色の花』

　グドー自身も一八七八年に『瀝青色の花』と題された詩集の出版になんとかこぎ着けた。それ以前から文学雑誌に単発的に掲載された詩編に、新たに創作した作品を加えて刊行された詩集である。当時の文壇で詩は、小説、演劇、エッセーよりも文学ジャンルとして一段上のものと見なされ、そのかぎりで文学場における象徴的な価値は高かった。そのぶん、無名の駆け出し作家が詩集をまとめることは容易ではなかったのだ。グドーは友人・知人のつてを経て、カトリック作家の大御所バルベー・ドルヴィイや、自然主義小説家として当時文名を高めていたエミール・ゾラに会い、出版の仲介を依頼したが、実を結ばなかった。前者からは「おぞましいレアリスト作家」と批判され、後者からは「極端なロマン主義」に毒されていると糾弾された、とグドーは苦々しく回想している。[*7] 世代も文学理念も異なる二人の作家に助力を求めるのは、彼としても本望ではなかっただろうが、若き詩人のグドーには他に選択肢はなかったのだろう。結局、『瀝青色の花』はルメール社から出版されることになるのだが、このルメール社は高踏派の作品の出版をほとんど一手に引き受けていた新興出版社である。高踏派の美学に異議申し立てするところから始めたグドーにとっては、皮肉な帰結と言わざるをえない。

現代では文学史で言及されることもないこの忘れられた作品では、何が語られているのだろうか。大部分の詩編は、「私」の感覚と知性をとおして知覚され、認識される世界と人間と風景を表象しており、そのかぎりで告白の様相を呈する。パリの貧しい屋根裏部屋で細々と暮らし、故郷との絆からは遠く離れ、パリの街路や、カフェや、ブラッスリーを放浪する若き詩人にとって、花と言えば、瀝青で塗り固められた舗道のわきでひそやかに咲く花しかない。詩集のタイトルはそこに由来している。そしてそれは同時に、「放浪の詩人、通り過ぎる娘たち、か弱い光の木に似たガス灯の下で耽る夢想、公開の舞踏会、夜に足を運ぶレストラン、空の財布、空腹、愛に満たされない心」[*8] を喚起する隠喩にもなっている。したがって瀝青色の花は貧困と孤独をはらみ、毒を含んでいることもある。

この詩集では、愛の歓びを求める心情、官能と悦楽を希求する身体の疼きが謳われ、しかし満たされない愛の絶望も語られる。幸福な楽園に近づきえない青年は、悲嘆に暮れ、ときには自殺の誘惑に屈しそうになる。孤独や貧困とならんで、幻滅、絶望、死の誘惑などが反復される重要なテーマになっている。たとえば詩編「パリにて」では、パリに住む青年の困窮、女と愛、理想とその崩壊が描かれる。

この恐るべき不幸、それはかつてきちんとした黒服をまとい、
帽子をかぶっていたが、今はその帽子も擦り切れている。
不幸のせいで私に、不信という暗く冷たい光が当たる時、
私の誇りは血を流し、涙する。[*9]

パリの街をさまよう時も、郊外の田園を散策する時も、そこに春の華やいだ景色が広がっていようと、あるいはまた緑豊かな森の甘美な息吹が感じられようと、青年詩人は一人であり、その孤独感は芸術への志向によってしか償われはしない。「一人!」と題された詩を読んでみよう。

私はなぜ一人なのか? 魂に苦しみを感じながら
私はそれでも努力して、執拗に自分の思考をたどった。
詩句や、新しいプランを小声でつぶやいた。
私は、厳しく、同時に確固たる思いで美を愛した。
私に何が分かるだろう? 私の精神はまるで徒刑囚のように、重い臼を回す。

そして私の孤独な青春が失われるのを目にして、
つぐみが木々のあいだから私に向かって囀り声を響かせるのだ。[*10]

森のなかで幸福な結婚式を目にし、若い男女が楽しげに興じているさまに遭遇しても、青年の心が晴れることはない。孤独な彼はパリの部屋に戻り、白い紙とペンを前にして絶望に駆られてしまう。栄光や名声を夢見るものの、それは気紛れな運命に翻弄されてしまうだろう。それに、そのような栄光や名声にしても、愛の幸福には及ばないのではないだろうか、という暗い懐疑が青年の脳裏をよぎる。

こうしたものすべては、女のたった一度の接吻ほどの価値もない。
まるで経帷子のように陰鬱な壁に目をやりながら
「なぜ私は一人なのか」と苦々しくつぶやくばかり。[*11]

どこかミュッセの感傷的な詩を想起させるものがあり、ゾラがグドーを「極端なロマン主義」に毒されていると切り捨てたのも理解できよう。技巧的にも稚拙さが目立ち、ボードレールや、同世代のヴェルレーヌ、ランボーとの比較には堪えられない。仲間うちではそれなりの評価を受けたものの、文壇や批評界で注目されることはなく、グドーはこれ以降、詩作にほとんど手を染めなかった。詩人としてのグドーは今日、歴史にまったくその名を残していない。しかし幸いなことに、十九世紀末パリのボヘミアン文化の形成において、彼は異なる次元で決定的な役割を果たすことになるのである。

「イドロパット」の美学

一八七八年の末、詩集『瀝青色の花』を刊行して間もない頃に、グドーは「イドロパット Hydropathe」という芸術家グループを立ち上げる。語源的には「水」を意味する hydro と、「病」を表す pathe の組み合わせであり、フランス語としては「水に苦しむ者」というほどの意味になる。グドー自身の回想録によれば、この奇妙な名称は、ある晩彼がコンサートで聴いたワルツ曲のタイトルに由来する。曲名はドイツ語で hydropathien-valsh、作曲したのはハンガリーの作曲家グングル。それは「クリスタルのようなリズムのワルツ曲」で、「まるで水滴が窓ガラスにあたって鈴のような音を立てていた。あるいはむしろ、銀のナイフでシャンペングラスを軽く叩いて音を出しているかのようだった[12]」と書き記しているくらいだから、その軽やかで澄んだ音色がグドーに強い印象を残したのだろう。その後、彼はこの名称にもっともらしい語源解釈を施したうえで、詩人たちのグループ名として冠したのだった。

グループを形成した意図はどこにあったのだろうか。

グドーはみずからの体験で、若い作家たちが作品を発表する媒体がかぎられていること、とりわけ文壇や批評界で重きをなす文学雑誌への参入がきわめて狭き門であることを痛感していた。「芸術のための芸術」を標榜し、象牙の塔に閉じこもるような姿勢を鮮明にしていた高踏派は、そのよ

図15　イドロパットの中心人物グドーの風刺画。

うな閉鎖性を体現するものと映じただろう。それはすでに革命以前の貴族社会に存在し、十九世紀になってからも一定の文化的影響力をもった上流階級のサロンのようなものだった。ボヘミアンたちにとって、それはあまりに困難な障壁である。他方で若き芸術家たちは、自作を朗読したり、歌謡を朗誦したり、曲を演奏したりする場を強く求めていた。芸術を聖別化する制度的な空間とは別に、誰もが自由に作品を発表できるような場が求められていたのだ。

　そうした場への欲求を機敏に感じとっていたグドーは、親しい仲間たちと協力してカルチエ・ラタンのカフェを借り上げ、そこを作品発表の場にすることを思いつく。記念すべき第一回の集まりは一八七八年十月十一日に開かれ、七十五人の若者が集い、名称を「イドロパットの会」と定め、グドーはその会長に選出された。その前衛的な創作手法、自由で開かれた雰囲気はたちまち評判となり、集会は回を追うごとに参加者が増えていった。当初のカフェでは手狭になったので、ホテルのロビーを借り切って、最大で六百人におよぶ人々が一堂に会したという。詩人だけでなく、画家、音楽家、役者、ソルボンヌの学生、政治家、さらには一般市民まで加わるほどだった。その盛況ぶりはフランス国内だけでなく、ベルギーの新聞でも報道されたほどで、会の文化的な認知度は急速に高まっていった。

周辺の住民のなかには、これが何らかの秘密結社の集会ではないかと疑惑と不安のまなざしを向ける者がいた。また、若い女性の姿が目立つようになると、警察当局の警告を受ける仕儀にもなった。当時のカフェは、女性だけで来るような場ではなかったし、仮に足を運ぶとすれば、しかるべき階級の女性なら父親、夫あるいは兄弟など男性にともなわれて赴く場だったのである。「イドロパットの会」にやって来た女性たちのなかには、粋筋の者が少なからず含まれており、グドーは当局の警告にしたがって以後は女性の参加を認めず、秩序と風紀を保つという約束で集会の継続を認めさせた。自由と開放性を標榜した集団だったが、当時の強固なジェンダー規範に抗うのはむずかしかったのである。

ボヘミアン性と公共性

イドロパットの集まりでは、カフェの片隅に一種の舞台が設置され、詩人や役者や音楽家はそこで自作の詩を朗読し、独白劇を演じ、曲や歌謡を披露した。そうした詩人たちのなかにシャルル・クロ、モーリス・ロリナ、フェリシアン・シャンソール、ベルギー人のジョルジュ・ローデンバックらがいた。いずれも十九世紀末の詩壇において、一定の地位を築くことになるだろう。デッサン画家、詩人、ジャーナリストという多面的な相貌を有するアンドレ・ジルは、痛烈な風刺画で注目された。彼らに共通していたのは、あらゆる権威を疑い、制度を風刺し、既成の美学に異を唱える態度だった。これは当時「フュミスム fumisme」と呼ばれたもので、イドロパットや、その後に登場する「イルシュット（もじゃもじゃ髪の人々）」、「アンコエラン（支離滅裂派）」、「ジュマンフティスト（俺には関係ない派）」など、奇妙で、同時に啓示的な名称をまとう文学集団に継承された。[*13] グドー自身の言葉によれば、フュミスムとは「内面では、すべてにたいする一種の軽蔑、人間やモノにたいする侮蔑の念であり、それは外面的には無数の風刺、冗談、与太話[*14]」として表れる。それは何か特定の価値や理想を信望するというより、それらを相対化するという懐疑的な姿勢と言っていいだろう。

既成の価値観に疑問を突きつけるのは、ロマン主義時代からボヘミアン文化の原理である。ただ、イドロパットにはそれ以前に見られなかった特性があった。ロマン主義、レアリスム、高踏派あるいは象徴主義などと異なり、イドロパットは若き芸術家の集まりとはいえ、特定の美学や理論にもとづいて結集した狭義のセナークルではない。誰に向かっても開放された集団であり、美と芸術への愛だけがそこに参入するための通行証だったのである。グドー自身、その点を何度も強調している。会のいわば機関誌として一八七九年一月に創刊された『イドロパット』の同年十二月十日号において、彼は次のように述べている。

私がイドロパットの演壇で、朗々たる声でこのうえなく明瞭に、かつ断定的に宣言したにもかかわらず、人々は相変わらずイドロパットが党派集団であり、その宮殿をトルコの三日月刀をたずさえた残忍な宦官が見張り、入場を禁じていると思っている。

しかし、そんなことはない。

イドロパットの教理は、まさにいかなる教理ももたないということなのだ。才能はどこから来ても、どのような形をまとっても、大歓迎される。そこに集まった聴衆や観客が静かに判断を下すだけである。聴衆や観客は、ある才能を愛し、別の才能を嫌う。しかし才能のもち主にたいして、その判断を課すことはない。絵画のサロン展に毎年押し寄せる群衆に、一枚の絵を嘆賞したり、非難したりすることを強制できないのと同じである。

このサロンという名称こそ、イドロパットが今後採用すべきレッテルだろう。詩と音楽のサロンであり、絵画のサロン展に較べて大きな進歩だ。恐れるべき審査員はいないし、出品すれば入選するのだから。落選者展もない。皆が招かれ、皆が選ばれる。観衆全員が判断を下す者となり、審査員を構成する。この審査員に抗議するのは難しいだろう。[*15]

観衆や聴衆を最終的な判断者とすることで、作家や芸術家は彼らの趣味に迎合し、作品の質を下げることにならないかという予想される反論にたいして、グドーは、それはみずからの信条に確信をもてない弱者の言い草であり、強者はみずからの作品によって観衆や聴衆を支配しようとするものだ、と喝破する。実際、ボヘミアンとしてのイドロパットは、それまでのボヘミアンと二つの点で大きく異なる。

まず、ブルジョワとの関係性のあり方をグドーは再考した。一八七〇年代においても、売れない作家、画家、音楽家、役者などは確かにカルチエ・ラタンでボヘミアン的生活を強いられ、貧しさと隣り合わせの人生を送っていた。しかし、ミュルジェールやゴンクール兄弟の小説、ゾラの『クロードの告白』で語られたボヘミアンや、ジュール・ヴァレスと異なり、イドロパットはブルジョワとの共存を図ろうとした。ボヘミアン性とはもはや、芸術や実験的試みの名において日常生活から遊離することではなく、社会や倫理の規範からことさらに逸脱することでもなく、ましてや社会への反抗者になることでもない。文化的な支配層に、今やみずからの芸術の価値を承認してもらうべきなのだ。『ボヘミアン生活の十年』第九章に読まれる次の一節は、その点できわめて示唆的である。

私はひとつの使命を果たすのだと感じていた。やがて上流ブルジョワになる若い学生たちの頭に、詩と芸術の観念を注入する。一般公衆の前で朗読することをつうじて、彼らの知らない書物の存在を知らしめる。若い詩人が闘いの場に登場するよう仕向ける。そのような使命である。[*16]

ブルジョワ出身で、やがてその階級に組み込まれていくだろう青年層や、駆け出しの芸術家たちを社会から切り離してしまえば、芸術に未来はないとグドーは主張する。中世の吟遊詩人なら領主とその奥方に、高踏派なら限られたエリート読者層に向けて詩を書くだけで報われたが、現代では事情が異なる。「有能なブルジョワ層の支持を得てはじめて、名を知られ評価されるようになるのだ」。イドロパット集団は、若い詩人や芸術家たちに自己形成を遂げる機会を提供している、という意識がグドーにあった。

第二に、その結果として、イドロパットは誰にたいしても、どのような階層にたいしても開かれた集団となる。作品を創作するのは狭い屋根裏部屋であるにしても、それを発表するのはカフェという開放空間である。そこにいる聴衆＝観客を前にして、詩人は詩を朗読し、画家は作品を展示し、劇作家は戯曲を上演し、役者は踊りや演技を披露する。そうした作品に評価を下すのは同業の作家や画家や役者だけではなく、その場にいる聴衆＝観客でもある。厳格な美学や理論を標榜して、中心人物を法王のように擁した閉鎖的なセナークルを形成するのではなく、むしろ誰にでも開かれた意見交換の場としてイドロパット運動は位置づけられる。教育が普及して読者層が民主化し、ジャーナリズムが大衆化した時代に、芸術と文学だけが象牙の塔に閉じこもる孤高の態度はもはや許されないだろう。ボヘミアン芸術家は公共性の圏域に進出しなければならない、というわけだ。

文学と芸術の営みを市民により広く知らしめるために、グドーはカルチエ・ラタンのカフェを一種の文化的興行の空間に変貌させた。勃興しつつあった消費社会の象徴であるデパートの販売戦略を活用しようとしたのは、そうした志向の表れである。フランスで一八六〇年代に誕生したデパートは、たんに売り場に商品を並べるだけでなく、客を惹きつけるために図書室を設置したり、小さなコンサートや芝居を催したりした。経営者は、デパートという商業空間に文化施設としての側面を加えたのだった。善きにつけ悪しきにつけ、同じように文学作品と芸術作品もまた文化の市場原理にさらされることを鋭敏に嗅ぎとったグドーは、広告や、公開の朗読会などの戦略を用いて、文学と芸術の可視性を高めようとしたのである。ボヘミアン性とはもはや、清貧と絶望の闇のなかで孤独に創作することではなく、芸術の名において世間から隔絶することでもない。そのような側面が消滅するわけではないが、それと並行して補うかのように、ボヘミアン性が公開性、広告、公共性（フランス語ではいずれも publicité という語が当てはまる）と結びつく時代が始動していた。

芸術キャバレー「シャ・ノワール」の栄光と衰退

一八三〇年代からすでにそうだったように、ボヘミアンの作家と芸術家にとって、カフェは格好の集いの場であり、議論が交わされる知的交流の空間だった。その状況は十九世紀末になっても変わらない。この時期の新たな現象としては、そこに文学的、芸術的な表現を探求する場としてキャバレー（居酒屋）が加わったことである。それによって、ボヘミアン文化がカルチエ・ラタンだけでなく、モンマルトル地区によっても担われることになった。セーヌ川の左岸とパリ北部に位置するこの二つの地区を結ぶ架橋の役割を果たしたのが、ほかならぬエミール・グドーである。

『ボヘミアン生活の十年』によれば、イドロパットの仲間を介して、グドーはモンマルトルの居酒屋でロドルフ・サリス（一八五二―九七）と知り合った。サリスはフランス中西部の都市シャテルローで生まれ育ち、一八七二年パリに出て美術学校に通い、画家になることを夢見て新聞・雑誌に風刺画などを掲載するようになる。リキュール製造業者だった父親からはまともな商売に打ちこめと言われたが、その気は毛頭なく、一時期はカルチエ・ラタンの片隅で同志の若い芸術家たちとまさにボヘミアン生活を送った。しかし画家としては大成できず、やがて文学者、音楽家、画家が一堂に会することのできる芸術キャバレーを始めるアイディアを思いつく。キャバレー「シャ・ノワール（黒猫）」はこうして一八八一年十二月、モンマルトル地区のロシュシュアール通りに店開

SEPTIEME ANNEE. — N° 346　LE NUMERO 15 CENTIMES　SAMEDI 1er SEPTEMBRE 1888

LE
CHAT NOIR

DIRECTEUR
RODOLPHE SALIS
SECRÉTAIRE DE LA RÉDACTION
JOSÉ-MARIA DE HEREDIA

ALPHONSE ALLAIS
ALBERT TINCHANT
GEORGE AURIOL

ABONNEMENTS

DÉPARTEMENTS

TIRAGE JUSTIFIÉ
19,000 Exemplaires

VENTE EN GROS
M. BOURBIER

POUR LES ANNONCES
E. Combémorel

PARAISSANT LE SAMEDI

LITTORALEMENT

図 16　週刊新聞『シャ・ノワール』1888 年 9 月 1 日号。

きした。

この創業にグドーが大きく関わったのである。文学、絵画、音楽、ダンスなど諸芸術がひとつの空間を共有するという芸術的ユートピアを構想し、それをさまざまな手段とパフォーマンスで宣伝することで可視性を高めたいという点で、グドーとサリスの意図は一致していた。イドロパットの仲間たちの多くも、シャ・ノワールへの参加に異存はなかった。店の開業の翌月、一八八二年一月には、店と同じ名称を冠した週刊新聞『シャ・ノワール』が創刊され、作家とジャーナリストたちは新たな発表の場を手にする。ここで再び、グドーの回想録から引用しよう。

造型芸術の地区であるモンマルト

ルで、絵画の聖域に、詩と音楽というふたつの芸術が割り込んできた。店の奥にある小さな部屋の暖炉の火の前では、「美」のさまざまな分野が融合していた。店はやがて「学院」という綽名をもらうのだが、この皮肉で陽気な綽名はその後も残った。詩人と音楽家が加わったことでピアノが導入され、金曜日の会と呼ばれる見世物が少しずつ開催されるようになった。その日の午後四時頃には、怒濤のような群衆が店のベンチに腰掛け、グラスがたくさん並ぶテーブルに陣取った。*17

シャ・ノワールでは客に飲食物を供しただけでなく、音楽家はみずから作った曲を演奏し、作家は自作を朗読し、画家はデッサンや絵を展示し、歌手は自作のシャンソンを歌い、ダンサーは芸を披露した。ジャンルを超えて、新たな表現を模索する芸術家たちが集ったのである。シャ・ノワールはその意味で芸術キャバレーであり、サリスは店で繰り広げられるイベントの興行主を務めることになる。入り口の扉上には「通行人よ、現代的であれ！」という銘文が記され、店は「まさしく現代のあらゆるヴィヨンたちの祖国だった」とグドーは回想している。ヴィヨンは十五世紀の放浪詩人で、その波瀾に富んだ人生を含めてまさに中世のボヘミアン詩人と呼ばれるにふさわしい。グドーやサリスにとって、そのヴィヨンは一種の守護聖人だったのだろう。

店の内壁には猫が描かれ、室内には剣、槍、鎧など中世風の古物が所狭しと並べられていた。作家のシャルル・クロ*18やアルフォンス・アレー、画家のアンドレ・ジル、そして歌手のアリスティッド・ブリュアンらが集って、店の評判はしだいに高まっていく。ジャンルの境界を超えてボヘミアン的な芸術家たちが一堂に会したという点で、カルチエ・ラタンのカフェからモンマルトルの芸術キャバレーへと至るつながりは明瞭である。グドーやクロなど先導した人物が共通していたというだけでなく、活動の根底にある精神の面でも連続性があった。店の宣伝のために、ポスター画家のスタンランに描かせた黒猫の図像は、店の商標となってパリ中の街路の壁や広告塔を飾った。この時代はロートレック、スタンラン、ミュシャなどが活躍したポスター芸術の黄金時代であり、芸術キャバレー「シャ・ノワール」はその趨勢を機敏に捉えたのだった。[*19]

評判が高まると同時に、三十人ほど客が入れば満席になる店では手狭になったので、サリスは隣の時計店を買収して店を拡張した。それにともなってボヘミアン芸術家だけでなく、一般市民や有名人（そのなかには英国皇太子も交じっていたという！）までが押しかけるようになった。イドロパット派の作家だけでなく、自然主義のゾラやモーパッサン、象徴主義に属するヴェルレーヌやジャン・モレアスらも姿を見せたほどで、モンマルトルの芸術キャバレーは、文学上の主義や理論の垣根を超えて世紀末の作家と芸術家が集う特権的な空間に変貌したのだった。作品を朗読し、演奏し、展示する場だったシャ・ノワールは文学の実験場であり、コンサートホールであり、小さな美術館だったのである。

そこに、芸術のボヘミアン性を劇場化するという新しい機能が加わった。劇場であるからには、観客は多様なほうが望ましい。こうしてかつてはボヘミアン性を忌避していたブルジョワたちも、芸術キャバレーの魅力に惹かれてモンマルトルの丘に足を運ぶことになった。普段は律儀でしかつめらしい生活を送るブルジョワ階級だからこそ、ボヘミアン的な風土を凝縮させたモンマルトルに怪しげな魅惑を感じたにちがいない。美術批評家フェリックス・フェネオンは、『独立雑誌』一八八八年七月号でこの変化を次のように指摘した。

ブルジョワはボヘミアンを愛し、称賛する。ボヘミアンに才能があると信じ、ボヘミアンと握手できるのを自慢しているのだ。ブルジョワはボヘミアンに夕食をご馳走することを名誉と感じ、彼らの陽気な冗談や卑猥な言動を楽しんでいる。[*20]

サリスは後年みずから劇団を組織して、パリだけでなくフランスの地方都市（とくにリヨン）やベルギーで興行を催すまでになる。シャ・ノワールの名声は首都の枠を超え、国境さえも越えたのだった。

しかし、華やかさと流行がこの集団のすべてではない。わが国では、一九〇〇年前後のモンマルトルと言えば、ロートレックの絵と、スタンランやミュシャのポスターと版画などによって享楽的で陽気なイメージで語られることが多いが、彼らのように世間と美術批評界に認められて成功を博した者は、少数派である。シャ・ノワールの店に集い、新聞『シャ・ノワール』に寄稿した者たちも例外ではない。不安的な生活と脆弱な経済基盤はしばしば彼らを窮地に追いやり、その苦悩から逃れるために麻薬やアルコールに助けを求めたりもした。この時代もまた、自由なボヘミアン性と、放縦で脆弱な生活は表裏一体だったのである。狂気の淵に沈んだり、絶望の念から逃亡や死を選んだりする者もいた。爛熟した世紀末文化には、闇の側面もあったということである。

文化的な支配層であるブルジョワから存在と価値を認知されたことは、モンマルトルのボヘミアン作家や芸術家にとってひとつの勝利だった。それまで文化的な場で周縁的な位置に追いやられていた彼らが、場の中心とは言えないにしても、しかるべき位置づけを獲得したのだから。しかし逆説的なことに、文学や芸術の領域におけるこの相対的な成功が、シャ・ノワールに結集した者たちのあいだに確執や嫉妬を生むことになる。サリスの運営方針に公然と異を唱える者まで現れる。やがてサリスは経営から手を引いて、故郷のシャテルローに隠棲してしまう。シャ・ノワールが閉店したのは、一八九八年のことである。十九世紀の終わりはこうして、ボヘミアン文化にひとつの区切りを告げたのだった。

風刺、パロディ、幻想——『シャ・ノワール』の文学

新聞『シャ・ノワール』は一八八二年に刊行が始まり、まずグドー、続いてアルフォンス・アレー（一八五四—一九〇五）が編集主幹を務め、その後一八九五年に編集方針や新聞の判型を変えて一八九八年まで続いた。詩、短編小説、諧謔的なルポルタージュ、イラスト、さらには漫画まで掲載して、当時の前衛的な芸術を牽引した。当初は毎号数千部、最盛期には二万部に迫る部数を誇ったほどで、当時の文学系新聞としては破格の数字である。編集部は店の二階に置かれていた。一階はブルジョワジーや高級娼婦たちを客として迎え、三階には作家、音楽家、画家たちが陣取って朗読や演奏を繰り広げた。編集者たちは一階から上ってくる世間の喧騒と、三階から下りてくる芸術の反響に耳を傾けながら、挑発的で、しばしば不条理なユーモアをにじませる新聞を発行し続けた

のである。

十九世紀末から二十世紀初頭にかけてのフランスは、大衆ジャーナリズムの黄金時代で、発行部数が百万部前後に達する新聞が四紙もあった。現代日本では数百万の発行部数を誇る新聞がいくつもあるから、われわれはあまり驚かないだろうが、現在のフランスの主要新聞でもせいぜい数十万部しか発行されていないことを考慮するならば、当時の活字ジャーナリズムの隆盛には瞠目せざるをえない。

このような隆盛が可能になった背景には、一八八一年七月に発布された、新聞・雑誌における言論の自由を保障した法律の影響がある。これ以降、一般的な意見や思想の表明はすべて許容され、特定の個人に向けられた直接的な侮辱だけが罪に問われることになった。この法律は、『シャ・ノワール』のような反権力的で、強烈な風刺を武器とする文学新聞の発展を助けた。技術面では、グラビア印刷の発展により、新聞が版画や写真をふんだんに利用できるようになった。文字と画像、テクストとイメージの幸福な共存もまた、風刺新聞の読者への波及効果を高めた。『シャ・ノワール』は、そうした時代の風潮をあざやかに凝縮する新聞だったのである。

『シャ・ノワール』に掲載された物語は、現在の文庫版では三ページからせいぜい五、六ページというごく短い作品ばかりである。そのぶんそこには、パロディ、風刺、パスティッシュ（文体模倣）、幻想趣味、ブラックユーモア、絶望的な状況など、グループの作家たちを特徴づける要素があふれている。実例として、この新聞の文学的特質をもっともよく示すアルフォンス・アレーの作品をいくつか読んでみよう。彼の短編小説はしばしば異様な状況設定のなかで、しんみりした情緒を漂わせたり、薄気味悪い感覚を読者に残したり、痛烈な社会風刺を突きつけたりする。

愛はときに、荒唐無稽な行動へと人を駆り立てるものだ。「やさしい恋人」（一八八五）では、ある冬の日、青年が葉巻を吸いながら恋人の女がやって来るのを部屋で待っている。やがて辻馬車から下りてきた恋人はじつに魅惑的で、美しく着飾っていた。愛の言葉を交わした後、女のほうは部屋が寒いと不平を言うが、暖炉で燃やす薪はない。そこで男は裸になり、女をベッドに導いてから自分の腹をナイフで切り裂き、寒がる恋人の足を腹のなかに入れてあげる。こうして二人は暖かく過ごし、翌朝女は感謝のしるしにと、男の腹を縫い合わせた。「その夜は二人にとって最良の思い出として残った」という一文で物語は結ばれている。貧しい青年が恋人を暖めるために取った手段は、生理学的にはありえない展開だが、心理的には感動的だろう。二人の恋人には名前がないが、その匿名性がむしろ作品の幻想性を高めている。

他方で、アレーはブラックユーモア的な筋立てを好んで活用した。「パリの夜　用心深い犯罪者」（一八八五）は、手練れの強盗の物語である。ある夜、一人の強盗が頑丈な道具でやすやすと宝石店に押し入り、高価な宝飾品をごっそり盗み出して立ち去ろうとした時、店主のジョスがピストルを手に現れる。「近くに来たのでご挨拶しようと思ったんですよ」ととぼけるジョスを、強盗は冷酷に刺し殺してしまう。外に出たものの思い直して店に戻ると、一枚の紙に何か書き記して店の表扉に貼りつけた。翌朝通行人たちが目にしたのは、「店主死去により休業」という貼り紙だった。

ジョスとは、十七世紀フランスの劇作家モリエールの戯曲『恋は医者』（一六六五）に登場する金銀細工師の名前である。主人公スガナレルが、病気の娘を治すにはどうしたらいいかと相談すると、ジョスは宝飾品を買ってあげるよう助言する。それにたいしてスガナレルが「あなたは金銀細工師だ、ジョスさん」と言い返す有名な場面があり、この台詞は打算的な忠告者を揶揄する表現として定着していた。忌まわしい犯罪の物語を紡ぐことで、アレーは祖国フランスの大作家に向けて文学的な目配せをしつつ、パロディの才能を発揮してみせた。

「ある発明家」（一八八七）は、アレーの創造性をもっともよく証言する一作だろう。発明家が大好きという語り手が、ある朝一人の発明家の訪問を受ける。もちろん初対面の男である。語り手の「私」に向かって男は、あなたは教育のある聡明な人で、吝嗇でもないから自分の発明案に関心をもってくれるだろうと不遜な調子で話しかける。「私」がどんな発明かと尋ねると、「空中葬inaération」という技術だという。これはアレーによる造語で、埋葬 inhumation と火葬 crémationという二語からの派生語になっている。人が死んだ後は遺骸を火葬に付すか、そのまま棺に納めて墓地に埋葬する。発明家曰く、「空中葬」とは特殊な窯で遺骸の水分を蒸発させて乾燥させた後、硝酸をベースにした特殊な液体に浸して可燃性の物質に変える。あとはそれを料金に応じて爆竹、ロウソク、花火などにして空中で燃焼させるのだという。面白い発案だが今は興味がないと「私」がにべもなく断ると、発明家は憤慨して立ち去る。「空中葬 inaération」という造語が示すように、アレーは、そして『シャ・ノワール』の常連作家たちは言葉遊び、洒落などを巧妙に駆使した。[*21]

「やさしい恋人」や「ある発明家」のように、アレーの短編は医学、生理学、科学の知識に依拠しながら、それを換骨奪胎して奇抜で幻想的な道具立てとして利用する。薬剤師の家に生まれ、薬学を修めたこともある彼にあっては、医学と物語、科学と想像力が独特の感性によって結合している。言語遊戯の才能、古典文学の確かな素養とそのパロディ、荒唐無稽としか形容できない独自の状況設定、数ページという分量的な制約のなかでの筋立ての巧妙さには舌を巻かざるをえない。

アレーの文学は、具体的な出来事や現実から出発しながら、その現実を突き抜けて超現実性へと飛躍する。ときに幻想文学に接近する彼の作品は、体制順応的な紋切り型に異議を突きつける。後年アンドレ・ブルトンが『黒いユーモア選集』(一九六六)においてシュルレアリスムの先駆者の一人としてアレーを取り上げ、彼が「人を煙に巻く術」を洗練させ、芸術の高みにまで引き上げたと称賛したのはそのためである。[*22] イドロパットの活動に早くから参加し、フュミスムの精神を体現し、『シャ・ノワール』紙の代表的な作家となったアレーはこうして、生活スタイルとしてのボヘミアン性を維持しつつ、文学に新たな要素をもたらしたのだった。それはボヘミアン文学、あるいは文学的ボヘミアンのひとつの帰結でもあった。

アレーだけではない。先に言及したシャルル・クロ、やはりイドロパットやフュミスムと接触があった詩人ジェルマン・ヌーヴォーも、『黒いユーモア選集』でそれぞれ一章を充てられている。フランス文学史で大きな位置を占める高踏派、象徴主義、自然主義、デカダン派などの陰に隠れて、忘却の危機に瀕していた彼らを復権させたのがシュルレアリスムだった。ロートレアモンがまさにそうだったように、アレー、クロ、ヌーヴォーは、ブルトンによって文学共和国の表舞台に呼び戻されたのである。たとえばクロについて、『黒いユーモア選集』は次のように述べている。

シャルル・クロの驚嘆すべき精神的冒険は、その代償として、彼が嘆かわしい生活条件のなかで奮闘せざるをえなかったという結果を引き起こした。屋根裏部屋から、彼が「独白劇」というジャンルを創造した『シャ・ノワール』にいたるまで、彼が日々の貧困と交換できたのはボヘミアン生活だけだった。それはつまりクロの場合、諧謔の精神が、ヴェルレーヌ言うところの「あの苦く深遠な哲学」の副産物として発生したということである。その哲学がなければ、彼は逆境に耐えられなかっただろう。クロの作品のきわめて幻想的な部分がひたすら陽気な雰囲気を示しているとはいえ、彼のもっとも美しい詩のいくつかにおいては、ピストルが構えられていることを忘れてはならない。[*23]

ピストルを構えるというのは、自殺願望を指し示す。クロの作品に読まれる諧謔やパロディは、貧しいボヘミアン生活と、みずからの文学の真価を正当に評価してもらえないことに由来する救いようのない暗い絶望と表裏一体であり、そのことにブルトンは鋭敏に共感したのである。[*24]既成の芸術観への反抗、実験的な文学の試み、ボヘミアン性と芸術創造の共存、すべての価値観を根底から疑う姿勢は、グドーのイドロパットからフュミスムを経て『シャ・ノワール』に至るまで、通奏低音として響いていた。集団として文学や芸術の可視性を高めようとした彼らの態度もまた、ブルトンたちシュルレアリストによって評価された点だろう。保守的な文壇と、商業主義的ジャーナリズムから等しく距離を取りつつ、庶民的な界隈であるモンマルトルの一角に位置する芸術キャバレーと、そこで発行された新聞『シャ・ノワール』は、十九世紀的なボヘミアン精神の最後の輝きを放ったと言えるかもしれない。

第七章　放浪とダンディスムのはざまで

前章では、おもにエミール・グドーの回想録に依拠しながら、一八七〇—九〇年代のカルチエ・ラタンとモンマルトルを舞台にして、貧困と不安定にさらされながら、カフェや文学キャバレーでの朗読や演出をつうじてボヘミアン文化の可視性を高めようとした集団の生態を叙述した。ブルジョワ社会を丸ごと拒絶するのではなく、読者や観客としてのブルジョワ層にみずからを開くことで、文学、演劇、音楽の新たな潮流を社会に知らしめようとしたのだった。ボヘミアン性は経験を積むための手段であり、自分を売りだすための宣伝効果を有し、公的空間での文学的、芸術的パフォーマンスは、生活の経済的基盤を支えることにつながった。イドロパット派と、「シャ・ノワール」に集結した者たちは、ブルジョワ的な価値観に迎合することはないが、同時にブルジョワ大衆の支持を求めるという両義性を引き受け、それを劇場化してみせた。

同じ頃にカルチエ・ラタンを生活と活動の拠点とし、したがってグドーやリシュパンやシャル・クロらの詩人と接点をもちながら、しかし彼らと異なる美学や行動指針を標榜した作家たちがいた。

ポール・ヴェルレーヌの漂泊生活

ポール・ヴェルレーヌ(一八四四—九六)と言えば、上田敏訳の詩「落葉」の一節、「秋の日のヴィオロンの　ためいきの　身にしみて　ひたぶるに　うら悲し」や、堀口大學訳の詩「忘れられたアリエッタ」の一節「巷に雨の降るごとく　我が心にも涙ふる」などで、日本でも夙(つと)に名高い。かつては中学・高校の国語教科書に訳詩が掲載されていたほどで、そのどこか頽廃的で、憂愁に満ちた雰囲気を記憶している人は多いだろう。

少年時代に詩の魅力に開眼し、一八六六年には早くも処女詩集を刊行した早熟の作家だったが、詩人としての経歴は順調と言うにはほど遠かった。ヴェルレーヌはバイセクシャルで、一八七〇年に結婚して息子を一人もうけたが、翌年には少年詩人ランボーと同性愛関係となってパリから出奔し、ベルギーやロンドンで暮らす。その後ブリュッセルでのランボーへの発砲事件、監獄での生活、妻マチルドとの破局と続いて波瀾の時期を送り、さらには愛した青年たちとイギリスやベルギーへの逃避行を繰り返した。晩年はパリに戻り、酒と放蕩に明け暮れ、病に苦しみながらも詩作を続け、多くの作品を発表した。このように乱脈としか言いようのない生活とは関係なく、最晩年の一八九〇年代には、マラルメと並んで象徴主義文学の総帥として世界的な名声を博し、オランダやベルギーでの講演に招待されるほどだった。じつに陰影の濃密な、振幅の大きい生涯だったとしか言いようがない[*1]。

この大詩人の生涯と、作品の意義を詳細に跡づけることが本章の目的ではないので、彼とボヘミアン性の問題に焦点を絞ることにしよう。グドーと異なり、ヴェルレーヌはボヘミアン生活を可視化することで、芸術の公共性を高めようとしたわけではないし、リシュパンと違って、詩作品のなかにボヘミアン的な主題を明瞭に取り込んだわけでもない。放浪や漂泊を謳った詩はあるが、それは生活様式としてのボヘミアン性の主張につうじてはいないのである。しかし、とりわけ晩年の十年間のパリ生活を見るかぎり、ヴェルレーヌが文学的ボヘミアンの圏域と深くつながっていたことは否定できないし、友人や文学仲間たちがそのように認識していたことも確かだ。

たとえば一八九〇年代にパリ大学に通ったリュシアン・アレシーは、『最後のボヘミアン、ヴェルレーヌとその周辺』（一九二三）と題された回想録のなかで、カルチエ・ラタンのカフェで仲間たちと集い、奇矯な言動と気紛れな態度によって彼らをときに困惑させ、ときに怒らせていたヴェルレーヌの肖像を生き生きと描きだす。ヴェルレーヌが生前知った束の間の成功の時間を、同じ空間で共有したアレシーは、彼の軌跡のうちにボヘミアン性の栄光と凋落を見たのだった。

ボヘミアン！　幻滅した秋や寒い冬の突風のせいでいささか黄ばんだ生活の映写幕に、いくつかの影が滑りこんでくるとはいえ、私が夢見たボヘミアンだ。それは厳しい現実を前にして無惨な姿をさらし、崩れ去っていく魅惑的なボヘミアンだ。昨日は偉大だった男たちも、今日は見るかげもなく、身にまとう襤褸（ぼろ）はかつてより不潔だ。ヴェルレーヌにかつて謳われた乞食がそうであるように。[*2]

四半世紀を経た後の回想であり、第一次世界大戦の惨禍を経験したアレシーの世代にとって、十九世紀末のボヘミアン群像が、すでにいささか色褪せた過去の幻像になってしまったことは否定できない。時間的な遠さのせいで、当時のボヘミアン作家たちが実際以上に零落した集団として提示されているという感も強い。それでもヴェルレーヌが当時のボヘミアン性を体現する詩人として位置づけられていることは、重要であろう。

ヴェルレーヌは、みずからを明瞭にボヘミアン詩人と規定していたわけではないが、前章で論じた文学グループと断続的に交流をもったという点で、ボヘミアン文化と親近性があった。一八七一年、『ジュティスト詩集』にはランボーと共に、いささか猥雑な数編の風刺詩を寄せている。[*3] 外国での放浪や、獄中生活による中断を経て、一八八〇年代半ばから再びパリのカルチエ・ラタンに住んでボヘミアン集団との付き合いが始まった。イドロパット派の活動に直接参加することはなかったが、グドーとは懇意の間柄で、グドーの『ボヘミアン生活の十年』には何度かヴェルレーヌへの言及が出てくる。もちろんセーヌ川を越えてキャバレー「シャ・ノワール」に足を運ぶこともしばしばだった。グドーやサリスとの違いは、特定のカフェを舞台にして仲間たちと文学運動を組織化することがなかった、という点にある。

ヴェルレーヌが一八八九年に発表した詩集『平行して』に収められた一編「幸福で自由な者たち」のなかに、詩人がボヘミアン的側面を創作の重要な要素と考えていたことをうかがわせる一節が読まれる。この詩を書いていた頃、ランボーが死んだという報せが入り（後に誤報だと判明する）、ヴェルレーヌは動揺したが、その報せを否定するかのようにランボーとの過去を想起しながら次のような詩句を紡いだ。

何ということか、奇蹟の詩
そしてあらゆる哲学、
私の祖国と私のボヘミアン生活
それらが死滅したというのか？　とんでもない！　お前は私の生を生きている！[*4]

Ma Bohème (Fantaisie)

Je m'en allais, les poings dans mes poches crevées;
Mon paletot aussi devenait idéal;
J'allais sous le ciel, Muse! et j'étais ton féal;
Oh! là là! que d'amours splendides j'ai rêvées!

Mon unique culotte avait un large trou.
— Petit-Poucet rêveur, j'égrenais dans ma course
Des rimes. Mon auberge était à la Grande-Ourse.
Mes étoiles au ciel avaient un doux frou-frou

Et je les écoutais, assis au bord des routes,
Ces bons soirs de septembre où je sentais des gouttes
De rosée à mon front, comme un vin de vigueur;

Où, rimant au milieu des ombres fantastiques,
Comme des lyres, je tirais les élastiques
De mes souliers blessés, un pied près de mon cœur!

Arthur Rimbaud

図17　ランボーの詩「わが放浪」。

ランボーとの出会いと同棲は道徳的、社会的な指弾にさらされ（当時、同性愛は医学的には病理現象とされた）、二人の詩人に人目を忍ぶ逃避的なボヘミアン生活を強いたが、そして発砲事件を経て二人の関係は破綻に至るが、ヴェルレーヌにとってランボーとの遭遇は創作への刺激になった。彼らが共有した豊かなボヘミアン性が、ランボーの死によってヴェルレーヌの記憶から消去されるはずはなかった。

そのランボーには、「わが放浪（ボエーム）」という詩（ソネット）がある。一八七〇年九月、当時十六歳のランボーが母親の家から出奔し、徒歩でベルギーとの国境を越えた時の体験をもとに書かれた詩と言われる。以前から放浪癖のあった少年は、フランスが普仏戦争に敗れて降伏し、プロイセン軍に包囲されたパリで共和政が宣言されるという不穏な社会情勢のなかで、フランスからの脱出を試みたのだった。ソネットは次のように始まる。

ぼくは出かけた、破れポケットにげんこつをつっこみ、
上着もやはり名ばかりの代物だった。
大空の下をぼくは行った、詩神(ミューズ)よ、ぼくはあんたの忠僕、
やれやれ！　何と素敵な愛を夢見たことか！

一張羅のズボンには大穴があいていた。
——夢想にふける〈親指小僧〉、ぼくは道々韻を数えた。
ぼくのお宿は〈大熊座〉のあたりだった。
——星たちはやさしくぼくに語りかけていた。[*5]

文化史的にボヘミアンはパリの現象で、本書でもこれまでパリを舞台にした作品、あるいはパリで暮らしてその回想を記した作家たちについて語ってきた。しかし、ランボーの場合は事情が異なる。一八七〇年八月末、列車でパリにたどり着いた彼は不審人物として逮捕、収監され、数日後に解放されて故郷の北フランスの町シャルルヴィルに戻った。したがってこの詩を書いた時点で、実質的にパリ生活の経験がないランボーだが、首都における文学とボヘミアンの結びつきは知っていたにちがいない。

粗末な衣服に身を包み、「ぼくのお宿は〈大熊座〉のあたり」という詩句が示すように、宿賃を払うだけの金銭をもたない家出少年は、夜空に輝く星座を友として野宿するしかない。文字どおり

の放浪であり、貧しいボヘミアンの姿がそこにある。それでもすでに詩作を始めていた少年ランボーは、みずからを詩神の下僕と任じ、まだ知らぬ愛を夢見ては詩句をつぶやく。未来を思い煩うことなく、詩神の誘惑に身をゆだねて今この時を濃密に生きようとする少年は、孤独な旅路を辿りながら詩の韻に思いを馳せる。舞台はパリではないし、カルチエ・ラタンでもない。北フランスの田舎町からベルギーへとつうじる一筋の街道である。宿に部屋をとることもできないランボーは、夜ともなればその街道からも外れて、森や草叢のなかで露のしずくを額に置きながら星に語りかけたのだろう。貧困、放浪、若さそして無頓着、舞台がパリでないことを除けば、ここにはボヘミアン性の要素がすべて出揃っている。一八七〇年に十六歳のランボーが謳った「わが放浪」に、ヴェルレーヌが一八八九年に主張した「私のボヘミアン生活」が呼応する。フランス語原文ではどちらもma bohème である。

ヴェルレーヌと新たなボヘミアン性

一八九五年七月、カルチエ・ラタンの一角に位置するリュクサンブール公園に、ミュルジェールの記念胸像が設置されたのを機に、ヴェルレーヌは「アンリ・ミュルジェール」と題された新聞記事において『ボヘミアン生活の情景』の作者にあらためて敬意を表したうえで、彼の散文を次のように特徴づける。

絶えざる幻想性（ファンテジー）、諦念のまじった陽気さ、そして不滅の憂愁がそこにある。さりとてこのような素材では避けがたい懐疑心はあまりなく、またあのような平凡に残酷な冒険や、不遇のなかではかならず生じてくる復讐心を秘めた嘲笑もあまりない。[*6]

ミュルジェール的なボヘミアン性がはらむ幻想性、陽気さ、憂愁を指摘しているように、ロマン主義時代から連綿と続くパリ・ボヘミアンの心性と行動に、ヴェルレーヌが無知なはずはなかった。『ボヘミアン生活の情景』の作中人物たちが逆境や挫折のなかでも、絶望や社会への敵対心に走らなかったことも評価する。しかし、ヴェルレーヌ自身がそのようなボヘミアン像をモデルにしたわけではなかった。

晩年のヴェルレーヌの生活は酒と、性的放縦と、病による入院生活によって彩られているとはいえ、けっして怠惰な人生ではなかった。生活の糧を得るためという差し迫った必要性に駆られていたこともあるが、最後の十年間には毎年のように詩集、評論そして回想記を刊行するほどで、作品の質にばらつきはあるものの、生産的な晩年だったことは否定できない。ロマン主義時代から、ボヘミアン性にはともすれば怠惰や無為の烙印が押されてきたが、ヴェルレーヌの場合はそのような非難は当たらない。彼のボヘミアン性は、病や困窮にもかかわらず創作を恒常的に続けたということによって支えられていた。それは怠惰によるボヘミアン性ではなく、逆に勤勉に裏打ちされ、しかしそれによっても解消できなかったボヘミアン性と言うべきだろう。

ヴェルレーヌが自分自身と、時代を特徴づけるボヘミアン性についてもっともよく語ったのは、回想的な著作においてである。実際、晩年の彼は新聞・雑誌にさまざまな機会を捉えて、自伝的な文章や文学者をめぐる回想録を発表した。若い作家は自伝や回想録を書いたりしない。自己の生涯や軌跡を回顧して、それを文章にまとめ上げるのは多くの場合、晩年に至ってからのことだ。作家であれば、自分が一定の創作活動を成就しえたという自覚（あるいは妄想）が、自伝や回想録の執筆をうながす契機になるだろう。もちろん自分が何歳まで生きられるか誰にも分からない以上、ある者の「晩年」とはあくまで死後に他人が規定する時期のことである。

いずれにしても、文学者のなかでは、小説家や劇作家や批評家に較べると、詩人が本格的な長い自伝を著すことは少ない。近代フランス文学史で代表的な自伝と言えば、ルソー『告白』（一七八二、八八）に始まり、十九世紀のシャトーブリアン『墓の彼方の回想』（一八四九―五〇）、スタンダール『アンリ・ブリュラールの生涯』（一八三五―三六執筆）、ジョルジュ・サンド『我が生涯の歴史』（一八五五）、エルネスト・ルナン『少年・青年時代の思い出』（一八八三）を経て、二十世紀になればジッド『一粒の麦もし死なずば』（一九二〇―二一）、ミシェル・レリス『成熟の年齢』（一九三九）、ボーヴォワール『娘時代』（一九五八）、サルトル『言葉』（一九六四）などであり、著者は思想家、小説家、歴史家、哲学者であった。そうした状況のなかで、ヴェルレーヌの『告白、自伝的メモ』（一八九五、以下『告白』と略記）は、特筆に値する試みである。

『告白』は、その表題からしても、叙述の様式からしても、そしてみずからの人生においてどのような出来事を際立たせるかという主題の選択からしても、自伝ジャンルとして正統的な様相を呈する。表題は、古代の宗教的自伝の白眉である聖アウグスチヌスの『告白録』と、近代ヨーロッパの自伝の嚆矢となったルソーの『告白』にたいする明瞭な目配せにほかならず、実際ヴェルレーヌは作中で二度にわたって、この二人の偉大な先駆者に敬意を表することを忘れない（第一部第七章、第二部第十七章）。自伝とは、他のジャンル以上に先行した先達たちを強く意識し、彼らとの差異化を図り、ときには彼らに異議を申し立てようとするジャンルである。自伝作家はみずからの生涯を語るという行為を、とりわけその生涯に恥辱や良心の疼きをともなう細部が含まれているほど（誰がそれから完全に逃れられようか?）、他者とみずからにたいして自伝の語りを正当化する言説を挿入せざるをえない。フランスの自伝研究者フィリップ・ルジュンヌが「自伝契約」と命名した戦略的な言説装置である。[*7]

ヴェルレーヌも例外ではない。自分の学校生活の紆余曲折を語ろうと決意するに際して、自伝の物語を始動させるために彼は聖アウグスチヌスとルソーをまるで守護聖人のように召喚し、自己の真実を語ることにまつわる良心の疚しさを払拭するかのように、自伝の語りをいくらか仰々しく正当化せずにはいられない。

このきわめて率直で、この上なく露骨な私の少年時代の物語は、多くの点で、内心の大きな呵責なしには、そして自伝様式で採用されているさまざまな慣例への辛い譲歩なしには進まないだろう。しかし『告白』という表題には従わざるをえない。この「メモ」の冒頭に、「気をつけろ」と叫ぶようなこの表題を付すよう半ば強いられたのだから、私は九歳から十六歳までの自分の少年時代について掛け値なしの真実を語ろう。ルソーの後を追って（聖アウグスチヌスさえ引き合いに出してもいい。彼ならおそらく、私の残念ながら不敬で卑しいペンを時に応じて導いてくれるだろう!)。[*8]

読者が作家や芸術家の自伝に期待することのひとつが、天職の物語である。彼(女)はいつ、どのようにして文学や芸術に覚醒し、いかなる状況でその道に踏みだす決心をしたのか。要するに、彼(女)はいかにして作家や芸術家になったのか。ヴェルレーヌは予期されるそうした読者の問いに周到に答えてくれる。

私のうちに文学者、いやむしろ詩人が誕生したのは、まさにこの危機的な十四歳の頃であった。今は、はっきり言える。思春期が進むにつれて、私の精神もまたそれなりに形成されていったのだ、と。[*9]

続いて作家は、中等学校の寄宿舎でボードレールの『悪の華』やバンヴィルの詩集『女像柱』をひそかに読み耽り、十六歳ではデュマや、バルザックや、ユゴーの小説を愛読しながら文学を志す決意を固めたことを語っていく。当時の文学少年としては、格別驚くほどの読書遍歴ではないだろう。

『告白』第二部では、マチルドとの出会い、彼女への純朴で一途な愛、一八七〇年の結婚と幸福な蜜月時代が中心的なエピソードとなる。一八七一年のパリ・コミューンには、ジュール・ヴァレスのように積極的に関与しなかったものの、その思想には共鳴して、コミューン圧殺後にはコミューン闘士を自宅に匿ったこともある。そしてヴェルレーヌの自伝作品は、一八七一年九月、ランボーとの運命的な遭遇を語るところで閉じられる。この作品には、晩年のヴェルレーヌが陥った乱脈と放蕩の生活の片鱗もなく、それが意外の感を与えるほどだ。ただし、酒とりわけアブサンへの依存はすでに二十代から始まっており、ヴェルレーヌはそのことを秘匿しない。彼はみずからを苦しめることになるこのアブサンを「狂気と犯罪、愚鈍と恥辱の温床[*10]」と苦々しく断罪するのだが、それが晩年のボヘミアン生活と結びついていく。ちなみにアブサンはその色から「緑の妖精」とも呼ばれた強度の酒で、安価だったこともあって労働者階級や民衆のあいだに蔓延し、十九世紀末にはアルコール中毒の元凶とされた。文学の領域では、ゾラ『居酒屋』(一八七七)に登場する職人クーポーの悲惨な最期に示されているとおりである。その有害性が社会にとって脅威だと見た政府は、ついに二十世紀初頭にアブサンの製造、販売を禁じるほどだった。

一八九五年に発表された『告白』は、ヴェルレーヌの自伝的テクストとしてはもっとも長く、もっとも体系的なものだが、彼の前半生しか語っていない。その後の彼が送った起伏に富んだ生涯については、この著作と前後して単行本や、さまざまな新聞・雑誌に掲載された短い回想記が断片的に教えてくれる。度重なった入院生活を語る『わが病院』(一八九二)や、ランボーへの発砲や、母親への暴力事件が原因で収監された体験にもとづく獄中生活を回想する『わが牢獄』(一八九三)がそのおもなものである。文学的ボヘミアンとの関わりをよく伝えてくれるのは、一八九一年に『フランス通信』紙に連載された「カルチエ・ラタンにて 近年の思い出」と題された回想記だ。

パリ大学の法学部生だった頃からすでに文学に耽溺し、その後保険会社に勤務するようになってからも、カフェ・ヴォルテールに入り浸ってシャルル・クロやアンドレ・ジルといった詩人や画家と親交を結んでいた。当時は定職に就いていたから、まだボヘミアン生活に埋没していなかったのだが、一八八〇年代になってカルチエ・ラタンに落魄して舞い戻ると、ホテルの部屋を転々としながらのボヘミアン生活が始まる。病を抱え、経済的には苦境が続いていたが、詩人として高まりつつあった名声に惹かれて、彼の部屋には詩人たちが集うようになった。ジャン・モレアスなど若い象徴主義作家たちが集結した雑誌『プリュム』の月例会には、定期的に出席した。『プリュム』誌は純粋に文学的な主張を前面に出すことで、グドーとサリスの『シャ・ノワール』との差異化を図ろうとしたが、ポスターによる広告戦術を活用した点では共通しているし、両者のあいだを往還する詩人は少なくなかった。そしてヴェルレーヌにとってこの時期は、数冊の詩集を刊行するほど多産な創作の季節だったのである。彼は次のように回想している。

カルチエ・ラタンで暮らした人生のこの時期は、近年のなかで私がもっとも創作に励んだ時期に数えられる。そこで過ごした数か月の間に、私は長く中断したままだった昔からの多くのものを完成できたのだから。楽しみも欠いていなかった。とりわけサン＝ミシェル河岸の角にあったカフェ「アヴニール」（現在のカフェ「ソレイユ・ドール」）でほぼ月に一度催された『プリュム』誌の集会がそうだった。*11

カフェ「アヴニール」は一八八〇年代後半に、ボヘミアン的文学者が遭遇する知的熱気にあふれ

図18　カフェのヴェルレーヌ。テーブルにはアブサンの入ったグラス。

た空間であり、ヴェルレーヌはそこでグドーや、イドロパット派の流れを汲む詩人たちとも交流した。彼のボヘミアン性は、ミュルジェールの作品に見られたような無頓着で、暢気で、貧しい青年芸術家たちのボヘミアン性と異なるし、帝政下で過激に政治化したヴァレスのボヘミアン性にも似ていない。そしてまたゴンクール兄弟やゾラの小説に描かれたような嫉妬深く、非生産的な落伍者の肖像は、ヴェルレーヌとは対照的である。

若い頃に律儀な生活をし、破局に至ったものの結婚生活と子どもの誕生を体験した詩人が、老境を迎えた晩年にボヘミアン性を生きるという体験は、それ以前のボヘミアン群像と較べて際立つ特徴と言えるだろう。そしてまた、確かに克服しがたい酒浸りの悪習と、癒しがたい病に苦しみ、感情生活においては少なからぬ男女との乱脈な付き合いが周囲の顰蹙を買いもしたが、それは豊かな創作活動と支障なく両立できるものだった。十九世紀末のデカダン主義と言えば、高尚で、超俗的な美学と同一視されるのが通例だが、ヴェルレーヌにあっては、ボヘミアン性とデカダン性は矛盾することなく併存していたのである。

モーリス・バレスによる追悼記事の戦略

ヴェルレーヌがカルチエ・ラタンのホテルの一室で最後の日々を過ごした際に、それを看取った一人が作家モーリス・バレス（一八六二—一九二三）である。そして詩人の死から二日後、一八九六年一月十日付の『フィガロ』紙に「ポール・ヴェルレーヌの葬儀」と題された長い追悼記事を寄せた。それは有名作家の記憶を偲ぶ通り一遍の文章ではなく、新聞の第一面に三段組で掲載された中身の濃い記事である。

バレスはフランス東部ロレーヌ地方に生まれ育ち、一八八三年一月、二十歳の時にパリに出てきて学生生活を送った。恵まれた中産階級の出身であり、個人雑誌を発刊したり、多くの新聞・雑誌に文学評論を寄稿したり、ブールジェ、ルコント・ド・リール、エドモン・ド・ゴンクール、ドーデなど文壇に知己も得た。他方で政治青年の彼は、当時民衆のあいだで人気の高かったブーランジェ将軍の思想に共鳴し、一八八九年にはブーランジェ派の候補者として国民議会の議員に選出されたこともある。こうした彼の軌跡を見れば、バレスがボヘミアン文化とは異質な場所に位置しているように思われるが、この文化にたいしては全面的な賛同とは言えないにしても、鷹揚な寛大さを示したのだった。

一八九六年当時のバレスは、小説三部作『自我崇拝』(第一巻『蛮族の眼の下で』一八八八年、第二巻『自由人』一八八九年、第三巻『ベレニスの園』一八九一年)の衝撃的なデビューにより、青年層のあいだで絶大な人気を誇っていた。象徴主義やレアリスム、そして世紀末のデカダン趣味のいずれからも遠いところにいたバレスの三部作は、当時の支配的な実証主義思想や、その対極に位置するニヒリズムをどちらも否定して、強烈な自我意識の顕揚(けんよう)を前面に押しだし、国民性と伝統への回帰を唱道することによって、激しい反論と熱烈な支持を同時に誘発したのだった。『自由人』の一九〇四年版に付された序文のなかでバレスが想起している逸話によれば、一八九〇年頃のパリで、ヴェルレーヌとバレスが学生にもっともよく読まれている作家だということに、公教育省の官僚たちは眉を顰めたという。[*12] 冷淡に無視されるよりは、たとえスキャンダラスな評判でも作家が文壇で地歩を築くことに役立つことをバレスは自覚していた。

それにしても、象徴主義の推進者として創作し、社会の問題に関わることなく、乱脈な私生活を送ったヴェルレーヌと、同時代の政治、社会、教育、宗教などさまざまな現象に鋭く反応する小説や評論を書き、後には紛れもない国家主義者としてジャーナリズムでも活躍し、政治家として国民議会の議員に名を連ねることになるダンディな作家バレスのあいだに、強い接点はないように見える。ヴェルレーヌの何が、若きバレスを魅了したのか。その疑問に答えるためには、先に触れたバレスの追悼記事を読む必要があるだろう。

バレスは、ヴェルレーヌに向けられてきた批判に反駁するところから論説を始める。高踏派はヴェルレーヌの詩が通俗的だと批判し、レアリスム作家たちはその空虚な幻想性と非＝社会性を非難したが、彼はフランス詩の韻律法（プロソディ）を刷新し、象徴主義への道を開拓したのだ。彼の文学は、高踏派やレアリスムの束縛からわれわれを解放してくれた。制度的な文壇と距離を置いたところで、たとえばボヘミアン的な状況にあっても文学の自由と刷新を求めようとする若き作家たちにとって、ヴェルレーヌはひとつの指標だったとバレスは述べる。「アカデミーや、成功や、社会とさえ関係ない場に自由の地を探し求めていたわれわれ皆にとって、ポール・ヴェルレーヌは同盟の中心だった」。では、新たな文学思潮はどこをめざすべきなのだろうか。外国の文学や思想の最良の部分を摂取する必要はあるだろう。バレスはここで、当時フランスで翻訳され、評価されていた北欧やロシアの文学、ニーチェをはじめとするドイツ哲学を念頭に置いていたにちがいない。しかし、より重要なのは国民性に深く根差し、土着性と民衆文化を取り込むような文学の創出である。

われわれの救いの道はとりわけ、ヴェルレーヌに倣って、民衆の歌と、国民の伝説と、伝統的な習俗に向かい、個人的および集団的な感情を率直かつ直接的に表現することにある。ヴェルレーヌはみずからの悲しみを単刀直入に語る悲劇詩人だったが、同時に、自分なりに集団の意識を代弁する者でもあった。*13

ヴェルレーヌを、個人の情動を語る抒情詩人の次元に限定するのではなく、フランス国民全体の心性と習俗を表象した作家として位置づけることが重要だった。そこには後年、個人主義に異を唱え、伝統や、国民性や、民族の統合を唱えてフランス国家主義の理論的支柱の一人となるバレスの相貌が垣間見える。バレスの批評がしばしばそうであるように、ヴェルレーヌへの追悼文はバレス自身の立場表明にもなっているのだ。

そして記事の最後で、バレスはヴェルレーヌが自分たち若い世代にとって闘争の旗印であることをあらためて強調する。すなわち「ヴェルレーヌは、知的なプロレタリアたちの巨大な群れにとって、同盟をうながす叫びである」。記事のなかで、「同盟」という語が二度にわたって使用されているのは示唆的だ。若い世代にとって文学の変革運動は文化的な闘争であり、一種の戦争だった。若い世代を統合させる象徴的な存在にヴェルレーヌを祀りあげることで、バレスは新たな潮流を正当化しようとする。しかもその潮流は、すべてを否定する虚無主義や、逆に人間の宿命性を唱える決定論から遠く離れて、国民性や伝統や愛国心に立脚するものでなければならない。

「知的なプロレタリア」とは、晩年のヴェルレーヌがそうであったような、そしてバレスの周囲にいた青年層の多くがそうだったような、ボヘミアン性を刻印された者たちを指す。バレス自身は、生活スタイルとしてボヘミアン性を標榜したわけではないが、青年時代の精神的彷徨においてはボヘミアンの心性をまとっていた。こうして記事は、いかにもボヘミアン文化に似つかわしい青春への訣別、自分自身の青春への訣別の言葉によって閉じられることになる。明日ヴェルレーヌの葬儀では、多くの若者たちが棺に付き随って墓地に赴くだろう。

彼の遺骸を墓穴に下ろし入れる時、多くのひとが〈さらば、わが青春よ〉と思うことだろう。ヴェルレーヌがその芸術によっていくらか感傷性を継承したあのミュルジェールのように。

〈さらば、わが青春よ〉の一句は、第二章で論じたミュルジェールの戯曲『ボヘミアン生活』の最終シーンで、息絶えた恋人ミミを前にしてロドルフが口にする「ああ、僕の青春！　これでお前を葬ることになる」という台詞に呼応する。こうしてバレスは、ロマン主義時代のミュルジェールから、一八八〇年代のヴェルレーヌを経て、一八九〇年代の青年作家たちにつながるボヘミアン性の系譜を確認することで、みずからの文学の輪郭を描こうとしているように見える。

実際、ヴェルレーヌの追悼記事より八年前の一八八八年、まだ無名だったバレスは『カルチエ・ラタン　紳士淑女たち』と題されたジャーナリスティックな小著を刊行し、学生と、彼らが付き合う大衆レストランで働く女性たちの習俗を活写してみせた。これは十九世紀半ばに流行した「生理学」ジャンル、すなわち興味あふれる逸話で彩りながらさまざまな職業の慣習や社会制度の機能を叙述しつつ、人物を類型化しようとするジャンルに属する著作である。カルチエ・ラタンの学生と、彼らが交流をもつお針子（グリゼット）は、この生理学ジャンルに格好の話題を提供してきた。バレスによれば、カルチエ・ラタンで学生生活を屈託なく享受し、青春を謳歌できるのは理工科大学校や高等師範学校の学生など一部の特権的な人々にかぎられ、一般の学生の多くは根なし草的な生活を送り、孤独と知的彷徨に直面することになる。そのような状況下、なかには旧来のロマン主義的ボヘミアンの相貌を帯びる者が出てきて、カフェや酒場で騒々しく喚いたり、奇矯な言動で周囲を驚かしたりするものの、その生活を長く続けることは難しい。

生まれるのが遅すぎたこの道楽者は、太陽の下では臆病であり、陰気で、パリ動植物園にいるアザラシに似ている。憐みを催させるほどだ。彼を羨むひとはいるかもしれない。だが、人生は楽しむためにあるというのか。今やボヘミアンでいるためには多くの金が必要なのだ[*14]……。

続いてバレスはミミやミュゼットの名を引きながら、ミュルジェール的なボヘミアンがすでに時代錯誤的な存在であることを指摘するのだが、ボヘミアン文化にたいして敵対的だったわけではなく、むしろ寛容さのこもった理解を示す。カルチエ・ラタンは、学生が暢気な放浪生活をしているだけの空間ではない。文学や芸術を志す青年が暮らし、屋根裏部屋で思索と創作に耽り、文学仲間との切磋琢磨のなかで新たな流れを生みだす知の舞台でもあるのだ。

学生たちの相手となる、カフェ＝レストランで働く女性たちにも、バレスはけっして断罪や侮蔑のまなざしを向けることはない。世間は、こうしたカフェ＝レストランを風俗的にいかがわしい場所と見なし、女性たちを娼婦の予備軍と捉えることもあるが、それは現実を歪曲した見方である。もちろん売春との境界が曖昧な女性もいるが、それは一部の例外にすぎない。もはやお針子ではなく、『椿姫』に登場するような高級娼婦とも異なる彼女たちは、学生や青年にとって感情教育のための重要な相手になる。そしてカフェ＝レストランは、ダンディスムを学ぶためのサロンのような機能を果たしていると主張して、バレスはカルチエ・ラタンの擁護と顕揚を図ったのである。

『自我崇拝』の世界

ジェロルド・シーゲルによれば、ボヘミアンへの共感と理解をバレスに示唆したのはボードレールだという。[*15] 一八八七年にボードレールの書簡集と日記が刊行された時、バレスはボードレールの人生に見られる際立った対照、一方では知的、芸術的洗練と社交性への志向、他方では漂泊や、いかがわしい連中との交際への惑溺という、その対照に魅せられた。その解消しがたい対照性は、詩人の神経症的な気質によってのみ説明されるものではなく、ボヘミアン性を文学創造にとって有益な要素と見なす姿勢にも由来していた。ボードレールの内面の日記のひとつ『赤裸の心』には、次のような一節が記されている。

> 放浪と、「ボヘミアン主義（ボエミアニスム）」とでも呼べるものを称賛すること。音楽によって表現される増幅された感覚の崇拝。[*16]

「ボエミアニスム bohémianisme」という語は、当時としては新語である。こうしてバレスは、ヴェルレーヌが若い作家たちの連帯の絆だったと追悼記事のなかで回顧し、カルチエ・ラタンに関する冊子においてはボヘミアン生活と創造性の結びつきを確認し、ボードレールによるボヘミアン主義の称賛に共鳴した。ではバレス自身はみずからの作品で、ボヘミアンの心性をどのように描いたのだろうか。それを理解するためには、彼の三部作『自我崇拝』と、その続編とも言うべき小説

『根こぎにされた人々』を参照しなければならない。

バレスの出世作『自我崇拝』三部作は、地方から首都に出てきた青年主人公フィリップ（その名は第三巻ではじめて明示される）が学生生活を送りながら、恋愛、哲学、文学、政治、宗教がもたらす多様な体験を経ることで精神的成長を遂げるという自伝的小説であり、ヨーロッパ文学の大きな潮流である「教養小説」の系譜に連なる作品でもある。第一巻『蛮族の眼の下で』では、主人公フィリップ（この巻では明確に名指されないのだが、本論の叙述の都合上名前を記す）が、フランス東部の町で孤独のなかで読書と哲学的思索に耽った後、二十歳でパリに居を移す。しかし期待とは裏腹に、首都の生活は華やかさの陰に空虚と頽廃が潜んでいることを見抜き、ある高名な哲学者X……（当時を代表する思想家エルネスト・ルナンがモデル）を訪問するものの、その道徳臭さと醒めた懐疑主義に失望する。その結果フィリップは外部の世界を周到に避け、みずからの内面生活の探求と自我の崇拝を価値として、象牙の塔に閉じこもる決心をする。表題に含まれる「蛮族」とは、主人公の内面世界の希求と無縁な人々すべてを指している。

第二巻『自由人』において、フィリップは自分が進むべき道を探求しようと、友人シモンといっしょに英仏海峡に浮かぶジャージー島を旅し、続いてフランス東部の小村に隠棲する。かねてロヨラの『心霊修行』を読んで心酔していた彼は、カトリック信仰の道に入ることを考えて修道僧のような生活を送る。そこでフィリップはロレーヌ州の歴史、文化、地域的アイデンティティの豊かさに覚醒し、地方主義と土着性の価値を再発見する。その後シモンと別れ、一人イタリアに赴くと、壮麗な芸術を前にして自我の拡張と同時に、自我からの解脱（げだつ）の必要性を感じるようになる。そしてパリに戻った彼は、社会と外部世界に参画しようと決意する。

第三巻『ベレニスの園』の舞台は、おもに南フランスに設定されている。ブーランジェ将軍が政界で勢力を増していく時期、フィリップはそのブーランジェ派の候補として国民議会の選挙に立候補すべく、アルルの町に赴き、そこでかつてパリで交流があった女性ベレニスに再会する。ベレニスはパリ生活の後、故郷に帰り、地元の名家の息子フランソワ・ド・トランスと結婚するが、その夫がオリエントの地でチフスのため亡くなり、エグ゠モルトの広い邸宅で暮らしていた。フィリップとベレニスは想いを寄せ合うが、彼女はフィリップの政敵シャルル・マルタンと結婚し、不幸のなかで死んでいく。数か月後エグ゠モルトを訪れ、かつてベレニスと散策した場所に足を運んで、自我を超えた生と世界の調和を意識する場面で三部作は完結する。

要約がいささか長くなったが、主人公の生の軌跡がバレス自身のそれをかなり正確に反映していることが分かる。地方から首都にやって来た文学青年が、自由と思索のために外部世界を拒否してみずからの内部に閉じこもろうとするが、その試みは最終的に挫折し、フィリップは孤立する。『蛮族の眼の下で』の主人公は、さまざまな書物を読んで知的な遍歴を重ね、哲学的な危機を通過した末に、肥大した自我の崇拝という段階にとどまる。彼は貧窮するわけではなく、まだ何かを創作しているのでもないし、仲間たちと友愛的な共同体を築くわけでもない。その点では、これまで見てきたボヘミアン的な風土と異なるが、パリ社会のなかに拠り所を探しながら見いだせない青年が、浮草のように彷徨するという意味で、これは精神的漂泊あるいは知的ボヘミアン性を表象した作品だと言えよう。

『根こぎにされた人々』の学生群像

この作品と対をなすのが、一八九七年に発表されたバレスのもっとも有名な小説『根こぎにされた人々』である。前作がフィリップという一人の青年の精神的放浪を語るのにたいして、こちらは七人の青年の人生を対比的に描く群像劇という形式をもつ。他方で、フランス東部ロレーヌ地方の高校を卒業してから、パリに出てきて大学生活を始め、さまざまな苦難と障害に遭遇しながら成長していく教養小説の構図をまとう、という点では共通している。しかし、一八九〇年代に愛国主義や土着文化への傾倒を強めたバレスが描く『根こぎにされた人々』の世界は、『蛮族の眼の下で』のそれよりもはるかに過酷で、教養小説という言葉が暗示しがちな和解や調和とはほど遠い。

それをよく示すのが「学士と娘たちのプロレタリア」と題された第五章である。物語の舞台は一八八三年のカルチエ・ラタン、パリに落ち着いた七人の二十歳の青年は故郷との絆を断ち、首都の状況からも疎外された状態で不安にさらされている。華やかなパリの輝きに魅了され、バルザック文学の主人公たちをとらえたパリ神話に心を奪われ、「幸福はパリにしかない」[*17]とさしたる根拠もなく思い込んでいた彼らだが、実際にパリで暮らしてみれば、幻想が雲散霧消するのに長い時間を要しない。幸福を約束するエデンの地だと思っていたパリは、殺伐とした「砂漠」のように彼らの前に広がるばかりなのだ。バルザックの『ゴリオ爺さん』（一八三五）で用いられた比喩を借用するならば——実際、『根こぎにされた人々』はバルザック的な調子が随所で鳴り響く小説である——、パリは戦場であり、勝利の美酒を味わうのでなければ敗者として放逐されるしかない。彼らの多くを待ち構えているのは、ボヘミアン的な生活である。

二十歳の人間がもつ精力と、ブティエ〔ナンシーの高校教師で、青年たちの恩師〕が彼らの心に吹き込んだ詩情だけに突き動かされて、青年たちはカルチエ・ラタン、この知性の市場(バザール)を放浪していた。導きの糸はなく、森のなかの獣のように自由だった。[*18]

首都パリには自由があるとはいえ、それは森のなかの獣に与えられたような自由、つまり今この時の、束の間の自由にすぎず、明日の、未来の自由を保障してくれはしない。獣の自由とは他の獣によって脅かされる自由であり、森は弱肉強食の過酷な空間である。バルザックの『人間喜劇』に登場するラスティニャックやラファエルのような野心的な青年であれば、孤独や貧しさにさらされながらも、若きナポレオンのように勝利や栄達を夢想できた。他方、『根こぎにされた人々』のラカドやムーシュフランのように質素な庶民階級出身の学生は、閉塞的な状況と対峙しなければならない。こうして彼らは、語り手によって再び動物性へと差し戻される。

雑木林に潜む自由な野獣、それがこの学士たちのプロレタリアである。彼らはプロレタリアの目つき、悪臭、そしておそらくはその残忍さと臆病さ、さらには間違いなくその忍耐心を具えている。[*19]

貧しい学生、ボヘミアン的な青年は警戒すべき獣に譬えられ、労働者階級がもつ否定的な属性を付与されている。ロマン主義時代に労働者階級が危険な階級と同一視されたように、ここでは学生とボヘミアンが危険な集団と見なされているのだ。先に触れたヴェルレーヌの追悼記事のなかに、「知的なプロレタリア」という表現があったことを想起してほしい。バレスによれば、学生であれ若い作家・芸術家であれ、ボヘミアン生活を課される者は、社会の秩序と安寧を脅かす存在として世間の目に映じていたということである。

　これまで論じてきた作家たちとバレスの違いは、『根こぎにされた人々』の作家がたんに学生たちの精神的彷徨を指摘するだけでなく、当時の教育制度があらゆる階層の子弟に平等な教育の機会を保障していないし、修了後の労働市場での分配にも無関心だとして、制度的な不備を強調したことである。しかも、先に触れた小冊子『カルチエ・ラタン　紳士淑女たち』での主張と異なり、学生や青年の感情生活の相手となる女性たちの立場をめぐっても、バレスは見解を変え、彼女たちを「社会的に搾取されるどん底の人々」*[20]と形容する。カフェやレストランの雰囲気に華やかな彩りを添える彼女たちは、かりそめの徒花（あだばな）にすぎず、数年後には枯れ果てる社会の犠牲者にほかならない、というのだ。十年足らずの間に、バレスがカルチエ・ラタンの習俗と心性に向けるまなざしが大きく変化したことがよく分かる。

　こうした社会観の変貌には、十九世紀末にフランスのみならずヨーロッパ全体を席捲した適者生存を説くダーウィン進化論や、その人間社会への適用である社会的ダーウィニズムが影響していた。出自や偶発事によって社会の辺境に追いやられた者や、やむなくボヘミアン生活を強いられた恵まれない集団が、みずからの居場所を確保することは容易ではないだろう。それは二十一世紀の現代にもつうじる社会の課題にほかならない。バレスが「学士たちのプロレタリア」と命名した現象は、当時の社会的現実に対応したものであり、教育制度の不備を鋭く露呈させていた。

バレスによるボヘミアン性

三部作『自我崇拝』に戻ろう。第二巻『自由人』は、第一巻『蛮族の眼の下で』と『根こぎにされた人々』で描かれたような精神的漂泊に終止符を打ち、不毛な自我の崇拝から脱却しようとするフィリップの遍歴を物語っている。ジャージー島、ロレーヌ地方、イタリア、パリ、南仏と彼が繰り返す地理的な移動は、自己の外部に目を向ける契機となる。度重なる旅もまたここではボヘミアン性の隠喩として機能しているのだ。この作品の末尾でフィリップは、孤独な自我探求の不毛性をさらけ出して、それへの訣別を宣言する。

僕は今、知的優雅さと明察からなる夢の世界に住んでいる。卑俗さでさえ僕を傷つけることはない。僕は明るく澄んだ宮殿の奥に座って、他の人間たちから上ってくる不快な雑音を、魂がふんだんに提供してくれるさまざまな楽曲でおおい隠してしまう。

僕は孤独を放棄した。俗世間のただなかで何かを打ち立てようと決心したのだ。活動的な生活のなかでしか満たされない欲望があるのだから。孤独のなかだと、そうした欲望はまるで軍務に就いていていない兵士のように僕を困惑させる。僕という人間の低俗な部分は、無為でいることに不満で、ときとして僕自身の最良の部分さえ混乱させる。低俗な部分に悩まされないように、僕は人間界で玩具を見つけてやった。[*21]

内面から外部へ、自我から世界へと突き抜けること——それがフィリップの、そしておそらくはバレス自身のボヘミアン性の結論だった。バレス自身は、『ボヘミアン生活の情景』の作中人物や、ジュール・ヴァレスや、グドーや、ヴェルレーヌのような窮乏と隣り合わせのボヘミアン生活を送ったことがない。むしろ洗練された立居振舞いで、ダンディな様相を保っていた。『蛮族の眼の下で』第五章は「ダンディスムについて」と題されており、これはボードレールのダンディスムに着想を得たものだ。バレスはボヘミアン文化を否定しないし、彼にあっては『悪の華』の作家と同じようにボヘミアン性とダンディスムが支障なく共存するのである。

ではこの点で、最終巻『ベレニスの園』はどう位置づけられるのだろうか。この作品は、主人公フィリップが不毛な自我の肥大を放棄し、どのようにして南仏での選挙活動をつうじて政治に関わっていくかを物語る。フィリップとシャルルの対立は、ブーランジスムと共和主義の対立に呼応するものであり、その傍らでベレニスはフランス民衆のたくましい純朴さを象徴する。ブーランジスムとは、一八八〇年代後半ブーランジェ将軍を中心にして、共和政のエリート主義に反抗し、さまざまな社会階層の支持を得て一八八九年のパリの選挙で勝利し、第三共和政の基盤を脅かした政治運動であり、民衆層がその重要な構成要素を形成していた。久しぶりに再会したシモンに向かって、フィリップは民衆の魂こそが壮麗なる宝庫だと称賛して、次のように続ける。

民衆の魂は、過去のさまざまな美徳を宿し、民族の伝統を保っている。坩堝のように、あらゆる行為がなにがしかの永遠性を放つこの民衆の魂のなかで、未来が用意されているのだ。それほどの作業だから、民衆の魂はいくらか埃や汗にまみれている。しかし君は、そのようなものにもとづいて民衆の魂を判断しようというのだろうか。

素朴なひとたちに近づくことで、僕は気づいた。僕の行為の一つひとつにおいて、意識的な活動に無意識的な活動が協力していること、そして無意識的な活動は動物や植物に見られるものと同じだということに。[*22]

ベレニスが民衆の魂、フランスの民族的伝統を体現するということを、フィリップははじめから理解しているわけではない。パリの場末で踊り子だった時代の彼女を知り、南仏の町で未亡人になっていたベレニスに再会し、互いに恋慕の情を覚えながら深い関係を結ぶまでには至らないが、彼女との出会いと対話を繰り返すうちに、フィリップは彼女の価値を認識するようになる。フィリップが支持するブーランジスムが民衆の希求を叶えようとしたとすれば、ベレニスは民衆の精髄の寓意にほかならない。そしてこの民衆の精髄は、バレスが考えるボヘミアン性と結びつくのである。主人公はそのことに、侘しく荒涼とした風景のなかにひっそり佇む教会に足を踏み入れて、聖人たちに捧げられた礼拝堂を目にした時に気づく。

とりわけ僕の想像のなかでもっとも美しいのは聖女サラだった。船のなかで聖母マリア像に仕え、流浪の民の守護聖人となったあの聖女サラである。みずから進んで屈従し、他の聖女たちにもまして神秘的な彼女は、私の想いをベレニスのほうへと向けさせた。あの小さなボヘミアン女、尼僧や悔い改めの女たちの靴の紐をほどくにも値せず、それでいながら僕に正しい教えをもたらすために名指されたようなあの小さなボヘミアン女のほうに。[*23]

物語におけるベレニスの機能はしたがって、民衆の魂とボヘミアン性を体現することで、自我礼賛から脱却して外的世界に参画する道筋を示唆したことにある。フィリップはパリでの孤独な知的放浪や、みずからの生の基盤を求めてフランス各地を漂泊することをつうじて、精神的な態度としてのボヘミアン性を体験した。外面性や生活様式としてパリのボヘミアンたちに合流することはなかったが、知性のあり方、自己と世界の関係性をどのように樹立するかという原理面において、フィリップは聡明なボヘミアンだった。それはバレスが敬意を捧げたボードレールやヴェルレーヌと異なる、ボヘミアン文化のもうひとつの表現と見なされるだろう。

モーリス・バレスの文体には独特の魅力があり、訴えかけるような高揚した調子は読者を陶酔させるところがある。神秘主義的な位相をはらむ『自我崇拝』三部作には、とりわけその側面が強い。醒めた実証主義や突き放したようなレアリスムが席捲していた時代に、バレスの作品はスキャンダラスな評判も相俟って一部の読者、とりわけ若い世代から圧倒的な支持を勝ちえた。文学から政界へと軸足を移して以後は、十九世紀末から二十世紀初頭にかけて、フランスの国家主義と伝統主義を代表するイデオローグ、保守の知識人として絶大な威信を享受した。フランスの歴史、とりわけ思想史において、バレスは逸することのできない名前として残っている。

他方、文学史では、フランスにおいてさえ今日それほど強い存在感を放っていないし、ましてやわが国ではあまり知られていない作家だろう。本章で論じた『自我崇拝』三部作や『根こぎにされた人々』は一時代を画した小説だが、その強烈なイデオロギー性がむしろ災いして、現代では注目度が高くない。思想性が勝ちすぎて、小説としての技法や物語としての意匠が革新性に乏しいからだろう。とはいえ、本書のテーマであるボヘミアンの表象という視座からすれば、十九世紀末の象徴主義とデカダン趣味が支配した時代にあって、そのいずれからもみずからを引き離しつつ、独自のボヘミアン像を提示しえた功績を認めてやるべきだろう。

第八章　二十世紀初頭のボヘミアン群像

第六章で詳述したモンマルトルの芸術キャバレー「シャ・ノワール」が閉店した一八九八年、エミール・ゾラが『オロール』紙に「私は告発する！……」を発表して、フランス陸軍のユダヤ人将校アルフレッド・ドレフュスの冤罪（えんざい）を主張し、陸軍と国家を激烈な調子で弾劾した。それまで一軍人のスパイ行為として処理されていたものが、にわかに「ドレフュス事件」になった年である。その数年前に政治家たちの汚職が摘発されたパナマ事件、ラヴァショルやヴァイアンのアナーキズム・テロが発生し、社会的には騒々しい時代だった。他方で経済的には、産業革命と技術革新、第三共和政の植民地政策が相俟って、フランス（そして西欧諸国）は未曾有の繁栄を迎えつつあった。

十九世紀末から、第一次世界大戦が勃発する一九一四年までのおよそ二十年間を、フランスでは一般にベル・エポック（麗しき時代）と呼ぶ。同時代の人々がそう名づけたのではなく、甚大な被害をもたらした四年間の戦争を経験し、一九二九年のアメリカ発の世界恐慌の嵐が吹き荒れていた頃に、繁栄し、相対的な安定と平和を享受していた過去の時代を懐かしんで発明された名称である。[*1]後世の人々がいくらか幻想の交じった郷愁をこめて命名したものであったにしても、二十世紀初頭がフランスの良き時代だったことは否定できない。その華やかな時代を象徴するのが、一九〇〇年に開催されたパリ万博である。パリ中心部シャン・ド・マルスを主会場として四月から十一月まで開催され、約五五〇〇万人（つまり当時のフランスの総人口よりも多い）の入場者数を記録したこの万博は、歴史上もっとも成功した万博のひとつに数えられる。会場では数多くの芸術品も展示され、美術史的には印象派が正式に認知され、アール・ヌーヴォーがその価値を認識させた。

モンマルトルの二面性

「シャ・ノワール」が十九世紀末のモンマルトルを代表する文学キャバレーだとすれば、二十世紀初頭に、それに取って代わるようにモンマルトルのボヘミアン芸術家の溜まり場になったのが酒場「ラパン・アジール」である。現在も丘の中腹に残るこの酒場はなかば観光地化しているが、当時は絵が売れない、したがって金に窮した画家や、悪ふざけの好きな駆け出し作家や、低級な娼婦や、強面のやくざ者が夜ごと蠢くかなり胡乱な場所だった。「モンマルトルにはあらゆる人間のための場所があった。誰もが、自分の選んだ人生を自由に送っていた」[*2]と、当時をよく知る作家フランシス・カルコは記した。

この「ラパン・アジール」が強烈な存在感を放っていた時代のモンマルトルを印象深く回顧してみせたのが、レオン・ドーデである。晩年の彼が刊行した回想録のひとつ『体験したパリ』(一九二九)は、「右岸」と「左岸」の二部構成で、それぞれの地区ごとに土地の雰囲気、ゆかりの人物と事件をめぐる思い出を綴っているのだが、「右岸」第六章が「モンマルトルとサクレ＝クール寺院」と題され、十九世紀末から二十世紀初頭のモンマルトルに独特の面妖さ、精彩に富む活気、そしてある種のいかがわしさを喚起している。

モンマルトルはパリのなかのパリ、特別な街だ。途方もなく興味深く、さまざまなコントラスト、影や闇の地区、漏れ出る光から成り立っている。そこには田舎風の穏やかさ、親密さ、純朴な恋人たちの集まる小さな庭といった趣がある。悪徳、汚らわしい頽廃、怪しい陋屋（ろうおく）、犯罪という側面もある。さらにはいわゆる快楽の場という側面もあるが、実際は悲惨と、怠惰と、のたれ死にと、慢性的な毒と、恥ずべき病〔性病のこと〕ということだ。恥ずべき病とは言いえて妙であろう。いわゆる芸術キャバレーは、モンマルトルとその好敵手モンルージュ〔パリの南に位置する町〕の間でしばし躊躇した後、このモンマルトルで始まったもので、その嚆矢は「ラパン・アジール」だった。あの哀れな男、偉大な素描画家、コミューン闘士で非情なボヘミアンだったアンドレ・ジルが泥酔し、最後はアブサンと酒のせいで狂死した場所である。[*3]

世代からいって、レオン・ドーデにとってベル・エポック期のモンマルトルは未知の空間ではない。彼自身はこの地でボヘミアンの時間を過ごした経験はないが、その危険をはらんだ魅力と芸術創造の沸騰ぶりは噂に聞いていたはずだ。知的、経済的に恵まれた家庭に育ち、思想信条の点でボヘミアンとの親和性が稀薄なレオンのような人間にとっても、当時のモンマルトルは文化的アウラを放出し、風俗史的な妖しさを発散していたのである。

引用文で言及されている「ラパン・アジール（すばしこい兎）」が開店したのは一八八六年のことで、詩人で画家のアンドレ・ジルが店の正面に描いた鍋を振り回す一匹の兎の姿に由来する。同じ界隈にあった「シャ・ノワール」が閉店した後、そこに集っていた詩人、画家、ジャーナリストらボヘミアン集団がこの酒場に足繁く通うようになる。

世紀が改まった一九〇二年に、フレデリック・ジェラールと妻ベルトが店の経営権を引き継ぐと、評判はいっそう高まる。第一次世界大戦が勃発する一九一四年までの十年余りが「ラパン・アジール」の最盛期であり、モンマルトルのボヘミアン文化が爛熟期を迎えた。フレデという愛称で親しまれたフレデリックとベルトは、私利私欲のない鷹揚さで有名だった。空腹を抱えた画家や詩人たちには惜しげもなく食事やワインを振舞い、寒い通りに出ていく彼らのポケットにパンの一片をこっそり忍びこませることも稀ではなかった。店の扉の上には、「人間の第一の務めは丈夫な胃をもつことだ」と白い文字で目立つように書かれていたという。季節を問わず赤いマフラーを首に巻き、大きな帽子を被り、ギターを片手に歌い、詩を朗誦するフレデは、店にいるだけで絵になる存在だったのである。

大衆文化の中心という次元と並んで、二十世紀初頭のモンマルトルを特徴づけるもうひとつの現象は、犯罪者の世界との結びつきである。先に引用したレオン・ドーデの回想録でも想起されていたように、「ラパン・アジール」にはモンマルトルだけでなく、その周辺界隈からも、社会の底辺に棲息するならず者や、盗み、恐喝、果ては殺人にまで手を染める犯罪者たちがやって来ていたのは、客たちには周知のことだった。彼らが店のなかで騒動を引き起こすのは日常茶飯事で、官憲からも目を付けられていた。実際、フレデの息子ヴィクトルは、そうしたならず者によってピストルで撃たれて命を落とすことになる。こうして、ボヘミアンが職業的な犯罪者集団とはじめて接触し、ボヘミアン的詩人や芸術家が、社会の危険な底辺を垣間見る契機になった。麗しき時代ベル・エポックのパリには、口にするのが憚られるような闇の部分が潜んでいたのだ。ボヘミアン文化に悪の香りが漂った時代と言えよう。

当時パリの場末や寂れた郊外にたむろしながら、徒党を組んであらゆる犯罪行為に走った者たちは、「アパッシュapache」と呼ばれていた。浮浪者や、貧しく荒んだ労働者の家庭に生まれ育った者が多かったが、とりわけ低年齢化し（彼らの多くは十代後半から二十代半ば）、首領を中心にグループを形成し、犯行が残虐で頻度が高く、内部抗争やグループ同士の争いが絶えなかった点が特徴的だった。こうして社会の底辺で法や秩序を無視して暮らす者たち、まともに働く意志はなく、女工などを誘惑して暴力で脅し、街路で売春させるような無頼漢たちが社会にとって大きな脅威である、とジャーナリズムは警鐘を鳴らしたものだった。たとえばこの時代を代表する大衆紙『プチ・ジュルナル』の一九〇七年九月二十二日号には、次のように書かれている。

アパッシュの数は増え続けている。彼らは蔓延し、はびこっているのだ。アパッシュ集団は街の中心から周辺に至るまで、あらゆるところにいる。今やパリは巨大な犯罪組織の手中にあって、強盗、殺人、内紛、警官との抗争などは日常茶飯事になってしまった。[*4]

煽情的な出来事の報道で購読者を増やした大衆新聞だから、その論調は現実をいくらか誇張した面もあるだろうが、アパッシュがひとつの社会現象として世間の不安を高めたことは事実である。彼ら独特の言葉遣い、危険な行動、仁義なき裏切りの世界は、往年の名女優シモーヌ・シニョレが主演したジャック・ベッケル監督の映画『肉体の冠』（一九五二）で、あざやかに再現されていた。

犯罪集団の巣窟になったという側面はあるにしても、二十世紀初頭のモンマルトルの丘がボヘミアン文化の中心となり、そこで文学、絵画、大衆文化が新たな展開を見せ、芸術的前衛の発信地だったことは否定できない。レオン・ドーデは一九〇〇年頃のモンマルトルの雰囲気を喚起してみせたが、そこでの生活と文化を細部にわたって語ってはいない。

それにたいして、二十世紀初頭の数年間そこで実際に暮らし、「ラパン・アジール」の常連客となり、フレデと親しい交流をもち、当時のボヘミアン性を濃密に生きた一群の作家、批評家たちがいた。そのなかで後年成功を収めた者たちが、力点の置き所やスタイルは微妙に異なるものの、この時代のモンマルトルをめぐる回想録を書き残した。アンドレ・サルモン（一八八一―一九六九）、ピエール・マッコルラン（一八八二―一九七〇）、ロラン・ドルジュレス（一八八五―一九七三）、フランシス・カルコ（一八八六―一九五八）らがその主要人物である。同じ世代に属し、同じ時代のモンマルトルに暮らし、ボヘミアン生活を体験した。一九二〇年代以降、彼らは詩人として、小説家として、ジャーナリストとして、あるいは美術批評家として名声を確立するのだが、二十世紀初頭のモンマルトル時代には、身をもって貧困と不安定のボヘミアン生活を経験した。

「ラパン・アジール」の時代

「ラパン・アジール」の話に戻ろう。当時のモンマルトル地区が有していた友愛と連帯の風土を、後に語ってみせた回想録作家は少なくない。というより、そうした回想録による証言があるからこそ、現代のわれわれは二十世紀初頭のモンマルトルを思い描けるのである。そしてこうした書物において、「ラパン・アジール」とフレデが不可欠の挿話だったことは言うまでもない。一九〇〇年前後のモンマルトルは、ロートレック、スタンラン、ピカソ、ヴァン・ドンゲンらを中心とする絵画史の文脈で、あるいはミルリトンやムーラン・ルージュといったキャバレー、そこで活躍した歌謡詩人アリスティッド・ブリュアンに焦点を据えた風俗史の枠組みで論じられることが多い。本章では概論的な解説ではなく、当時のモンマルトルで暮らした作家たちの鮮烈な回想録に依拠しながら、彼らが生きたボヘミアン性の実態を再構成してみよう。

たとえば、当時店の常連としてボヘミアン生活を送っていた後の作家ロラン・ドルジュレスは、『ボヘミアンの花束』（一九四七）のなかで、フレデの思い出を語っている。フランス北部アミアン生まれのドルジュレスは、一九〇〇年頃モンマルトルに居を構え、その後長年この地に住んで、この時代のモンマルトルをもっともよく知る人間の一人であった。彼によれば、フレデは毎晩、ヴェルレーヌの詩や、パリ・コミューンの戦士たちを悼むクレマンの詩「さくらんぼの実る頃」などをギターの弾き語りで歌い、店の客たちはそれに倦むことなく耳を澄ませたという。レパートリーは狭く、およそ二十曲を繰り返すだけだったが、独特の歌いぶりで客を魅了し、店の評判を高めた。店が満員になっても、新たな客が入ってくると、「奥にきれいな娘たちがいるから、誰かをあんたの膝の上に乗せたらまだ座れるよ」と平然と言い放ったという。店の雰囲気を伝えるエピソードのひとつである。[*5]

また、フランシス・カルコは『二十歳のモンマルトル』（一九三八）の第五章で、貧しく不安定ながら、屈託ない青春の日々を過ごしたことを懐旧の情をこめて想起してみせる。

われわれの目から見れば、「ラパン・アジール」で過ごした夕べは、恩寵と快い魅惑に彩られていた。春が訪れると、われわれは店の外のテラス席で、アカシアの木の下に据えられた大きなテーブルの周りに陣取って、美しい夜を満喫したものだった。墓地の角にあるガス灯の赤みがかった光のせいで、正面の壁に人影が動いていた。[*6]

図19　モンマルトルの丘にあった「ラパン・アジール」。

かつて「シャ・ノワール」がそうだったように、「ラパン・アジール」でも売れない詩人が自作を朗読し、貧しい歌謡詩人が歌を披露し、無名の画家が飲み代としてデッサンや絵を残していった。フレデは、そうした絵やデッサンを自分への贈り物という感覚で受け取ったのであり、そのなかには若きピカソが描いた道化師姿の自画像も含まれていて、その絵は長い間、店の壁に掛けられていた。こうした若きボヘミアン芸術家の肖像は、ミュルジェールの作品で語られた一八三〇年代の詩人と画家の習俗に始ま

図20　1905年頃の「ラパン・アジール」の内部。

り、第二帝政期や世紀末のカルチエ・ラタンに暮らしたボヘミアンに至るまで、すでにわれわれには見慣れた肖像である。

しかしながら、フレデの店の客たちが皆、慎みのない芸術家や、貧窮に喘ぐ詩人や、節操のない反抗者たちから構成されていたわけではない。「ラパン・アジール」の常連のなかには、日中まともな職業に就き、仕事がすんでからモンマルトルの丘に赴く者もいた。詩人アポリネールは国立図書館に勤務していたことがあるし、ロラン・ドルジュレスはジャーナリストとして一定の収入を得ていた。画家のドランとブラックはもともと裕福な家庭の出身で、貧困とは無縁だった。フレデの店に集ったボヘミアン芸術家たちは、貧しい者もそうでない者も、長くモンマルトルにくすぶっているつもりは毛頭なかった。ボヘミアン生活はやむをえない過渡期、乗り越えるべき通過点と認識されていたのである。実際、ピカソ、ブラック、ドルジュレス、アポリネールは、それぞれ絵画と文学の領域で革新的な成果を上げ、巷間に名を知られる存在になったことは言うまでもない。

芸術と奇癖――モンマルトルの黄金時代

モンマルトルに群がった若き詩人や画家は、官能的な逸楽の生活に憧れると同時に、芸術に関しては妥協しない態度を保ち、そのせいで逆境に対峙することを受け入れていた。ドルジュレス初期の回想録『わが故郷モンマルトル』(一九二五)の導入部では、ボヘミアンたちの信条が高らかに宣言されている。

いささかの衒(てら)いもなく言えるのだが、われわれは皆アナーキストであると同時に貴族主義者であり、反教権主義者であると同時に熱心な信者であり、とりわけすべてに反対する者だった。このすべてに反対というのは、青年期にふさわしい唯一の見解にほかならない。われわれは女を軽蔑していたが、女こそ根本的な関心事だった。われわれは金を蔑視していたが、当然金のほうからも蔑視されていた。[*7]

矛盾した主義主張を標榜することに何の痛痒も感じることなく、女性との官能的な交流を望みながら無関心を装い、金銭に代表される世俗性を疎んじるせいで世俗からも無視されるという生活は、無軌道なボヘミアン性にいかにも似つかわしく、十九世紀のボヘミアンたちとの共通項である。ドルジュレスに十年ほど遅れて一九一〇年、モンマルトルの一員になったフランシス・カルコのほうは、ボヘミアンたちの同盟関係を強調するだけでなく、その同盟が過酷な青春期と表裏一体だったこと、その過酷な時代を乗り切ったのが一部の人間だったことを指摘する。ある日、カルコを含む数人がマックス・ジャコブの部屋に集まって、詩人が社会の除け者にされていることを嘆いたという。

当時の青年たちは、このような深い、救いのない不幸に苦しんでいた。その不幸を堪え忍ぶことができたのは、われわれをつなぐ友情があったからであり、おそらく時期尚早で不完全とはいえ、それなりの代価を支払って手に入れた経験があったからだ。もしあの時代に戻ったとして、私に何ができようか。われわれは皆それなりのしかたで、もっとも美しい歳月を犠牲にして、人生の辛さを学んだのだ。そしてもっとも強い者だけがそれに抗いえたのである。*8

恵まれた環境で生まれ育った者は、ボヘミアン性を標榜する必要がない。一見したところ気楽な人生の趣を呈するボヘミアン生活が、つねに貧困、病、脱落、排除と背中合わせだったことは、十九世紀の学生街も二十世紀のモンマルトルも変わらない。そうした困難に抵抗する力を、友情と連帯がもたらしてくれた。ドルジュレス、カルコ、サルモンなどは不遇の時代を通過して成功を収めたからこそ、モンマルトルのボヘミアン生活の証言者になりえたのであり、彼らの背後で歴史の闇に消えていった多くの詩人や画家がいたことを忘れてはならない。

ドルジュレスの『わが故郷モンマルトル』においてとりわけ印象的なのは、あたかもミュルジェールの『ボヘミアン生活の情景』で語られた画家とグリゼットの儚い恋物語を再現するかのように、作家がみずからを主人公にしてモンマルトルの恋愛模様を描いてみせたことだろう。とりわけゼゼットと呼ばれた恋多き女の、束の間の、しかしそのたびごとに真剣で、命懸けの恋がその主要なエピソードをなす。彼女は恋人ができるたび「あなたがはじめてのほんとうの恋人、人生最大の恋よ」とつぶやき、別離が訪れると自殺未遂し、新たなアヴァンチュールへと向かう。しかしドルジュレスに言わせれば、けっして軽い女ではない。

ゼゼットは、浮気心の赴くまま、些細な理由で恋人を取り替えるような尻軽女ではなかった。そのつど命懸けの恋だったし、別れが来るとあまりに辛くてみずからの命を絶とうとした。そんなふうにして、年にもよるが、一年に少なくとも三回は自殺を試みた。[*9]

彼女の恋愛沙汰と自殺騒ぎは、モンマルトルでは誰一人知らない者はなかったらしい。ドルジュレスもまた彼女と恋仲になるが、独占欲が強く、嫉妬深く、お喋りで、いつも男たちにちやほやしてもらいたいタイプの女だった彼女——少なくともドルジュレスの言によれば——に、ドルジュレスも最後は辟易（へきえき）して別離を切り出したところ、ゼゼットは阿片を飲んだ。幸い命は取りとめたが、男は彼女を療養のため田舎に送って行く。数年後、オペラ座の裏通りで、新聞売りに転身した彼女に再会したという。ボヘミアン性は男の特権ではない。ゼゼットのような、恋にさすらうボヘミアン女もいたということだ。『わが故郷モンマルトル』はこのように、奔放な感情生活の描写を軸として当時の若者の生態を伝えてくれる。

他方、同じドルジュレスの『ボヘミアンの花束』は、特定の人物の肖像と行状、みずからの活動を具体的に語りながら、二十世紀初頭のモンマルトルのボヘミアン習俗をあざやかに喚起してくれる。当時のモンマルトルは一種の「村」で、田園のような風景が散在していた。画家、詩人、音楽家、ジャーナリスト、批評家など実践するジャンルが異なり、出自、思想信条、服装の趣味なども違っていたが、夜になると皆が示し合わせたように「ラパン・アジール」に集合した。それは「中立地帯」[*10]として機能していたのだった。もっとも、ドルジュレス自身はかなり奇癖が多く、荒唐無稽な行動に出て世間を驚かすのが好きな男だったようで、それを証言する挿話としてモンマルトルの歴史を語る書物でしばしば言及されるのが、ロバとアンデパンダン展をめぐる事件である。

ドルジュレスはアンデパンダン展が近づくと、フレデが飼っていたロロという名のロバの尻尾に絵筆を装着し、椅子に真っ白なカンヴァスを据えて尻尾の下に置いた。ロバが何気なく尻尾を振ると、青い絵の具がカンヴァスに塗られた。次に赤や緑の絵の具を染みこませた絵筆に取り替えると、ロバは同じような動作を反復した。こうして出来上がった「作品」は虹のようにも、森の木立のようにも見えたが、ドルジュレスはそれをイタリア人ボロナリという未来派画家の作品《アドリア海に沈む夕日》という表題で、展覧会に出品した。しかもこの独創的な絵は「過激主義 excessiv-isme」の宣言となる作品である、と吹聴したのだった。この呆れるような詐術に気づく者はなく、作品は他のモダニズム作品と同様評判になり、しかるべき価格で買い取られた。その後ドルジュレスは、ある新聞に向けて真相を暴露してスキャンダルを引き起こすが、しばらくはボロナリが実在する画家と信じられた。途方もない、しかしどこか憎めない悪戯である。ロバのロロが後に川に落ちて死ぬと、ドルジュレスはロロが有名性の重みに堪えかねてみずから川に飛び込んだのだと臆面もなく書き記した。

ロバは芸術家のように、神経衰弱の発作に襲われてみずから命を絶ったのだ。悲劇の死の責任の一端は私にあったのではないだろうか。あのロバをボロナリという名で有名にしてしまったせいで、ロバにおそらく分別を失わせてしまったのだから。[*11]

一八七〇年代のフュミスム的な茶番劇を、さらには一八八〇年代にグドーやサリスが「シャ・ノワール」で催した笑劇的な出し物を思わせるような出来事である。そこには、些末な技巧にだけ頼ろうとする一部の画家にたいする皮肉のこもった批判が含まれていた。ドルジュレスの行動は、十九世紀のカルチエ・ラタンのボヘミアン精神を継承するものであり、それをモンマルトルの丘に移植したものと言える。

他方で『ボヘミアンの花束』の作者は、当時まさに勃興しつつあった前衛的な芸術運動の意義をよく理解していた。世俗への忌避感、貧困の甘受、そして奇矯な行動だけであれば、モンマルトルが新たな世紀のボヘミアン性を象徴することはできなかった。そこには、まさに二十世紀の芸術を変革する胎動が芽生えていたのである。その点でとりわけ印象深いのは第五章、ピカソと、彼が一時期住んだ〈洗濯船〉に関するページである。

スペインからパリに移ってきたピカソが同じ画家仲間たちと暮らした木造の建物は、奇妙な構造と外見をもち、それが船体を想起させることから〈洗濯船〉と名指された。洗濯という語は逆説的な形容で、建物全体で水道の蛇口が階段下にひとつしかなく、洗濯がままならなかったという事情に由来していた。ピカソによって創始された絵画の潮流が後にキュビスム（立体主義）と呼ばれることになるわけだが、異様な外観をもつ〈洗濯船〉の住人ならそれを生み出したことに不思議はない、と述べた批評家がいたという。有名になる以前のピカソは貧困に喘ぎ、さりとて売れるような絵を描く気は毛頭なく、ひたすら自分の美学を洗練させようとした。彼の才能に気づいた狡猾な画商に足元を見られ、捨て値で絵を買い叩かれたこともあった。ピカソ初期の作品は「青の時代」と呼ばれるが、ドルジュレスによれば、それはピカソが夜中、寒い室内で石油ランプの淡い光だけを頼りに絵を描いていたからだという。

広い窓をとおして夜は青かった。彼がまとう麻の仕事着も青かった。こうして彼の絵筆のもとで青い世界が生まれたのだった。乳の出ない乳房をもった母親、痩せこけた子ども、乞食からなる絶望的な世界である。「青の時代」に描かれた人物がなぜあんなに痩せ細っているのか、美術批評家たちには理解できなかった。それは当時のモンマルトルが死ぬほど飢えていたからなのだ。*12

世に認められないピカソの才能に瞠目する者は少なくなかった。その代表はマックス・ジャコブ（一八七六―一九四四）である。詩人、美術批評家であり、みずから絵筆を執ることもあったジャコブは、ピカソの異彩ぶりに魅せられたのだった。またこの時期にピカソが描いた裸体画に興味を引かれたのがアメリカ人女性ガートルード・スタインで、知人を介して彼のアトリエにやって来た最初の訪問時に、一連の作品に八百フラン支払った。スタインは長くパリに暮らし、一九二〇年代にパリに集った「失われた世代」と呼ばれるボヘミアン的なアメリカ人作家たちの守護神的な存在となる。

ピカソやジャコブだけではない。当時のモンマルトルには詩人アポリネール、画家ユトリロやモディリアーニなどが集っていた。パリ北部に位置する田舎じみた丘は、文学と芸術の前衛が形成された坩堝だったのである。ピカソがキュビスムの先駆となる《アヴィニョンの娘たち》を描いたのは一九〇七年、〈洗濯船〉においてのことだし、実験的な詩集『アルコール』（一九一三）の作家として文学史に名を残すアポリネールの詩作が開始されたのも、この地だった。ボヘミアン性と前衛性が深く結びついて、文学と芸術の風景を大きく変えたという意味で、二十世紀初頭のモンマルトルはまさに特権的な空間にほかならなかった。

記憶の場としてのボヘミアン性

これまで名前を挙げた詩人、画家、ジャーナリストたちと濃密な関係を築き、みずからも作家となり、二十世紀初めのパリのボヘミアン群像について忘れがたい回想録を書き残してくれたのが、フランシス・カルコである。十九世紀末のボヘミアンについて価値ある証言を残したのがエミール・グドーだったとすれば、ベル・エポック期を誰よりもみごとに素描してくれたのは、このカルコである。当時フランスの植民地だったニューカレドニアのヌメアに生まれ、その後南仏で青年時代を過ごした後、一九一〇年パリに居を構えた。十九世紀後半の文学を読み耽って成長した彼は、みずからもボヘミアン生活を送りながら、やがて小説『本能』(一九一一)や詩集『ボヘミアンと私の心』(一九一二)を刊行して、作家としてデビューする。そのカルコがはじめて「ラパン・アジール」に登場した時のことを、ドルジュレスは『ボヘミアンの花束』のなかで語っている。

一九一〇年冬のある夜、当時パリ左岸に住んでいたカルコは一人の友人に連れられて店にやって来た。「ジョッキー・クラブと同様、当時は誰かの紹介が必要だった」。後年刊行された彼の作品の登場人物たちと異なり、この時のカルコは端正な身だしなみで、ニスを塗った靴を履き、口元に微笑を浮かべ、自信にあふれた表情だった。店の雰囲気にはそぐわない、そしてボヘミアン的な感覚からはほど遠い外見であり、居並ぶ者たちからは不審と警戒のまなざしを向けられた。それに気づいたカルコ青年は、やにわにテーブルの上に飛び乗り、フレデにギターの伴奏を頼むとマルセイユ訛りで歌い始めたのだった。巧みな節回しと、洒脱な演技はたちまち周囲の人々を魅了してしまった。

彼はわれわれに、ある小さな雑誌の表紙に載った自分の名前を見せた。そしてがなりたてる男たちから離れたところで、自分の詩を小声で読んでくれた。彼の運命とわれわれの運命が結びついた瞬間である。われわれの集団(セナークル)にとって、偉大な仲間が一人増えたのだ。[*13]

ドルジュレスが集団(セナークル)という語を使用しているのは、きわめて示唆的である。この言葉にわれわれはすでに何度か遭遇してきた。ボヘミアン文化史の視座からすれば、一八三〇年代のロマン主義者の集団や、バルザックの『幻滅』に登場する強い連帯の絆で結ばれた作家集団を指し示す言葉だった。それから八十年が経過し、パリ北部の丘に位置する酒場の常連たちもまた、そうした連帯心を支えにしていたことが分かる。ボヘミアン集団への入会を望む新入りの青年に、扉がすぐに開かれるわけではない。同志として認められるためには、暗黙の儀式をくぐり抜けなければならないのだ。場違いな外見によって不審感を招いた青年は、しかしその陽気な歌の上手さと、駆け出しの詩人であるというアイデンティティの認知によって、集団のなかに受け入れられた。これはボヘミアン性への通過儀礼という試練と、青年がその試練をみごとに克服したほとんど感動的な場面にほかならない。

こうしてモンマルトルの一員になったカルコは、その後第一次世界大戦を挟んで、一九二〇年代にボヘミアン文化の中心がパリ左岸のモンパルナス地区に移る時代に至るまで、貴重な歴史の目撃者であり続ける。実際、彼が書き残した一連の回想録は、内容的に多少の重複を含みつつも読者に多くのことを教えてくれる。フランス本国からはるか遠く離れた南太平洋の島に生まれ、南仏での生活を経て、二十歳過ぎではじめて首都に住み着いた文学青年の精神を惹きつけたのは、何だったのだろうか。

それを否定したところで何になろう? パリのなかで私を魅了したのは、大通りでも、劇場でも、広い並木道でもなかった。それは昔からのパサージュ〔屋根付き商店街〕であり、古い家であり、奇妙な界隈であり、狭く薄暗い通りであった。そのような場所では、たとえばバルザックの描写の一節を思いだすことで私は軽い神経的な衝撃を覚えたものだった。バルザックのひそみに倣って、その場で同じ舞台装置に想を得て、自分にもバルザックのような描写ができるのではないかと考えたからである。*14

バルザック以外には、ボードレールの詩やゾラの小説『居酒屋』が想起されて、首都の魅力を構成する。華やかなパリ、オスマンによる大改造によって明るい近代都市に変貌したパリではなく、それ以前のパリ、あるいは『居酒屋』のように、第二帝政期を時代背景にしながら近代化から取り残されたような街区を舞台にした作品をカルコは引き合いに出して、パリへの愛着を語るのだ。彼の世代にとって都市は、とりわけパリは文学的な記憶が重層的に蓄積された記憶の場なのであり、それはとりもなおさず、ボヘミアン性の表象もまた文学的記憶の領域に属するということだ。ひとは生まれながらにボヘミアンなわけではない。文化的表象を内面化することによってボヘミアンになるのだ。

小説家であると同時に、卓越した美術批評家の側面をもち合わせていたカルコの回想録では、作家だけでなく画家をめぐるエピソードも数多く語られている。その点で、とりわけ『モンマルトルからカルチエ・ラタンへ』（一九二七）は印象的なエピソードに富んでいる。冒頭の章で、作家はボヘミアン性を自由な想像力の飛翔と結びつけ、創造性の要素と見なすことで正当化する。

われわれは詩人だった。韻文の詩人であれ、散文の詩人であれ、二十歳の時に詩人でない者などいるだろうか。フランソワ・ヴィヨンの思い出が現代のボヘミアンたちの額に、後光のようなものをもたらしてくれる二十歳の時に。*[15]

十九世紀のカルチエ・ラタンに暮らした貧しい詩人たちが、みずからの祖先として、また守護神的な存在として、中世の放浪詩人ヴィヨンを讃えていたことはすでに指摘した。世紀が改まっても、放浪詩人はボヘミアン性の象徴であり続けたことが分かる。実際カルコは本書をつうじて、ボヘミアン作家をしばしばヴィヨンに譬えることになるだろう。

ベル・エポック期のモンマルトルを描いた画家と言えば、日本でも愛好者が多いモーリス・ユトリロ（一八八三—一九五五）が真っ先に想起されるだろう。少年期から不安定な精神状態を呈し、青年期以降は執拗なアルコール依存症に苦しんだこの画家は、そうした病理の代償であるかのように、モンマルトルの白い建物と、どこか憂鬱な光景を描き続けた。酒で身をもち崩したとはいえ、作品においては細部を疎かにしない良心的な芸術家だったことに、カルコは賛辞を捧げている。彼がユトリロとはじめて会ったのは、画家の庇護者を任じていたG氏の家だった。その時ユトリロ作品がもたらした衝撃を次のように記している。「荒々しく描きなぐられ、全体に深い哀愁を湛えて、やり場のない熱情と、底知れぬ深い意味と、迫真の力を具えた絵と言えるものだった。私は目を逸らすことができなかった」[*16]。酒浸りで破滅型の人間は、カルコに強烈な印象を残したのだった。

ユトリロのように金に窮した画家となれば、飲み代を払ってくれる者に自分の絵を渡すこともあったという。前述のG氏は、そのようにして流行画家になる以前のユトリロの作品を巧妙に数多く入手した、とカルコは皮肉たっぷりに記している。売れない頃の若い画家が、自分の作品を二束三文で手放す、あるいは悪賢い画商に搾取されるというのは稀なことではない。〈洗濯船〉に住んでいた当時のピカソも同じような憂き目に遭ったことは、すでに述べたとおりである。これは偉大な画家の生涯を特徴づけるほとんど紋切り型の逸話である。またユトリロのように悲惨な境遇に育ち、酒に溺れ、病んだ魂を救ってくれた手段として芸術を位置づけるという状況も、芸術家伝説にうってつけの要素であろう。その意味でも、ボヘミアン性と芸術は不可分なのだ。

カルコの仲間でいちばん多いのは、作家やジャーナリストである。アポリネール、ドルジュレス、マックス・ジャコブ、ピエール・マッコルランらが、ベル・エポック期のモンマルトルの文学風景を彩った。彼らは皆、一時期絵筆を手にしたことがあり、それは文学者と画家の交流を深めることにつながった。抒情性と現代の日常性を美しい詩句のなかに結晶させ、二十世紀詩の原点ともなったアポリネールの詩集『アルコール』が刊行されたのは、一九一三年のことだ。カルコ自身はパリの街のあらゆる界隈をさまよう詩人だったが、細くて薄暗い路地裏に、どこからうらぶれた寂寥感が漂うモンマルトルをことのほか愛した。彼が描く夜のパリは、一九二〇年代にシュルレアリスム作家たちが好んで語ることになるパリの夜を先取りしている。

モンパルナスの光と影

一九一四年に勃発した第一次世界大戦によって、モンマルトルの特権性には終止符が打たれる。多くの青年が戦場に駆り出され、なかにはアポリネールのようにそこで重傷を負って帰還する者までいた。戦争は社会と、歴史と、人々の心性を根底から変えてしまう。とりわけこの戦争は、全ヨーロッパ諸国が四年間にわたって繰り広げた惨禍であり、ヨーロッパ人の精神を深く蝕むことになる。ポール・ヴァレリーは戦後、「今や人々は、われわれ文明もまた滅亡を免れないことを知っている」[*17]と強い危機感を表明した。「われわれ文明」がすなわち西欧文明であることの独善性はいま措くとして、ヴァレリーの言葉はヨーロッパ人が感じた未曾有の苦悩を雄弁に証言している。ボヘミアン文化史の観点からすれば、モンマルトルの黄金期は二十世紀初頭のベル・エポック期の十年余りにすぎない。

カルコの『モンマルトルからカルチエ・ラタンへ』が興味深いのは、戦争を挟んで、パリのボヘミアン文化の中心がモンマルトルから、パリ左岸のカルチエ・ラタンとモンパルナス地区へと移動した経緯をよく示している点である。カルチエ・ラタンは十九世紀をつうじてボヘミアン文化の担い手だったわけだから、ベル・エポックの短い停滞期を経て、輝きを取り戻したというほうが正確だ。実際カルコ自身、一九一二年にはモンマルトルからカルチエ・ラタンに転居している。戦争前からすでに、右岸から左岸へと文化の軸が転回しつつあったということだ。パンテオン近辺や、サン＝ジェルマン＝デ＝プレ界隈のカフェや酒場に出入りして、詩人、小説家、女給、娼婦らと知り合い、生活の糧はベルヌアールの印刷所の仕事で得ていた。モンマルトルとカルチエ・ラタンというボヘミアン文化の二つの中枢を知ったカルコは、両者の差異に無関心ではいられなかった。

モンマルトルとカルチエ・ラタンにはそれぞれ酒場があるが、文学カフェはクリシー大通りよりサン＝ミシェル大通りのほうにたくさんあった。そして文学カフェはその後も有名であり続けた。というのも、何と言われようがまさに偉大な人物であるブリュアンは一人だが、ヴェルレーヌとその才能、ランボー、モレアス、ポール・フォール、アポリネールはパリ左岸に消しがたい思い出を残してくれたのだから。カルチエ・ラタンがモンマルトルと肩を並べるためには、ロートレック、ドガ、ピカソ、ユトリロと対置できるような画家が足りない〔中略〕。とはいえ、絵画という要素ではモンマルトルが勝るが、カルチエ・ラタンは、最初はそう見えないがより際立った性格をもっていると自負できるだろう。*18

モンマルトルは画家の街、カルチエ・ラタンは作家の界隈という見立てだが、共通していたのはボヘミアン文化の展開である。アポリネールやカルコなどの作家と同じく、やがてピカソやモディリアーニのようなおもだった画家もパリ北部の丘を下りて、左岸のモンパルナス地区に居を移す者が増えてくる。

カルチエ・ラタンが、文学的ボヘミアンの活躍の場だったことは十九世紀以来の伝統だが、登場する人物たちは刷新される。ジュール・ヴァレスとヴェルレーヌはすでに亡く、ジャン・モレアスも一九一〇年に逝去し、モーリス・バレスは政界に進出していた。入れ替わるように登場したカルコの世代も、しばらくは貧しい習作時代を甘受することになる。彼らが通ったのが「カフェ・クリュニー」や、カルチエ・ラタンとモンパルナスの境界に位置する「クロズリー・デ・リラ」だった。カルコはそこに集まった詩人たちが文学談議に明け暮れ、なかには才能に恵まれて将来を嘱望されるような者もいたと回想するが、大多数は注目を浴びることなく文学の世界から消え去り、現在では文学史に名を残していない。カルコ自身、酒癖が悪く、無規律な行為が災いして、しばしば警察の厄介になったと告白している。そして仲間と自分の生活ぶりを詩人ヴィヨンに譬えて、文学的ボヘミアンの系譜にみずからを位置づける。一九一四年三月、アポリネールの口利きを得てようやく処女作『ジェジュ・ラ・カイユ』を刊行するが、彼の文名を高めるには至らなかった。

その四か月後、戦争が勃発し、詩人仲間やカルコ自身も召集されて戦地に赴いた。無事に帰還して著作の執筆や新聞・雑誌への寄稿を再開するが、文学活動にとって好ましい時代ではない。友人や詩人仲間の何人かは前線で命を落とした。カルコはひとつの時代が終焉しつつあることを痛感したにちがいない。彼の作家活動がほんとうに軌道に乗るのは大戦後のことである。

この時代モンパルナスの文学者集団において、アポリネールが強烈な磁場を発し、彼の才能には敬意が捧げられていたことを、カルコは回想録のなかで強調している。セーヌ川の右岸であれ左岸であれ、『アルコール』の作者の威信と前衛性は若い世代に広く認知され、ボヘミアン的な詩人として画家から慕われたのだった。アポリネールと彼の世代が、ボヘミアンの創造的活動の場をモンマルトルからモンパルナスに移すことで、ボヘミアン文化に最後の光輝をもたらすことになった。『モンマルトルからカルチエ・ラタンへ』の第十四章は、アポリネールの圧倒的な存在感を次のように語っている。

モンパルナスはアポリネールから生まれた。彼が最初にわれわれをバティの店に連れていってくれたし、彼は至るところで歓迎を受けた。人種の混淆が不安な動揺を引き起こすこの場に彼が姿を現すと、芸術の神聖同盟とでも言えるような現象が生じ、それが定着し、結晶化するのだった。ギヨームが話しだすと、詩人と画家の群れは新たな言葉を見いだした気になり、ギヨームの話を聞きながら、彼をつうじてお互いが理解しあったように感じ、彼の言葉に自分たちの運命を結びつけるのだった。*19

天才的な詩人であり、絵画の新潮流に精通していたアポリネールの言説は、詩人にも画家にも訴求力が強かった。「人種の混淆」とは、当時モンパルナスに世界各地から画家たちが押し寄せて、一種の芸術家村を形成していたからである。その一人が、はるばる極東の島国から一九一三年パリにやって来た藤田嗣治であることは、あらためて言うまでもないだろう。詩に革新をもたらし、新しい潮流に開かれた精神を具え、キュビスムを熱烈に擁護したアポリネールは、詩人にとっても画家にとっても、芸術の現代性と前衛性を誰よりもよく体現していた。それゆえ彼らはアポリネールの言葉にみずからの信念の表現を見いだし、立場の違いを超えて「神聖同盟」を結びえたのだった。

他方で、大食漢で、あらゆる面で節度を欠き、伝説的なまでに女性関係が派手で、生活そのものが絶えざる拡散と雑多性に彩られていた彼のスタイルは、ボヘミアン性そのものだった。定点をもたない精神的な放浪性は、雑誌を創刊しても気紛れな編集方針しか採れず、創作もまたしばしば場当たり的になされたという点にもよく示されている。アポリネールには「暴君的な道化感覚があった」[*20]とカルコは指摘するが、暴君と道化という矛盾した二つの性癖が彼の個性だったのだろう。

モディリアーニの死

カルコは、二十世紀初頭の画家たちに関する思い出を収めた『画家の友』(一九四四)という回想録も残している。『モンマルトルからカルチエ・ラタンへ』と内容的に重なるページもあるが、とりわけ「エコール・ド・パリ」をめぐる回想が貴重な証言をもたらしてくれる。第一次世界大戦の頃に始動し、戦後一九二〇年代にパリの芸術シーンを先導することになるこの流派については、ユトリロ、マリー・ローランサン、ヴァン・ドンゲン、モディリアーニ、シャガール、パスキン、スーティン、キスリング、そして藤田嗣治などの名前と共に、多くの書物が上梓されてきた。特定の美学や明確な原理を標榜したわけではないが、モンパルナス界隈をおもな活動の場として画家の共同体を形成した。

彼らの多くは、芸術の都に憧れてパリにやって来た異国出身の者たちであり、頼れるのはみずからの若さと情熱だけという状況だった。そしてモンパルナスにあった共同アトリエ「ラ・リューシュ(蜂の巣)」で制作に励み、貧困に喘ぎながら美の表現を追求したのだった。そのかぎりではボヘミアン文化史の重要な一部であり、だからこそカルコは『画家の友』の第六章に「ボヘミアン生活」という、ミュルジェールの小説を想起させる表題を付したのである。この時代のモンパルナスにおいてはじめて明瞭に、ボヘミアン性と異邦人性が強いつながりを有することになったことを強調しておきたい。そしてかつてヴェルレーヌが命名した「呪われた詩人たち」という表現に倣って、カルコは彼らに「呪われた画家たち」という名称を冠した。皆が才能を秘めた画家だったわけではないが、共通の理想のもとに結びついた芸術家集団がさまざまな試練に堪えながら、芸術の道を歩んだという意味で、エコール・ド・パリは一九二〇年代のボヘミアン群像を代表していた。

世界大戦という未曾有の殺戮を経験し、社会の原理が根底から変貌したこの時代、「狂乱の歳月」とも呼ばれた時代だから、彼らの作品は印象派のようなまばゆい光や明澄さとは無縁であり、そこでは暗さ、寂寞、悲哀、狂気、病理、死の影が濃厚に漂っている。カルコはそれぞれの画家について濃淡に富む、忘れがたい肖像を描いてみせる。たとえば最後は自殺したパスキンはつねに、けっして手に入らないものを渇望し、現世とは異なる世界の夢想のなかにしか安住できなかったという。

自分がそれに向いていないような人生の静謐さに憧れ、そうした静謐さにけっして到達できないだろうと思うことで、はじめて真の喜びを感じるような放浪者や、不安に駆られる者がいるが、パスキンはそうした者の一人だった。彼の逃避願望については、あえて注釈するまでもあるまい。[*21]

なかには精神を病んだ者までいた。彼らの貧困、世間の無理解、放浪、狂気は、文学、映画、ドラマなどさまざまな表現媒体をつうじて、悲劇の芸術家を彩る大衆的なイメージとしても定着している。[*22] そしてそれらは、かならずしも現実から遊離していないイメージである。ある画家の錯乱と監禁を想起しながら、カルコは次のように述べる。

ああ、放蕩やアルコール中毒による場合を除けば、しばしばこのようにみじめで悲劇的なありさまで、何人かの画家は姿を消したのだった。無気力と虚勢ゆえに、彼らはいかなる警告にも耳を傾けなかった。なかにはへぼ絵描きもいて、そうした連中にとってボヘミアン生活は嘆かわしい怠惰を正当化してくれた。しかしルプラン、パスキン、モディリアーニのような画家もそのなかに含まれていたのである。[*23]

『モンマルトルからカルチエ・ラタンへ』のなかで、著者がモディリアーニ（一八八四―一九二〇）とその死について語る章は、ボヘミアン文化史において逸することのできないページである。イタリア人の彼がモンマルトルに住み着いたのは一九〇六年で、ピカソやマックス・ジャコブと知り合い、三年後にはモンパルナスに転居した。貧困、結核という病、アルコールへの依存、薬物摂取など過酷な状況のなかでひたすら絵を描き続けた。ロマン主義時代以降、結核は才能豊かな若い作家や芸術家に好んで襲いかかる病理だ、という文化的な神話が流布していた。「この高貴な青年の身の上には、ひとつの宿命が降りかかった[*24]」とカルコは記す。

友人で画商のズボロフスキーが彼の才能を認め、自分の懐から資金援助しつつ画材を提供し、絵も購入した。カルコ自身、裸婦像を一枚貰い受けたことがあったという。ある小さな画廊でモディリアーニの作品を展示したところ、裸婦像がスキャンダルとなり、画廊の女主人が警察に連行されたこともあった。早すぎた晩年を献身的に支えたのは、恋人のジャンヌ・エビュテルヌで、彼の死の翌日、両親の家の窓から身を投げてみずから命を絶った。こうした逸話は、若くして死んだ不遇の天才画家、という悲劇的イメージを形成することに大きく貢献した。ジャック・ベッケル監督の往年の名画『モンパルナスの灯』(一九五八)では、主役のモディリアーニを演じたジェラール・フィリップが、これらの要素をすべて取り込んだ繊細な画家像を提示してみせた。カルコの回想録は、一九二〇年冬、モディリアーニの死と葬儀を物語る場面によって閉じられるのだが、それは友人への鎮魂歌という側面にとどまらない。彼の死が、ひとつの世代の終焉を象徴していたからでもあった。画家の亡骸が納められた棺を前に、カルコは次のような感慨を書き記している。

至るところから、仲間、商人、つましい人々、ビストロの店員、絵のモデルなどがやって来た。皆打ちひしがれていた。モディ〔モディリアーニの愛称〕とともに、人生において苦労の絶えなかった一世代の最後のボヘミアンが消えようとしていた。われわれはそれをよく感じていたし、そのために大きな苦痛を感じていた。〔中略〕

なんと皮肉なことだろう。草花の束、花輪、高価な花束でとてつもなく重くなった霊柩車の後には、驚くほどの群衆が連なっていた。多くの画家、女性、作家がいた。モンパルナス中の人々、モンマルトル中の人々が友人の思い出に最後の敬意を表するために、ぎっしり詰めかけていた。息絶えたその友人は、生前は行き当たりばったりで乱脈な生活を送り、誰にもましてあらゆるものに事欠いていた。故人の逸話がいろいろ語られていたし、彼が残した作品も話題になっていた。葬列に付き随っていると、列のなかに哀れなモディの友人たちの姿が見えた。久しい以前からわが道を切り拓いてきた者たちで、老いて、いくらか太っていた。ある者は有名であり、またある者はこれから有名になろうとしていた。ピカソ、サルモン、マックス・ジャコブ、ブレーズ・サンドラール、皆そこにいた。彼らは過去をいささかも否定しようとしなかった。それどころか、彼らがいまモディとともに葬ろうとしているのは、自分たちの青春だった。*25

モディリアーニの死は、ひとつの世代の死であり、十九世紀的な文化風土を反映するボヘミアンの終焉だった。「彼らがいまモディとともに葬ろうとしているのは、自分たちの青春だった」という一文は、ミュルジェールの戯曲『ボヘミアン生活』の最後でロドルフが口にする「ああ、僕の青春！ これでお前を葬ることになる」という台詞にあざやかに呼応する。ボヘミアン性は若さ、芸術、不遇、貧困、悲劇の愛をつねにテーマとして内包していた。時代によって変奏を蒙ったものの、ほぼ一世紀の時を経てパリのボヘミアン神話が完結したと言えるだろう。

ダダからシュルレアリスムへ

第一次世界大戦後、フランスの芸術と文学の領域で先導的な役割を果たしたのは、ダダとシュルレアリスムである。二十世紀の文学、思想、芸術に決定的な影響を及ぼしたこの二つの運動の意義と歴史については、すでに多くの研究書が刊行されてきた。以下のページでは、ボヘミアン文化との関連に焦点を絞って両者の位相をとらえてみよう。

ダダにしてもシュルレアリスムにしても、ことさらボヘミアン性を主張したわけではない。それを実践した者たちは、例外を除いて、窮乏や不安定な生活を強いられたこともないし、その点で十九世紀のジュール・ヴァレス、ヴェルレーヌ、ベル・エポック期のカルコやモディリアーニとは違う。ブルトンは裕福な女性と結婚して、物質的には安穏な暮らしを送れたし、アラゴンは処女小説『アニセまたはパノラマ』(一九二一)のなかで、自分たちの世代はランボーのような放浪者の冒険生活にも、モンマルトルのボヘミアンたちが標榜したような、貧困に堪えながら、それを糧として芸術の理想を追求するという禁欲的な態度にも関心がない、と言明した。[*26] マックス・ジャコブやカルコらとは一線を画すのだ、という明瞭な意志表明である。また彼らは、社会階級としてのブルジョワジーそのものを排斥するのではなく、むしろ自分たちの陣営に取り込もうとした点でも、十九世紀的なボヘミアンとは区別される。

だが、より仔細に検討すれば、こうした差異を超えて二十世紀の前衛運動と十九世紀のボヘミアン文化にはいくつかの接点が見えてくる。[*27]

ダダとシュルレアリスムはどちらも、既成の価値観と美学を徹底的に批判し、ときには全面的に否定した。もちろんブルトンは『シュルレアリスム宣言』（一九二四）のなかで、ネルヴァル、ボードレール、ランボー、アポリネールらに文学上の先達として言及しているが、全体としては、過去の文学や芸術との断絶を強調することでみずからの美学を樹立しようとした。イタリアの「未来派」を含めて、これらの前衛運動は速度や機械文明への支持、理性的主体への懐疑を共有し、さらにシュルレアリスムにあっては、フロイト的な無意識の探求から出発して絶対的な自由、道徳からの解放、想像力の飛翔、夢想と狂気の評価を主張し、夢と覚醒の境界を否定する姿勢を前面にうち出した。ちなみに、もともと軍隊用語だった「前衛」という言葉が、革新的な芸術運動とそれを担う集団を指すようになったのが、まさにこの時代である。このように見れば、ダダとシュルレアリスムが提唱した美学は、無意識や新たなテクノロジーという要素を除けば、ボヘミアン性の主張と基本的に異なるものではない。

ミュルジェールの『ボヘミアン生活の情景』の作中人物たちがそうだったように、あるいはイドロパットやモンマルトルの画家たちがそうだったように、シュルレアリストはつねに開かれた精神を保ち、既成の社会秩序に安住するのではなく、外部からの新たな知的刺激を受け入れる準備ができていた。刺激の内容は時代によって変わっていくが、知的に開かれた態度は世紀をまたいでボヘミアン性を特徴づけていた。

興味深いのは、ダダの推進者とシュルレアリスト作家が、集団で、公共の場でパフォーマンスを行なって運動の可視性を高めようとしたことである。塚原史によれば、一九一八年七月、チューリッヒのマイゼ・ホールで催された「トリスタン・ツァラの夕べ」では、観客の前でツァラによって

「ダダ宣言一九一八」が朗読され、運動の存在感を高めた。翌年春、カウフロイテン・ホールで開かれた第九回の「ダダの夕べ」には、ツァラの記録によれば千五百名余りの観衆が集まり、ツァラが自作の詩を朗読すると会場は騒然たる雰囲気に包まれたという。[*28] 前衛性を主張する過激な運動が、一般人を相手にしたホールでのスペクタクルになることとの逆説は別にして、新たな芸術運動が個人の孤独な営みとして自閉的に完結するのではなく、集団的な、開かれた活動としてみずからの可視性を高めようとするのは、先に論じたイドロパットや、モンマルトルの「シャ・ノワール」も採用した戦略だった。

ロマン主義、自然主義、象徴主義、フュミスム、イドロパット、「シャ・ノワール」と「ラパン・アジール」を中心に結集した人々など、共通の美学や理念を掲げる作家や芸術家たちは、つねに集団(ロマン主義時代ならばセナークル)を形成してきた。集団を形成できなければ運動として成立しないし、発展もできない。そして個人にとっては、その集団に帰属することがアイデンティティの根拠となる。その限りで、ボヘミアン性と集団性は切り離せない。同じようにダダやシュルレアリスムもまた、それが前衛運動として機能するために集団性を重視した。それは美学や思想であると同時に、ひとつの行動指針でもあったし、したがってそこに属する者たちにたいして一定の拘束力を有することにつながった。『シュルレアリスム宣言』には、次のような一節が読まれる。

シュルレアリスムは、それに没頭しているひとびとに対して、好きなときにそれを放棄することをゆるさない。どう考えても、それは麻薬のように精神にはたらきかけるものにちがいない。麻薬と同様、それはある種の欲求状態をつくりだすわけだし、おそるべき叛逆へと人間をかりたてることもできる。さらに、おのぞみとあれば、それはいかにも人工的な楽園のひとつである。[*29]

実際ブルトンはこの書物のなかで、シュルレアリスムをたんに美学に限定するのではなく、行動の領域にまで拡大しようとしていた。一九二四年の時点で、この思惑は希望的観測の段階にとどまっていたが、その後の運動の推移に示されるように、社会や政治に積極的に関与する姿勢（たとえば共産主義へのコミット）はシュルレアリスムの特性のひとつだし、それがときに集団の内部抗争や分裂を引き起こすことにもつながった。そして集団性と現実的行動への志向は、ボヘミアン性を構成する要素のひとつにほかならない。

十九世紀やベル・エポック期のボヘミアンに較べれば、シュルレアリストたちはその思想と美学においてより過激で、非妥協的だった。他方で、文学と芸術のためには日常生活を犠牲にすることも厭わない、というボヘミアン的な既定方針を首肯することはなく、むしろ芸術と生の調和を図ろうとした。というより、世界大戦を経た後の文化的アナーキー状況のなかで、芸術と実生活の境界を取り払って両者を融合させようとした。それもまた、生そのものを芸術の相のもとに捉える方法のひとつであり、その意味でシュルレアリスムの試みは、十九世紀前半に始まったボヘミアン文化のひとつの変化形だったと言えるだろう。

女性とボヘミアン文化

本書でこれまでに取り上げてきたのは、ミュルジェールからカルコに至るまでの男性作家であり、彼らの小説や回想録が語る作家、芸術家、ジャーナリスト、学生たちの世界であって、そこに登場したのもほとんど男たちだった。女たちが登場するとすれば、詩人や画家や音楽家の恋の相手として、妻として、あるいは「ラパン・アジール」のベルトのように芸術キャバレーの女将としてであった。彼女たちはグリゼットや、娼婦や、画家のモデルや、カフェの女たちであり、詩人や芸術家ではなかったのである。つまりボヘミアン集団を構成する男たちと接点を有し、同じ空間を共有することはあっても、十九世紀において女たちがボヘミアン文化の中枢に位置することはなかった。

なぜ、そうだったのだろうか。

十九世紀において文学界、画壇、ジャーナリズムが男性社会だったということがある。二十一世紀の現代とは比較にならないほど、当時のフランスは職業や社会において男女の性別役割分担が厳密だった。作家、画家、ジャーナリストの大部分は男だった。大学は十九世紀末になるまで女の入学を認めていなかったし、パリの国立美術学校も女に入学資格を認めていなかった。女が絵を学ぶためには男性画家を師として弟子になるか、個人が経営する画塾に通うしかない。ベルト・モリゾやマリー・バシュキルツェフはそのような過程を経て、画家として認められるようになった。逆に言えば、それを可能にするような家族の理解と経済的基盤が整っていたということであり、彼女たちはボヘミアン的な画家の境遇に直面することはなかった。

教育の場から排除され、職業上の選択肢がきわめて限定され、家庭などの私生活空間にとどまることを社会道徳によって求められていたこの時代の女性たちにとって、公的空間で展開するボヘミアン文化に参入することは容易ではなかった。それは時として社会的、倫理的な非難を浴びることにもつながっていたのである。

女性作家は少なくなかった。とはいえ、スタール夫人、デルフィーヌ・ド・ジラルダン、マリー・ダグーは貴族あるいは富裕ブルジョワ層の出身で、ボヘミアン生活とはおよそ縁がない。十九世紀フランスを代表する女性作家ジョルジュ・サンド（一八〇四―七六）は、夫と別居した後、作家を志望して一八三一年パリに居を構えると、幼い娘をかかえて質素な暮らしを強いられたことはあるが、それはボヘミアン生活とは異なる。家庭をもつという状況そのものが、ボヘミアン性の外部に位置することを意味する。これまで論じてきたところに示されるように、ボヘミアン文化とは本質的に独身者の文化なのだから。

サンドの小説『オラース』（一八四二）には、一八三二年パリでの共和派の反乱に際して陰謀を企むボヘミアンが登場するが、作中人物としての造型は弱く、物語全体は一人の女性の精神的成長の軌跡として構築されている。また、フロラ・トリスタンとルイーズ・ミシェルはどちらも貧困、夫による暴力、流刑など過酷な人生を経験した。二人は小説や詩も書いているが、ルポルタージュや政治的著作をつうじて女性や労働者階級の地位向上と、社会改善のために尽力した社会活動家として歴史にその名を残している。

二十世紀に入ると状況は変わってくる。ジェンダー的な不均衡は相変わらず存在するが、社会の現実としても文学の世界においても、それ以前の時代に較べて女性とボヘミアン文化の親和性が強まっていく。ドルジュレスやカルコの回想録、そしてダダおよびシュルレアリスムを例にとってボヘミアン性を考察したベル・エポック期と一九二〇年代は、ボヘミアン性のジェンダーにも無視しがたい変化が生じた時代だった。その変化を、第一次世界大戦を挟んでその前後に発表された二編の小説、コレットの『さすらいの女』（一九一〇）と、ヴィクトル・マルグリットの『ギャルソンヌ』（一九二二）にそくして考察してみよう。作者はそれぞれ女性と男性、作品の主人公はどちらも女性である。

コレット『さすらいの女』

コレット（一八七三―一九五四）は、今日でこそ二十世紀フランスを代表する女性作家の一人として声価が定まっているが、若い頃は事情が違う。一九〇〇年頃、女性がものを書くという行為そのものがまだ根強い偏見にさらされていた。上流階級の女性であれば、良妻賢母として家庭空間にとどまり、社交生活にいそしむことが何よりも求められたが、数少ない女性作家たちは、学校、家庭、習俗、法における男女の不平等にたいして抗議したから、保守層からは社会の秩序を乱す者として危険視されたのである。状況は他の西洋諸国も同じようなものだったが、フランスでも女性作家には「青鞜 bas-bleus」という侮蔑的なレッテルが貼られた時代だった。[*30] この語は、英語の「ブルーストッキング」のフランス語訳で、衒学的な知性をふりかざす文学趣味の女性という意味で使われていた。コレットのデビュー作として評価を得た少女を主人公とする「クロディーヌもの」は、当時の夫ウィリーの名で刊行されたくらいである。『さすらいの女』は、コレットがみずからの名で世に問うたもっとも初期の作品のひとつということになる。

主人公で語り手のルネは三十三歳、かつて作家であり、流行画家アドルフと結婚していた。しかし夫の不倫に悩み、心に痛手を負って離婚した。今はミュージックホールのパントマイム師兼踊り子として働いている。そのルネのショーを観て、年下の青年マクシムが恋に落ちて、熱心に言い寄ってくる。坊ちゃん育ちでいくらか頼りない面はあるものの、マクシムの真摯な情熱にルネは心を動かされるが、結婚生活が女性にもたらす隷属を知り、幻滅を味わった彼女は再婚に踏みきれない。やがて仲間たちといっしょにフランス全土をめぐる興行の旅に出て、各地からマクシムに愛の手紙を書くが、みずからの自由と独立を守るためにはショーの仕事を続けるべきだと考えるようになる。こうして恋人と別れ、同業者たちと南米への巡業に出発する決心をするところで、物語は閉じられる。

ルネの過去と現在が作家自身の生涯と重なる部分が多く、その限りで『さすらいの女』に自伝的要素が濃厚だという点は、今それほど重要ではない。コレットの小説では、芸術キャバレーやモンマルトルのカフェなど、これまで見てきたボヘミアン文化の空間が描かれ、ボヘミアン的な男の芸人たちが登場する。興行や劇場の世界は、もともとボヘミアン性と親和性が強い。そしてそこにはルネのように結婚に破れた者や、結婚を個性の開花をさまたげる障害と見なす独身主義者たちが姿を現す。ルネは貧困とは無縁だが、みずからの生き方をはっきりとボヘミアンに譬える一節がある。踊り子という職業柄、移動と旅回りは生活の一部であり、彼女はそれにすっかり順応したのだった。

そう、今ではわたしはボヘミアンで、巡業にともなって町から町へと渡り歩く。でも規律あるボヘミアン、きちんとブラシをかけた衣裳を自分で注意して繕うボヘミアンだ。しかも、自分のささいな財産をほとんどいつでももち歩いているボヘミアンだ。[*31]

ルネは自己をボヘミアンと規定しつつ、十九世紀のカルチエ・ラタンやモンマルトルに生きていたようなボヘミアンとは異なるのだ、という留保をつけている。男と女という性の違いだけでなく、自分は確固とした職業をもち、規律と秩序を守り、まともな衛生観念と金銭感覚を有していると主張する。ブルジョワ出身である彼女には、みずからのボヘミアン性とブルジョワ様式を対立させる意図もほとんどない。二十世紀の女性であるルネにとってボヘミアン性は、生活を保障し、したがって自立を保障してくれる職業の実践と不可分であり、その意味で、精神的かつ経済的な自由なしには成立しえない。その意識が確たるものになったからこそ、彼女は自分が愛し、自分を愛してくれるマクシムと別れる選択をするのである。

わたしは去っていきます。でも、まだあなたとのことが終わったわけではない、それは分かっているの。さすらいの女、自由な女であるわたしは、ときにはあなたの壁の影のようなものをほしいと思うでしょう……。わたしがやすらぎ、そして傷つくいとしい支えであるあなたのほうに、わたしはこれから何度戻っていくことでしょう。[*32]

作品の最後で、ルネは彼に心のなかでこのように呼びかけながら、あらためて自分のボヘミアン性と放浪性を人生の価値として主張する。「さすらいの女 vagabonde」という自己規定の言葉は、この作品のタイトルにもなっており、ルネにとってはボヘミアンと同義語である。踊り子として旅と放浪の生を選びとる彼女は、ボヘミアン性を肯定的に位置づけたのだった。

「ギャルソンヌ」の衝撃

一九一四年から四年間続いた戦争は、フランス社会を根本から変えずにはおかなかった。男たちが戦場に駆りだされたことにともない、社会と経済の活動を停滞させないために女たちがさまざまな分野に進出していった。それが結果的に、従来の家族意識、道徳観、社会通念に大きな変革をもたらすことになった。「狂乱の歳月」と呼ばれ、ダダとシュルレアリスムが新たな美学を提唱した一九二〇年代は、文学、モード、芸術において表現主体としての女性の意識が変わり、表現される対象としての女性の表象が刷新された時代でもあったのだ。マルグリットの『ギャルソンヌ』は、それをよく示す作品にほかならない。

フランス語の「ギャルソンヌ garçonne」とは、「少年 garçon」の女性形で、規範や道徳に縛られずに、男たちのように奔放な生き方をする女性を指していた。言葉それ自体は一八八〇年代から存在したが、人口に膾炙（かいしゃ）するようになったのは、ヴィクトル・マルグリットの小説の刊行と、それが引き起こしたスキャンダラスな成功によるところが大きい。マルグリットは、生前はそれなりの名声を得ていた作家だが、現在では文学史でその名を目にすることさえほとんどない。『ギャルソン

図21　1920年代の「ギャルソンヌ」ファッション。女性はコルセットから解放された。

ヌ』は大胆な風俗描写と女性像の創出によって、作家の名を後世に残すことに寄与したほとんど唯一の小説で、その梗概は次のとおりである。

　実業家の一人娘モニックは自由な雰囲気のなかで育てられ、開明的で、ときには大胆な行動も厭わない女に成長する。母親からたしなめられると、「お母さん、戦後わたしたちがみんな多かれ少なかれギャルソンヌになったことは、認めなければなりませんよ」[*33]と反論するくらいだ。モニックには、両親が定めたリュシアンという婚約者がいたが、彼に愛人がいることを知って婚約を破棄し、自立した人生を求めて両親の家を出る（第一部）。

　それから二年後、モニックは美術品や装飾品をあつかう店をパリ中心部に構え、舞台装飾家としての能力も認められる。経済的な自立を勝ちえた彼女は、華やかに車を乗りまわし、ダンスホールに出かけて人生を享受する。男たちとの官能的な性愛を味わうだけでなく、同性愛にも身をゆだね、麻薬の快楽にも耽ったりするが、心はどこか満たされない（第二部）。

　そのような時に出会った作家レジスが、モニックを頽廃的な生活から救い、二人の愛の生活が始まるのだが、幸福な時は長く続かない。レジスは保守的な家庭観、女性観のもち主だということが分かり、二人の関係はほどなく破局を迎える。その後、傷心のモニックは友人のつてでパリ郊外に住む哲学者ブランシェに出会う。話す機会が重なるにつれて、リベラルで平等主義的な考えを標榜する彼にモニックは惹かれていく。作品は二人の同棲を示唆するところで終わる(第三部)。

豊かな良家のブルジョワ娘という恵まれた立場を棄てた時点で、モニックはみずからの新たなアイデンティティを樹立するための、いわば社会的な放浪に出発したのだった。さまざまな苦労を経て、友人たちの助力を得ながら店の経営者として、舞台装飾家として地位を築くことでその目的は達成されるが、作家はそのプロセスをこまかに語ってはいない。十九世紀社会であれば、ブルジョワ階級の女性は家庭のなかで妻として、母として役割を果たすことが期待されていたから、仕事をもつことはなかった。他方、『さすらいの女』のルネがそうだったように、そしてモニックもそうであるように、二十世紀前半ともなれば、しかるべき報酬をともなう職業に就くことは、女性の自由と自立の前提である。無邪気なブルジョワ娘から、みずからの意志によって大胆に行動する女への変貌——それこそが、一九二〇年代においてこの小説の斬新さだった。

実際モニックは、さまざまな面でそれまでの社会規範を破っていく。髪をショートカットにして、ことさら女性的な服装は避け、タバコを吸い、スポーツを実践するというように、当時のブルジョワ社会で流布していた女性性の記号を次々に棄てさっていく。精神的にも、身体的にもそれは言えることだ。男たちとの性愛関係においては旧来のタブーをうち破り、みずからの欲望と官能性をいささかも隠蔽することなく、快楽にたいして貪欲な姿勢を示す。彼女にとって、男はときに「快楽をもたらしてくれる美しい装置」[*34]にほかならない。他方では、複数の女友だちと同性愛の関係を結び、モンマルトルの怪しげな地区に赴いて、禁止されていた阿片やコカインに手を出す。モニックの自由への志向は、ブルジョワ社会の倫理観にことごとく反駁することにつながっていた。

舞台装飾を手がけるモニックは、芸術家のカテゴリーに入るだろう。かつて帰属していた裕福なブルジョワ家庭という空間をみずからの意志で脱け出し、不安定な環境にあえて飛びこんだ彼女は、ボヘミアン性を選びとったことになる。しかしそのボヘミアン性は、十九世紀的な、あるいは二十世紀初頭のモンパルナスの画家や作家に見られたようなボヘミアン文化とは異なる。モニックは貧窮や飢えを経験しないし、社会の底辺に落ちることもない。また彼女はあくまで個人としてボヘミアン性を生きるのであり、仲間や同志との連帯に頼るわけではない。そして彼女は、芸術家たちのユートピア的共同体とも無縁にとどまる。

しかし社会のさまざまな規範を疑い、自由を希求する態度は、ボヘミアン文化と通底している。社会的な失墜をともなわずに、女がボヘミアン性を標榜できるようになった。それが可能だったのは、彼女の個性であると同時に、戦後の一九二〇年代に進行した女性の多分野での解放とフェミニズム運動がもたらした状況の恩恵でもある。女がボヘミアンとして生きること、ボヘミアン性に賛同することは、女たちの闘いの結果だった。十九世紀の男たちは、文学と芸術の理想のためにボヘミアン性を受け入れていた。二十世紀の女たちは、みずからの生を決定するためにボヘミアン性を勝ちとった。

現代のフェミニズムの理論と実践からすれば、『ギャルソンヌ』におけるモニックの姿勢は不徹底かもしれない。物語の最後で、彼女がブランシェとの同棲を考えるという結末も、男たちがもつ恋愛イデオロギーによる回収だ、という見方も可能だろう。モニックによるブルジョワ社会への抵抗と、規範からの逸脱にはもちろん限界はあった。どのようなボヘミアン性にも限界はある。しかし、そもそも抵抗と逸脱を試みなければ、ボヘミアン文化は存在しえないのだ。

十九世紀において、ボヘミアンは男たちの共同体であり、ボヘミアン文化は男たちの文化だった。女たちがそこに登場するとすれば、男たちに伍して作家や芸術家として同じようなボヘミアン生活を送るためではなく、ボヘミアンの男と感情的なつながりを結ぶかぎりにおいてだった。女たちはつねに、ボヘミアン共同体の外部に、あるいは周縁に追いやられていた。二十世紀に入り、とりわけ第一次世界大戦を経て、そのようなボヘミアン性のジェンダー力学が変わり始める。女もまた、みずから選択することでボヘミアン性を引き受けることができるようになったのだ。『さすらいの女』と『ギャルソンヌ』は、そのつつましい、しかし意義深い変化を雄弁に証言しているのである。

第九章　外国人とパリのボヘミアン文化

一八三〇年代のパリを濫觴とするボヘミアン文化は、まず学生街カルチエ・ラタンで栄え、その後十九世紀末にはパリ北部のモンマルトル地区、そして二十世紀初頭にはパリ南部のモンパルナス地区が加わって、多様な展開を示した。その展開の背景にあったのは、産業革命とそれが推進したパリの近代化、出版業やジャーナリズムの飛躍的な発展とそれにともなう「文学場」の変化、経済発展が促す消費社会の進展と、それがもたらした文化の大衆化である。他方で、一八四八年の二月革命、第二帝政と言論の締め付け、普仏戦争での敗北と第三共和政の成立、第一次世界大戦といった歴史上の出来事が社会制度と人々の日常生活を劇的に変えた。

ほぼ一世紀にわたって続いたパリのボヘミアン文化は、フランスの近代性を構成する重要な次元になっている。そして一九二〇年代末に至って、本書で論じてきたような特徴をもつボヘミアン文化は終焉を迎える。ボヘミアン文化は、フランス革命によって拓かれた民主化への流れ、思想と芸術の自由を求める闘い、文学と権力の確執という十九世紀の知的風土のなかで生まれ、展開した現象だったから、そうした民主化と自由がほぼ実現した二十世紀半ば以降のフランスで、かつてのようなボヘミアン文化は成立しない。その後、ボヘミアン性を個人として生きた人間は登場するものの、ひとつの文化として、ひとつの集団現象としてボヘミアンを語ることが難しくなるのはそのためだ。

西洋人が見たパリ・ボヘミアン

しかしパリのボヘミアン文化を語るうえで、もうひとつ重要な側面が残っている。

旅人としてフランスの首都に来た者、一定の期間、ときには数年にわたって住み着いた者を問わず、多くの外国人作家がパリ滞在記を書き残した。十九世紀以降パリの文化的威光は西欧世界のみならず、遠くオリエント世界やアジアにまで及んだ。多様な文化的、歴史的背景を担ってパリにやって来た彼らは、作家、芸術家、ジャーナリストたちによって形成された独特の文化風土に魅せられ、パリの近代性に時には批判的まなざしを向けた。その限りで「異邦人のパリ」について語ることができるだろう。旅人の状況や立場、訪れた時代、滞在期間の長短によって記された印象はかなり異なるが、パリの文化風土を論じている点では共通している。[*1]

以下のページでは、そのようなパリの異邦人を何人か取り上げてみよう。無論、近代に絞ってもパリを探訪した、あるいはパリに住んだ外国人は無数にいるから、ここではそのパリ生活がボヘミアン的な色彩を帯びていた者、あるいはその感性と教養がボヘミアン文化に感応した者の著作を問いかけることにしたい。

マーク・トウェイン(一八三五―一九一〇)は一八六七年、アメリカのある新聞の特派員として、ヨーロッパと中近東の聖地巡礼の旅に参加し、旅先から特派員便りを送った。その報告をまとめたのが『イノセント・アブロード』(無邪気者の外遊記)と題された書物である。観光地化しつつあった聖地を集団で巡り歩くという意味で、現代の大衆ツーリズムの構図に近いのだが、名所旧跡を網羅的に紹介するというガイドブックに見られる教育的な配慮はなく、みずからの体験を具体的に語り、滑稽な失敗談や苛立ちの交じった臆断を隠さないというスタンスが際立つ。その第十二―十六章がパリ滞在に充てられている。

ノートル゠ダム大聖堂、ルーヴル美術館、ペール゠ラシェーズ墓地などを見物したのは、まさに観光客による聖地巡礼である。一八六七年と言えば、ナポレオン三世治下の第二帝政期、パリで万国博覧会が開催された年である。トウェインも短時間とはいえ会場に足を運び、凱旋門が聳えるエトワール広場（現在のシャルル・ド・ゴール広場）で行なわれた軍隊の閲兵式に立ち会い、皇帝の姿を見て感銘したと告白する。トウェインによれば、ナポレオン三世はフランスに経済的な繁栄をもたらし、諸都市を再建した功労者であり、要するに「現代文明の先端を行き、進歩と洗練の代表者である」[*2]。もちろん彼はそうした光の部分だけに着目したのではなく、パリ東部の民衆地区では悲惨、貧困、悪徳、犯罪が当たり前のように蔓延していることも明瞭に認識していた。本書の第五章で論じたジュール・ヴァレスが、帝政の表面的な繁栄の陰に潜む社会の病弊を糾弾したことと呼応する指摘である。

本書のテーマとの関連からすれば、グリゼット（作家は「女店員」と呼んでいる）をめぐる『イノセント・アブロード』の第十五章はとりわけ興味深い。作家トウェインは、フランスの文学や版画をつうじて、ロマン主義的なグリゼット像、カルチエ・ラタンの学生やボヘミアンたちの恋の相手となる清楚で、健気な娘、日曜日には彼らと郊外にピクニックに出かける優雅な女性を空想していたのだろう。それは彼の文学的素養の確かさを証言するものでもある。実際、ロマン主義の文化風土において、ボヘミアンとグリゼットは不可分のカップルだったのだから。しかし時は流れ、時代は移り、そうした神話がすでに有効性を失っていた。グリゼットは大方のフランス女性と同じく質素だし、愛嬌があるわけでもない。「私の幼い頃からの偶像が、また一つこうして地上に落ちた」[*3]

と、トウェインは嘆く。旅とはつねに発見と驚嘆の機会であると同時に、しばしば予期せぬ失望の瞬間にもなる。アメリカの新聞の特派員は、ボヘミアン文化に醒めた視線を投じたのだった。

他方、アイルランドの作家で、祖国の文芸復興に大きな貢献をしたジョージ・ムア（一八五二―一九三三）は反応が異なる。一八七〇年代初頭に絵の修業のためパリに渡り、画塾に通って本格的に勉強し、十年近くパリに住んだ。その時の体験を物語化したのが『一青年の告白』（一八八六）で、告白という言葉が示唆するように自伝的色彩の濃い作品であり、実際に主人公は周囲の人々からジョージ・ムアと呼ばれている。画塾に通う若い駆け出しの画家たちの世界はボヘミアン世界の典型のひとつであり、実際ムアはそこで知り合ったブリュッセル出身のマルシアルという才能ある画家と意気投合して、友誼を結ぶ。放浪的で、時には異国ゆえの孤独に苛まれる二人は、やがてパリ北部ピガール広場に面したカフェ「ヌーヴェル・アテーヌ」の常連になり、そこで新たな芸術と文学を切り拓こうとする若い画家や作家の知遇を得る。パリではカフェこそ知的、芸術的刺激を提供してくれる学校だと宣言する著者は、そこで同世代の者たちと議論を闘わせた。カルチエ・ラタンであれ、モンマルトルであれ、あるいはモンパルナスであれ、カフェがパリ・ボヘミアン文化の中心であることは、これまで何度も強調してきたとおりだ。一八七〇年代のパリで半ばボヘミアン的生活を送ったムアは、そのことをよく認識していた。

これら青春の思い出は何と魅力があり、力強く、生々としていることであろう。私は不思議な、いや殆ど不自然なくらいはっきりと見たり聞いたりする――見るものは、カフェの白い面、一ならびの家の白い尖端が二つの街の間の広場に突き出ている。私は二つの街の傾斜を見下すことが出来る。私はそこにあるあらゆる店を知っている。私はカフェの硝子戸が開く時に、砂の上にきしむ音を聞くことが出来る。私はあらゆる時刻の匂いを思い出すことが出来る。朝はバターで卵をいためる匂い、強い煙草、コーヒー、悪いコニャックの匂い、五時にはアブサントの高い香り、それから間もなくスープの湯気が料理部屋から立上る。やがて夕方が近づくに従って、煙草、コーヒー、弱いビールの匂いが混じってくる。*4

高台に位置する「ヌーヴェル・アテーヌ」の、酒とコーヒーと食事のさまざまな匂いと香りが混在するなかで、ムアは深夜まで談論に興じるのが習いだった。彼自身は、パリで特定の文学運動に与(くみ)したことはないし、画家としては大成しなかったが、『一青年の告白』第七—八章で、カフェで席を共にした人々について透徹した判断を下し、含蓄に富む印象を書き記している。「ヌーヴェル・アテーヌ」には、その近くにアトリエを構えていた印象派の画家たちが頻繁に姿を現したので、印象派の革新性をよく理解していたムアは彼らと親しくなるのにあまり時間を要しなかった。上品な服装に身を包み、紳士然と歩くマネは静物画において比類ない技法を発揮すると同時に、パリの現代性を描くことに情熱を燃やしていた。他方、マネへの敵愾心を隠さなかったドガは肖像画において見事な才能を発揮してみせたが、会話には皮肉と辛辣さが満ちていた、とムアは回想する。

また彼は文学者だけに、作家にたいして厳しい評価を下すことはめずらしくない。ヴィリエ・ド・リラダンは荒唐無稽な作り話で人々を煙に巻き、いつも真夜中にカフェに入ってくるカチュール・マンデスは機知にあふれる逆説を弄し、朗々たる雄弁を披露した。エドモン・ド・ゴンクールは他愛のない虚栄心を振りかざし、ドーデは田舎風の鈍重さを克服できていなかった、というように。[*5]

当時、祖国アイルランドに敵対的なまなざしを注いでいたムアは、フランス人とその文化に親近感を抱き、一八七〇年代のパリでボヘミアン性を深く体験した。彼の作品は批判や留保も含めて、当時のフランス文化に向けられた価値ある敬意の表現、オマージュと見なせるだろう。

ムアより少し遅れて一八八〇年フランスの首都に居を構え、ムアよりはるかに長い間住むことになったマックス・ノルダウ（一八四九―一九二三）はユダヤ系ハンガリー人で、パリではシャルコーに就いて精神医学を収め、その後は小説や戯曲も著すなど文才にも恵まれていた。著作はすべてドイツ語で発表されている。ユダヤ文化の復興運動であるシオニズムに強く共鳴し、ドレフュス事件に際してはエミール・ゾラと接触しつつ、ドレフュス擁護の立場を鮮明にした。今日彼の名は、『変質論』（一八九三、フランス語訳は翌年刊行）の著者として記憶されている。世紀末の哲学、文学、美術、音楽の諸傾向を分析しながら、西洋の人間と社会が思想的、道徳的に変質＝退化に向かっていると警鐘を鳴らし、それにたいする処方箋を提示した挑発的な著作である。

ノルダウは一八七八年にパリ探訪記を刊行し、そのなかにボヘミアンに関する章が含まれている。彼を驚かせたのは、パリ社会でボヘミアンが広く受容されて、ときには敬意をもって遇されているということだった。服装や行動でそれと分かるボヘミアンたちは大通りのカフェだけでなく、ブルジョワのサロンでも目にすることがある。人々は彼らに配慮し、生活に困窮すれば援助を差しだすこともためらわない。

パリではなぜボヘミアンがこのような寛大な処遇を受けているのか、とノルダウは問いかけ、それはボヘミアンが十九世紀文化において革新的な役割を果たしてきたからだと考えた。一八三〇年代から第二帝政期にかけて、パリ社会が偉大な才能を正当に評価できずに冷遇し、その才能のもち主たちが後になって国際的な名声を獲得するようになった時、社会は後悔と疚しさの念にとらわれた、と言うのだ。一八七〇年代の今日、パリは新たな潮流を歓迎しようとしており、それがボヘミアン文化の浸透を促している。確かに制度的な文化機関が全体として印象派や自然主義文学を認めているわけではないが、ゾラの小説は多くの読者を熱狂させ、マネやルノワールやドガの絵には着実に買い手がつき始めているのだ……。「偉大な時代の反響はきわめて強いので、ボヘミアンたちは、新たな傾向、公式には拒否されている傾向を代表していると自負できるのである」[*6]。

ブルジョワのサロンでも出会えるボヘミアンが誰を指しているのか、ノルダウは明示していない。そもそも当時であれば、ボヘミアンはカルチエ・ラタンのカフェや居酒屋を集合場所としており、上流階級のサロンに招かれることはない。エミール・グドーとイドロパット派が詩の朗読会などをつうじてブルジョワ層にも開かれた文学活動を展開したのは事実だが、それと上流階級の社交への参加は別問題である。ノルダウはおそらく、一八七〇年代のパリで、ボヘミアン性が芸術世界におけるひとつの重要な符牒(ふちょう)として機能している点を強調したかったのだろう。

近代の日本人とパリ

アメリカ人マーク・トウェイン、アイルランド人ジョージ・ムア、そしてハンガリー人マックス・ノルダウは、近代フランスにおけるボヘミアン文化の価値をよく認識していた。しかし、ボヘミアン性と文化のつながりに気づいたのは西洋人だけではない。年代としては彼らに少し遅れてフランスの首都に到着し、そこで生活し、みずからボヘミアン生活を送った、あるいは余儀なくされた日本人たちがいた。ボヘミアン文化の光輝は、パリからはるか遠く明治期の日本にまで届いていたのである。「パリのアメリカ人」というテーマ系が存在するように、「パリの日本人」は、日本人による異文化体験の歴史を構成する重要な主題であり、すでに多くの研究書が著されてきた。[*7]

本書の対象となる時代の枠組みで言えば、十九世紀末から一九三〇年前後にかけてパリを訪れた、あるいはそこで暮らし、それを記録した日本人はかなりの数にのぼる。外交官など公的な地位に就いていた者（西園寺公望）、留学生、とりわけ絵を学ぶために渡仏した学生（岩村透、石井柏亭、藤田嗣治）、フランス文化に憧れ、欧米周遊の間にパリに滞在した者（永井荷風、木下杢太郎）、日本に居づらくなってパリに逃れてきた者（大杉栄、島崎藤村、武林無想庵）、あるいは欧州旅行記の原稿を送付するという条件のもと、日本の出版社の資金援助でやって来た者（与謝野晶子、岡本かの子、林芙美子）など、彼らの身分と立場はさまざまだった。

少数の例外を除いて、経済的にはかなり苦しく、貧窮のなかで病に斃（たお）れたひともいた。パリに住む同国人に金を無心したり、怪しげな仕事に手を染めて糊口を凌いだりする者も稀ではなかった。そうした日本人のなかには、もともと流浪癖、ボヘミアン性を具え、異国の地で放浪生活に甘んじたひともいた。好んでそれを選択したわけではないにしても、それをひとつの生き方として受容したのである。またパリ体験のジェンダー性について言えば、数が少ないとはいえ、女のほうが男よりもパリの生活に馴染んだ例が多い。根拠のない一般論や不毛な文明論に陥ることなく、たとえば林芙美子のように、たくましい生活者としてパリの風物と習俗に目をとめているところが興味深い。*8

以下のページでは、みずからパリのボヘミアン生活を体験した、あるいは直接的にそれを語っている三人の著者の証言を繙いてみよう。

岩村透（一八七〇―一九一七）はわが国における西洋美術史研究の先駆者と見なされる人物で、アメリカ留学と短いロンドン滞在を経て、パリには一八九一年から翌年にかけて、途中でイタリア遍歴の旅を挟みつつおよそ一年半暮らした。美術史研究に従事すると同時に、画塾アカデミー・ジュリアンで絵の修業もしている。この画塾にはかつてジョージ・ムアが通ったし、その後日本から留学した数多くの画学生も通うことになるだろう。その時の体験をもとに書かれたのが『巴里の美術学生』（一九〇二）である。まだ二十歳そこそこの青年だった岩村だが、この書物には彼の鋭敏な知性と清冽な感性が随所で発揮されている。

東京、ニューヨーク、ロンドン、ローマなど大都市の生活は世界中どこでも似ているが、パリには他の都市にはないひとつの特徴があり、それは岩村が「美術家の生活」と呼ぶところのものである。ここで美術家というのは、岩村自身のように画塾や美術学校に通う学生や、画家としてどうにか身を立てている者を指す。

すなわち美術家が、他の人間社会と別に団体を組んで、他人の事には一切無頓着に、朝から晩まで美術のことばかり見、聞き、話して一生涯を暮らせるというかような社会に生活しているその有様をいうのである。ところでこれはロンドンでもニューヨークでもどこでも出来そうなものであるが、実際のところ出来ぬ。[*9]

先に見たように、彼らが芸術だけに専念して生涯を全うできたわけではない。貧困、冷遇、孤絶という逆境が、しばしば画学生や駆け出しの画家を待ち構えていた。しかし貧しい者でも、パリではそれなりに暮らせるし、美術家クラブ、郊外への遠出、立ち見の安い芝居など享受できる娯楽にも恵まれている。芸術を志す者たちが強い絆で結ばれ、堅い連帯心を育んでいることに岩村は素直に感動したのだった。パリには、美術を学ぶための教育制度が数多く整備されており、美術館や図書館など修業のための設備も充実している。そして十九世紀初頭以来のフランス美術の輝かしい歴史と名声が、日本を含めて世界中の国々から画学生を引き寄せたことは贅言するまでもないだろう。国籍も、年齢も、出自も、文化的背景も異なる者たちが数多く集まって、一般社会の原理から距離を置いたところで芸術家の共同体が形成された。ボヘミアン文化は、集団的な活動と強靭な仲間意識によって支えられていたのだから。

『巴里の美術学生』では、著者がアカデミー・ジュリアンで出会い、交流した画学生の肖像があざやかに素描されている。画塾は自由闊達で開放的な雰囲気にあふれ、学校然とした教育空間ではなく、技法上達のための講義もなく、生徒たちは教師の実地指導のもとでみずから腕を磨く場所だったという。そのぶん芸術上の理想は高く、凡庸さと欺瞞を嫌い、独創性を唱え、堅苦しい規範を忌避して自主性と独立心を尊んだ。画学生は性格的には多少がさつで荒っぽく、不遜なところもあるが、総じて飾り気がなく、情に厚かった。共通していたのは、芸術に専念するあまり、日常生活の細部や俗事にはまったく頓着しなかった点である。これらは同時代のカルチエ・ラタンの学生、作家、芸術家たちからなるボヘミアン集団の心性とも共通する要素である。日本や他の欧米諸国に見られないパリの文化風土を際立たせる特徴のひとつは、確かにそのボヘミアン性だった。岩村は著書のなかで、一度だけだが明瞭にボヘミアンという言葉を用いている。

段々とこれまで話したように美術学生は自信の強い剛情な乱暴者で勢いこそ凄じいものだが彼ら日常の暮し向き衣食住その他一般の社会観からいうと実に質素な無邪気な欲気のない人間で、ちょっと見た所ではかような内部の威勢が頭の中に湧いて居ろうとは想像もつかぬほどである。がその無邪気の中に万事何となく世の中を馬鹿にしたような調子は確かにある。これは世間の人と美術学生との考えが双方に誤解をして折り合いのつかぬためであって一方では人間相手にならぬ呑気者、シダラのないボヘミアンと卑下するかまたは敬して遠ざけるという風で普通の人間とは全く別人種として美術学生を扱うし、学生の方ではまた「名利のほかには少しも余裕のない凡俗世界の奴らはとうてい話にならぬ、何でも奴らの反対に出てやれ」という算盤で割り出しまるで初から正反対に考えて行くから何事も常人の意表に出て行くようになるのであろう。*[10]

芸術の道を選択した者たちが俗世間の規範を無視して憚らないとすれば、世間は彼らを社会の周辺に棲息する異端の集団と見なす。ボヘミアンとブルジョワ的な価値観のあいだに和解の余地がなく、十九世紀末のパリは他のどの都市にもましてその葛藤を容認し、あまつさえそれを文化的創造性の糧と見なしていた。『巴里の美術学生』の著者は、そのようなボヘミアン文化を抱えるパリの懐の深さに驚嘆したのだった。

パリと永井荷風の青春

岩村に遅れること十五年、やはりアメリカ滞在を経てから大西洋を横断してフランスの地に足を踏み入れたのが、若き永井荷風（一八七九―一九五九）である。フランスでは父親の命令に従い、中部の都市リヨンで意に染まない銀行勤めをし、帰国が迫った一九〇八年三月から五月までのちょうど二か月、荷風はパリに滞在した。カルチエ・ラタンのホテルに投宿しながら、周辺のカフェや劇場に足繁く通い、モンマルトルのキャバレーに赴く。前章で述べたように、モンマルトルの「ラパン・アジール」が全盛の頃で、荷風は幸いにもパリの左岸と右岸の両方でボヘミアン文化の精髄に触れる機会をもったのである。

帰国後間もなく出版されて、発禁処分の憂き目に遭った『ふらんす物語』（一九〇九）を読めば、若き荷風がベル・エポック期のパリの絢爛さを嘆賞しながらも、同時に、それまで読んできたフランス文学、とりわけ十九世紀後半の小説と詩が喚起する世界をみずからの目と感覚で再確認していたことが分かる。現代であれば、異国に旅する前に誰もがガイドブックや映像をつうじて、訪れる地について予備知識を得ておくはずだ。同じように、文学作品をつうじて同時代のパリを表象していた荷風にとって、はじめて目にしたパリはその表象と比較照合されることで魅力をいっそう高めたのだった。

ああ！　パリー！　自分は如何なる感に打たれたであろうか！　有名なコンコルドの広場から、並木の大通シャンゼルゼー、凱旋門、ブーロンユの森はいうに及ばず、リボリの街の賑い、イタリヤ四辻の雑沓から、さては、セインの河岸通り、または名も知れぬ細い露地の様に至るまで、自分は、見る処、到る処に、つくづくこれまで読んだフランス写実派の小説と、パルナッス派の詩篇とが、如何に忠実に、如何に精細に、この大都の生活を写しているか、という事を感じ入るのであった。

フランスはフランスの藝術あって初めてフランスである。[*11]

冒頭で反復される感嘆符が、若き荷風の率直で、ほとんど無邪気な感動を雄弁に語っている。作家が言及しているのは観光地だけではない。リヴォリ大通りや、イタリア広場や、セーヌ河岸や、民衆の住む界隈をも想起できるのは、彼がバルザック、ミュッセ、ボードレール、ヴェルレーヌを読んでいたからにほかならない。もちろん文学はたんに社会の現実を写し取るのではなく（そうしたレアリスムの幻想は有効性を失っている）、社会の現実を創り出し、人々の意識に作用するという側

図22　荷風が滞在した頃のパリ、カルチエ・ラタン。

面を有している。渡仏以前からフランス文学に親しみ、フランス語を解し、とりわけゾラとモーパッサンの熱烈な愛読者だった荷風にしてみれば、たんなる観光客としてパリの日々を過ごすことなど論外だったろう。

　パリに滞在できる日数はかぎられていたし、帰国すれば、生涯二度とフランスを訪れる機会に恵まれないだろうことも自覚していた。その制限された、心理的には緊迫した状況が、荷風のパリ滞在の密度をいちじるしく高めたことは想像に難くない。そこには、少なくとも彼がそれまで生きてきた明治期の日本という環境では得られなかった、自由と解放感があふれていたのだ。日本で体験したことのない放浪感覚、束縛のない人生にたいする憧憬を、二か月のパリ滞在はいやがうえにも昂じさせた。荷風がカルチエ・ラタンのホテルに宿を取ったのは、もちろん偶然ではない。荷風はそこを舞台にした文学や芸術の世界を追体験しようと試みたのであり、一九〇八年のパリに、ミュルジェール的なボヘミアン文化の残像を探し求めていたのである。『ふらんす物語』中の「羅典街(カルチエーラタン)の一夜」と題された章の冒頭は、ボヘミアン神話が遠い極東の島国で育った青年の内面に生じさせていた憧れと欲望を美しく伝えてくれる。

幾年以来、自分は巴里の書生町カルチヱー、ラタンの生活を夢みていたであろう。
イブセンが「亡魂」の劇を見た時は、オスワルドが牧師に向って巴里に於ける美術家の、放縦な生活の楽しさを論ずる一語一句に、自分はただならぬ胸の轟を覚えた。プッチニが歌劇La Vie de Bohème に於いては、路地裏の料理店で酔うて騒ぐ書生の歌、雪の朝に恋人と別れる詩人ロドルフが恨の歌を聞き、わが身もいつか一度はかかる歓楽、かかる悲愁を味いたいと思った。モーパッサンの小説、リッシュパンの詩、ブールヂヱーの短篇、殊にゾラが青春の作「クロードの懺悔」は書生町の裏面に関するこの上もない案内記であった。[*12]

ノルウェーの劇作家ヘンリック・イプセンの代表作のひとつ『亡霊』(一八八一)の主人公オスワルドは、青春の一時期パリで暮らしたという設定である。プッチーニのオペラ『ラ・ボエーム』において、カルチエ・ラタンのカフェでボヘミアンたちが騒ぐ場面は第二幕で、雪の朝の哀切なシーンは、当時パリの場末だったダンフェール界隈を舞台にして第三幕で展開する。第六章で触れたリシュパンの詩集『乞食たちの歌』はボヘミアンの悲哀に満ちた生活を描き、ポール・ブールジェは青年時代の一時期をカルチエ・ラタンのボヘミアン作家たちと共有した。ボヘミアン神話を解体しようとしたゾラの『クロードの告白』については、第四章で詳述したとおりである。このように『ふらんす物語』からの引用文に現れる人名と喚起されている作品は、すべてボヘミアン文化と関連していることが分かる。荷風にとってカルチエ・ラタンとは、何よりもまずボヘミアン作家と芸術家が生きた街であり、ボヘミアン文化の精華が咲き誇った界隈にほかならなかった。

「旅人の空想と現実とは常に錯誤するといふけれど、現実に見たフランスは、見ざる以前のフランスよりも更に美しく、更に優しかった。ああ！　わがフランスよ！　自分はおん身を見んがためにのみ、この世に生れて来たごとく感ずる」[13]と『ふらんす物語』の登場人物に語らせる当時の荷風に、パリとフランスにたいする過剰なまでの思い入れがあったのは否定できないだろう。しかし、それはけっして無知ゆえの、根拠のない思い入れではなかった。一九〇八年春のパリを、ベル・エポック最中のパリを、荷風は十九世紀的なボヘミアン文化のプリズムをとおして見つめていたのである。

藤田嗣治とモンパルナス

岩村透のパリ滞在は一年余り、荷風に至ってはわずか二か月、期間の長短はあるがどちらも旅人として過ごした。他方、一九一三年に渡仏し、翌年予期せぬ戦争が勃発したこともあって長期にわ

図23　藤田嗣治がパリから日本の妻に送った葉書。コンコルド広場の写真。

たってパリで暮らし、活動する道を選択したのが画家・藤田嗣治（一八八六―一九六八）である。東京美術学校を卒業したが画家として芽の出なかった藤田は、画業を修めるため、父親を説得して三年という期限付きでフランス留学に旅立ったのだが、結果的に一九二九年まで一度も帰国しなかった。その長いパリ生活を随筆風に叙述したのが『巴里の横顔』（一九二九）と『腕一本』（一九三六）である。画家として大成し、パリ画壇で確固たる地位を築いてからの回想録だから、いくらか自慢話に堕しているところはあるが、これは成功者の自伝においてほとんど不可避だろう。

　東京で美術学校に通ったものの、パリの画壇や新たな潮流に関しては何の予備知識もなくパリに来た藤田は、ほどなくしてピカソやアンリ・ルソーの作品を目にして、強い衝撃を受けた。かつて習得した技法や作風はすでに時代遅れになっており、絵画はもっと自由で奔放な世界を描くべきだと教えられたのである。「その日即座に私は自分の絵具箱を地上に叩きつけて、一歩から遣り直さねばならぬと考えた」[*14]。こうしてモンパルナスの共同アトリエで藤田は新たな絵画を模索し始めるわけだが、翌年に勃発して四年間も続いた第一次世界大戦が彼の生活を大きく変えてしまう。パリはドイツ軍によって空襲され（その状況は、たとえばプルーストの『見出された時』で見事に描かれている）、市民は地下室や地下鉄の構内に逃げこむようになり、物資は不足し、灯火管制が敷かれたせいで夜は闇に沈んだ。藤田は戦火を逃れるため、ロンドンや南仏に疎開までした。

絵が売れるようになる以前、藤田がモンパルナスでまさしくボヘミアン生活を送ったことが、回想録のなかで語られている。そこに集った、後年「エコール・ド・パリ」と呼ばれることになる多くは外国出身の画家たち、彼自身もその一員だった画家たちの異邦人性やその奔放な習俗が描かれる。さらに、モンパルナスにあった「ロトンド」などのカフェが、画家たちの交流の場のみならず、芸術の承認機関として機能していたことを藤田は次のように記す。

この連中はパリの人のみかと言うと、決してさにあらず万国人種展の五十ヶ国余りの人種から成り立って珍しき国の人々で、名前さえ初めて聞いた様な国の人達までが住んでいるのである。されば奇想天外の考えも生れて来るのは当然である。

服装に至っては各自勝手放題でありカリホルニヤのカウボーイありアリゾナのインジアンもおり、スペインの闘牛士ごとき風采？　伊達者もいるという風に、雑多な風采をした男女が室内からテーラスにあふれ往来に立ちすくんでいる。トーマス・クックのパリ一周のバスさえ見物に廻わって来る有様である。

ロトンドのごときは世界的に有名なカッフェの一つで、画家は一度このカッフェを通らないと名前が挙らないという一種の税関とさえ言われている。奇抜なモデルや画家のアミー（情人）も集って騒いでいる。*15

貧困はつねにつきまとう苦労で、三日間パンを口にしなかったとか、衣類を質屋に入れたせいで外出に困ったというような話には事欠かない。そのような状況でも、若き画家は一日に十数時間も絵筆を手にしてカンヴァスに向かったのだった。制作中の作品に不満だと癇癪を起こして、カンヴァスをアトリエの窓から中庭に放り出してしまうことも稀ではなかった、と藤田は述懐する。貧しさのなかで、仲間との連帯に助けられながら、世間的な栄光には無関心で、理想の芸術を求めて奮闘する若き画家——それこそはパリの典型的ボヘミアン像だった。それを意識していたかどうか分からないが、藤田自身は一九一〇年代のパリで、みずからの身体と精神によってボヘミアン性を生々しく体験したことになる。

実際、当時の藤田はモディリアーニやパスキンと貧しさを共有し、モデルの女性への支払いにも難儀するほどだった。モデルになる女たちも、まだ売れない画家たちの窮状を熟知していたから、面倒な要求などしなかった。彼女たちもまた、放浪的なボヘミアンだったからだ。『巴里の横顔』には、印象的な女性たちの肖像がいくつか刻まれている。ある年の春、ベルリンから自転車で飄然とパリにやって来て、「春の娘」と綽名されて女神のように画家たちから愛され、裸体画や彫刻のモデルを務めた娘は、冬になると忽然と姿を消し、パリ南部フォンテーヌブローで自動車事故のため若い命を散らした。藤田が大戦中に知り合った女性キキは、ある時彼の配慮で病が癒えたことに感謝し、無料でモデルを務め、自分の生活を弁ずるために衣服を売り払った。[*16] ミュルジェールの『ボヘミアン生活の情景』以来、グリゼットやカフェで働く女性たちはボヘミアンの恋の相手として登場してきたが、二十世紀初頭のモンパルナスでは、画家とモデルが芸術の共同体を構成し、同志として振舞っていたのである。

「失われた世代」のパリ

藤田嗣治がパリでボヘミアン生活を送り、やがて一九二〇年代に入って「乳白色の裸婦像」によって名声を高めた時代に、一群のアメリカ人がパリ左岸で暮らしていた。アメリカの女性批評家ガートルード・スタインによって「失われた世代」と名づけられたヘミングウェイ、フィッツジェラルドなどの若い作家たちがその中心にいた。彼らもまたカルチエ・ラタンやモンパルナスに居を構え、画家や作家たちと交流をもち、パリを愛して独自の知的集団を形成した。そのありさまはヘミングウェイ（一八九九―一九六一）の回想録『移動祝祭日』（一九六四、死後出版）に詳しい。「もし幸運にも、若者の頃、パリで暮らすことができたなら、その後の人生をどこで過ごそうとも、パリはついてくる。パリは移動祝祭日だからだ」という文章を巻頭辞に掲げるこの回想録では、ヘミングウェイがパリで過ごした一九二一年から一九二八年までの歳月が語られている。

この著作は、スタイン、シェイクスピア書店のシルヴィア・ビーチ（ジョイスの『ユリシーズ』を出版した)、フィッツジェラルド、エズラ・パウンド、フォード・マドックス・フォードらとヘミングウェイの交流を語っていることで名高いし、「失われた世代」が生きたパリの文化風土を再現し、彼らをめぐって貴重な人物スケッチを提供している点で掛け替えのない証言になっていることは、あらためて指摘するまでもないだろう。実際、『移動祝祭日』はその観点から読まれるのが通例である。そしてそれは「パリのアメリカ人」という主題につうじ、フランス文化にたいする二十世紀アメリカ人の複雑な、時には屈折した感情を露呈する貴重な資料でもある。[*17]

余談ながら、一九二〇年代のパリにたいするアメリカ人の憧憬は、ウッディ・アレンの映画『ミッドナイト・イン・パリ』(二〇一一)にもよく表れている。この作品は、作家志望の現代アメリカ人青年が、魔術的な仕掛けで一九二〇年代のパリにタイムスリップし、ヘミングウェイ、スタイン、フィッツジェラルドとその妻ゼルダらに出会うという筋立てだ。カメラは、カフェに陣取る作家を映し、「狂乱の歳月」の解放的で、洗練された、そしていくらか頽廃的なパリの雰囲気を美しい映像に定着させていた。

以下では、あくまでパリのボヘミアン文化との関連で『移動祝祭日』を読み解いてみよう。ハドリーと結婚して三か月後、一九二一年十二月パリに住み着いたヘミングウェイにとって、パリ生活は幸福の予兆とともに始動した。はじめはカルチエ・ラタンに位置するカルディナル・ルモワーヌ通り、ハドリー出産のための一時帰国を挟んで一九二四年以降は、モンパルナス地区にあるノートル＝ダム＝デ＝シャン通りに居を構えた。文学者ヘミングウェイにとっては若い修業時代であり、後年の豊穣な創作時代を準備した懐胎期間と位置づけられよう。一九二四年には、生活の糧にしていた新聞への報道記事の寄稿をやめ、小説一本で身を立てる決断を下した。春や夏の季節には、快いパリの気候に誘われてしばしば散策に出かけた。近くのリュクサンブール公園を通り抜け、セーヌ川に向かって緩い坂道を下り、河岸で読書に耽ったり、釣り人を眺めたりした。

ヘミングウェイはまだ売れていない無名作家だったから、生活は質素だったという。実際には、ハドリーの親族から受け継いだ遺産があり、当時の米ドルの強さを勘案すれば、作家自身が主張するほど生活に窮したわけではないようだが[18]、後のノーベル賞作家が修業時代の苦労を強調するためには、貧しさという属性、そしてそれにも挫けず執筆に励んでみずからの方向性を見いだした、という人生の構図が必要だったのだろう。ヘミングウェイは、パリは貧しくても人生を享受できる都市、生きる歓びを味わえる都市だと繰り返し主張している。

> いかなる基準に照らしても、当時の私たちはまだとても貧しかった。私は依然として、だれかに昼食を誘われたからという口実をかまえて、その実リュクサンブール公園を二時間ほど歩きまわってくるというつましい倹約法を実践していた。〔中略〕あの頃のパリでは、ほとんど無一文でも楽しい暮らしができたのだ。ときどき食事を抜かし、新しい衣服を決して買わないようにすれば、貯金もできたし、贅沢を楽しむことさえできたのである。[19]

つねに順風満帆だったわけではなく、貧困と逆境を体験したということ、つまり多少ともパリでボヘミアン的な時期を過ごしたということは、人間としての規律の内面化を促し、作家の自己形成に貢献し、時には、文学を刷新できるという予感あるいは確信さえ生じさせてくれたのだ。

食事を省く必要に迫られるとき、空腹に支配されるような思考に陥らないようにするためには、自分をより良く律する必要がある。空腹は良い修業であり、そこから学べることはすくなくない。世間から理解されないということは、それだけ自分が彼らの先をいっていることに等しい。そうだとも、と私は思った。三度三度の食事をとる余裕がないということは、それだけ自分が世間の遥か先をいっているということなのだ。まあ、世間がすこしでもこちらに追いついてくれれば、それはそれで悪くないが。そんなふうに、私は考えたのだった。[*20]

「空腹は良い修業」とは、まさしくボヘミアン的な心性の表現であろう。同国人との交際を楽しみつつ、ヘミングウェイはフランス文学の記憶に浸ったり、同時代の作家、芸術家と接触したりすることもあった。ヴェルレーヌが息を引き取ったホテルの最上階を、ヘミングウェイは一時期自分の仕事部屋にしたし、散歩の足をパリ郊外に延ばしてセーヌ川沿いのレストランで食事をすると、セーヌ河畔を舞台にしたモーパッサンの短編を想起せずにいられなかった。モンパルナスの端に位置するカフェ「クロズリー・デ・リラ」は作家お気に入りの空間で、コーヒー片手に午前中は執筆に励んだ。そこで、ボヘミアン的なフランス人作家ポール・フォールやブレーズ・サンドラールと遭遇しているし、典型的な「モンパルノ」(モンパルナスに住む画家を指す俗語)だったパスキンの落魄した姿を目にすることもあった。現在でも残るこのカフェの壁には、ヘミングウェイがいつも座っていたという席に記念プレートが設置されているくらいだ。

前章で論じたように、一九二〇年代の「狂乱の歳月」は文学と芸術の領域でダダとシュルレアリスムが台頭した時代である。ヘミングウェイが交流をもったのはおもにアメリカ人だったから、『移動祝祭日』を読むかぎり、シュルレアリスムとの直接的な接点は感じられない。新たな潮流を代表する画家たちと深い交流をもった形跡もない。とはいえ、カルチエ・ラタンとモンパルナスに住み、不安定な経済生活に直面しながら文学修業に励み、文学的同志たちとの議論や葛藤のなかで自己形成を遂げていったことが分かる。意図的ではないにしても、ボヘミアン文化を担ったフランス人作家たちと接点を有するに至ったこともある。そのかぎりで、パリのボヘミアン文化はヘミングウェイの内面に浸透していたと言えるだろう。

十九世紀から二十世紀前半にかけて、ベンヤミンが「十九世紀の首都」と形容したパリは多くの外国人を惹きつけた。パリが「革命の都」、「光の都市」、「文明の中枢」といった呼称をみずからに冠した時代でもあった。外国人から見れば、ボヘミアン文化はそうしたパリ神話の不可欠な要素にほかならない。ボヘミアン集団の独立不羈(ふき)と芸術上の創造性を評価するにしろ、彼らの放縦な生活に眉を顰めるにしろ、カルチエ・ラタンやモンマルトルやモンパルナスに集った作家と画家の精神が、ボヘミアン性に強く刻印されていたことを認める点で、欧米と日本の旅人は一致していた。ボヘミアン文化の重要性は、フランス人による自己認識であると同時に、異邦人がパリに向けたまなざしをも規定していたのである。

エピローグ

カルチエ・ラタンを発祥地とするボヘミアン文化は、十九世紀末には他の欧米諸都市にも広まっていた。ロンドン、ミラノ、ベルリン、ミュンヘン、ウィーン、そしてニューヨーク（とくにグリニッジ・ヴィレッジ地区）でも、それぞれの国の歴史と社会状況を反映しながら、独自のボヘミアン文化が育った。したがって、ボヘミアンをパリに限定された文化現象と考えるべきではないのだが、その祖型と主な要素を決定づけたのがフランスの首都であることは、否定の余地がない。パリが世界の文化シーンにおいてもっとも眩い光輝を放っていた時期が確かに存在したし、ボヘミアン文化とその推移がそこに大きく貢献したのも事実である。[*1]

その点をよく例証してくれるのが、たとえばドイツの例である。

十九世紀末のドイツでは、自然主義文学の台頭と並行するように、ベルリンとミュンヘンで特定の地区と、そのカフェを舞台にして、文学の刷新をめざす若い作家・芸術家たちがボヘミアン性を発揮していた。ベルリンのクーダム地区の「カフェ・デス・ヴェステンス」、ミュンヘンのシュヴァービング地区の「カフェ・シュテファニー」が、彼らの集う特権的な場になっていた。リルケは一時期ミュンヘンのカフェの常連だったし、ハウプトマン、ホフマンスタールはこうした文学カフェと電話や手紙で連絡を取り合っていた。ボヘミアン作家たちは時に一杯のコーヒーで店に居座り、お互いの作品を朗読し、批評しあった。「芸術を生きる」という野心に駆られ、実験的な文学・芸術運動を樹立しようとした彼らの活動は、まさに仲間同士の連帯を基盤としていたのである。[*2] 大都市のなかの一定の地区における展開、革新的な文学運動の母体としてのカフェ、対面での朗読や批評という演劇性、同志たちの強い連帯心——それはいずれも、パリのカルチエ・ラタン、モンマルトルそしてモンパルナスで展開したボヘミアン文化と共通する要素であることは、もはや贅言を要しないだろう。

パリでは、一九二〇年代のダダとシュルレアリスム、絵画の「エコール・ド・パリ」とともに、地理的、歴史的な継続性を有する明確な現象としてのボヘミアン文化は終息する。しかし、体制への反抗、既成の文学と芸術への異議申し立て、社会規範に縛られない自由な精神、世代的な連帯感の強さ、放浪への志向、文学的、芸術的なパフォーマンスの劇場性など、ボヘミアン文化の主な構成要素という観点からすれば、二十世紀半ば以降にもボヘミアン文化の灯は消えていないことが分かる。第二次世界大戦後、ニューヨークを中心にして勃興したアクション・ペインティング、一九六〇年代のポップアートや、ヒッピーと学生運動に代表されるカウンターカルチャーなどは、広く言えばボヘミアン文化のひとつの形態であろう。

ビート・ジェネレーションの時代

アメリカ文学史では、「ビート・ジェネレーション」と呼ばれる現象が存在する。戦後の一九五〇年代に、文学、思想、習俗の面で無視しがたい影響を及ぼした潮流で、物質的な文明や効率主義に疑念をいだき、社会的、道徳的規範からの逸脱、欲動や情念の解放、自然への回帰などを唱えた。日本の禅の教えに関心をもち、アルコールやドラッグに惑溺する傾向もあった。作家たちはみずから放浪し、当てのない旅の生活を続け、それを文学の主題にした。都市では詩や小説の朗読会を開催し、リトルマガジンを発行した。ビート・ジェネレーションはアメリカ西海岸サンフランシスコとロサンゼルスを中心に活動したが、集団的な文学運動として長期にわたって持続することはなかった。文学的系譜としては、アメリカのホイットマンやソロー、フランスのアポリネールとシュルレアリスムが喚起され、ボヘミアン性のいくつかの要素を共有していることが分かる。[*3]

この文学潮流を代表するのが、『オン・ザ・ロード』(一九五七)のジャック・ケルアック(一九二二―六九)、『裸のランチ』(一九五九)のウィリアム・バロウズ(一九一四―九七)である。ケルアックの小説は、映画のロードムービーの構図に倣ったような作品で、主人公の駆け出し作家サルがひたすらアメリカ中を車やバスで旅する物語だ。ニューヨークからデンバーを経てサンフランシスコへ、あるいはニューヨークからニューオーリンズをとおって西海岸へと、長い距離が踏破される。友人たちに会うためというのが表向きの理由だが、それは旅に出る究極の目的ではない。自分が何を望んでいるのか、何をしたいのか分からない世代、無軌道で無目的な根なし草のような若者世代だ。サルとその友人たちは旅するために旅をする、動くために動く。

いろんなごちゃごちゃやナンセンスとおさらばして、ぼくらにとって唯一の雄大なことがいよいよ始まった。つまり、動くこと。ぼくらは動きだしたのだ。

ぼくらは、いくつもの空の下、つぎなるクレージーな冒険に向って前のめりで進む。

先へ進まねばならなかった。[*4]

類似した文章は他にも引用できる。そう、先へ進むこと、前のめりで進むこと、同じ場所に立ち止まらないこと、今ここからどこか他の場所に向かって進むこと。それが主人公たちの行動原理である。とりあえずの目的地はあるが、けっしてそこに安住できない。というより、目的地はひとつの通過地点でしかない。同じように彼らの人生に目標はなく、ただ生きて呼吸すること、車を飛ばすこと、ひとつの町から別の町へ、東から西へ、北から南へと広大なアメリカ大陸を移動することが彼らの存在理由にほかならない。

旅の途中でサルはさまざまな人間と遭遇し、多様な人種と階層に接触し、恋をし、社会の底辺を垣間見て、時に過酷な労働に従事し、貧困を味わい、買春と麻薬と暴力を経験する。それはまさに放浪生活、流浪の民という意味でのボヘミアンに近い放浪生活である。『オン・ザ・ロード』はビート・ジェネレーションの作家が創作した、二十世紀のボヘミアン小説という名にふさわしい。

池袋モンパルナスの光芒

前章で、ベル・エポック期のパリを訪れた、あるいはそこで暮らした岩村透、永井荷風、藤田嗣治のパリ体験談を読み解いてみたが、じつは日本国内でも、パリのボヘミアン文化に憧れて、若い画家や詩人からなるボヘミアン集団が形成されたことがある。時は一九三〇年前後から、太平洋戦争にかけての時代、場所は東京・池袋の界隈だった。宇佐美承の『池袋モンパルナス』(一九九〇)がその歴史を詳細に語っている。

一九一〇年頃から、池袋駅の周辺から長崎町にかけて、東京としては家賃が安いというので、画学生や若い画家、作家たちが住むようになる。上野の東京美術学校(現在の東京藝術大学)の学生も、上野近辺より安いというのでこの地に集まってきた。一九三〇年代に入ると、すずめが丘やさくらが丘に安いアトリエ村が建設され、とりわけ「桜ヶ丘パルテノン」と呼ばれた地区には、数多くのアトリエが集中していた。池袋育ちの画家、佐藤英男が一九三五年パリから帰国して間もなく、池袋駅西口近くに「クロッキー研究所」を設立すると、画家、詩人、映画関係者、批評家などがいっそう集結するようになって、独特の雰囲気が醸成された。池袋に住み、アトリエ村で結核のため夭逝した詩人・小熊秀雄(一九〇一―四〇)は、その雰囲気を次のような詩に託した。

池袋モンパルナスに夜が来た
学生、無頼漢、芸術家が街に

出る
彼女のために、神経をつかへ
あまり太くもなく
細くもない
ありあはせの神経を[*5]――。

「池袋モンパルナス」とは、じつに言い得て妙である。そこには佐藤英男のように、絵の修業のためパリに留学して、すでに最盛期は過ぎていたものの、ボヘミアン文化の残り香を漂わせていたモンパルナスでの生活を体験した者が含まれていた。とりわけ桜ヶ丘パルテノンには、フランスの美術、文学、映画、生活スタイルに憧憬の念をいだく者が多く集まった。ピカソやモディリアーニの絵に心酔し、アラゴンを愛読し、映画『ミモザ館』や『望郷』に熱狂していた。パリを想うあまり、アトリエに欧州風の家具を置き、カーペットを敷く者までいたという。

彼らの多くがデカダン趣味に浸り、人々の顰蹙を買うようなスキャンダラスな服装に身を包み、酒をたらふく飲み、画材の購入を優先するあまり銭湯代にも事欠いて、不潔な体臭を放っていた。そして「セルパン（蛇）」という音楽カフェが彼らの溜まり場となり、そこにはキキと綽名された奔放な女性モデル――もちろん藤田嗣治らのモデルになったモンパルナスのキキにあやかった綽名だ――がよく姿を見せ、男たちの欲望をそそった。まさにモンパルナスのボヘミアン画家たちの習俗そのままである。池袋周辺のアトリエ村には、ボヘミアン性の多くの要素が凝縮されていたのだ。

他方で、日本が中国大陸に進出し、西洋列強との戦火の危機が近づく不穏な社会情勢のなかで、彼らは芸術論議に花を咲かせ、画業の追究に余念がなかった。モデルや、飲食街の女性との恋愛沙汰はめずらしくなかったが——引用した小熊の詩にある、「学生、無頼漢、芸術家が街に出る」という一文はそういう意味だ——、芸術と遊び、「求道」と「放恣」は明確に分けていた。「エコール・ド・パリ」があるのだから、「エコール・ド・東京」が存在してもいいだろうという訳で、一九三六年三月それを結成した。それに関して、次のような証言が残されている。

池袋美術家クラブの面々で花ひらいたのは佐藤ばかりではなかった。麻生三郎、柿手春三、寺田政明、吉井忠らシュルレアリスムを目ざす者たちが中心になり、パリをあこがれるあまり、「エコール・ド・東京」という集団をつくった。寺田はいっていた。

「みんなパリをむいていたんだ。何かやろうということになったんだ。時代は勃興期だ。ルネッサンスだ。エコール・ド・パリがあれば、エコール・ド・東京があって何が悪いということだったんだ」。[*6]

結成に際してはマニフェストが作成され、そのなかで彼らは、上野を中心とする公的制度に守られ、商業化した旧套墨守(きゅうとうぼくしゅ)の美術に抗して——マニフェストには「上野の杜は株式取引所」という一句がある——、自分たちは今の時代に新しい美術をもたらすという画家の使命を果たそうとしているのだ、と高らかに宣言したのだった。こうして池袋モンパルナスに集った画家と詩人たちは、美学の刷新を求めて集団を形成し、マニフェスト―を奉じて前衛集団としての存在を主張した。そこにもまた、近代パリの文化を特徴づけるボヘミアン精神がよく表れている。そのほどよい緊張感に浸りながら、ボヘミアン芸術家たちは創作にいそしんだのだった。ある彫刻家は次のように述懐している。

池袋というところは、なんかこう、雑多なごみ溜めのような感じもしますし、またそのなかから光るものが感じられる美術家の社会でした。本当の仕事をするには、このごみ溜めのアトリエ村が土台になっている、こう感じたことでした。[*7]

芸術的探究と猥雑性、知的放浪と日常生活の自堕落さがこともなげに同居していた池袋モンパルナスは、まさに一種の芸術ユートピア村だった。しかし一九四〇年に小熊秀雄と、「日本のゴッホ」とまで謳われた天才的な放浪画家・長谷川利行が相次いで死去し、日本が太平洋戦争に突入してアトリエ村からも多くの者が戦場に駆りだされていくにつれて、この芸術ユートピア村も衰退していった。現在では、その痕跡が池袋地区の路地裏にわずかに残るばかりである。

＊

本書では、十九世紀から二十世紀初頭のパリを中心にしてボヘミアン文化の歴史を辿り、時代をつうじて継続する恒常的な要素と、推移していく変数的な要素を跡づけてみた。

二十世紀末以降はどこの国であれ、古典的な意味でのボヘミアン性を価値づけるのは困難だろう。貧しさに甘んじながら、高い理想を維持して、仲間たちの連帯意識に支えられながら新たな芸術や文学を追求する態度は称賛に値するが、現代社会のせわしない状況がなかなかそれを許してくれないだろう。ボヘミアン文化が成立するためには、社会の側に、逸脱や、周縁性や、緩慢さにたいする一定の寛容さが必要だからだ。

時代が変われば、ボヘミアン性も変質していく。現代フランス語に「ボボ Bobo」という言葉があって、これは「ボヘミアン的ブルジョワ bourgeois bohème」という語の縮約形であり、二十一世紀に入ってから生まれた新語である。経済的にはかなり豊かな階層に属し、教養があり、文化資本を重視し、環境保護に熱心で、フェミニストで、人種差別に反対する。ただし、芸術や文学に関わる職業に就いているとはかぎらない。[*8] このように規定されれば、かつてのボヘミアンと現代のボボのあいだには、文化資本への執着を除けば、共通点がないことが分かる。そもそもかつてのボヘミアン性の概念からすれば、ボヘミアン的ブルジョワというのは形容矛盾にほかならない。現代フランスのボボは文化史的に考察されるより、社会学的な分析の対象になるほうがふさわしいだろう。

とはいえ、こと芸術や文学に関するかぎり、思考の自由、感性の解放、規範からの逸脱、制度への疑念が新たな創造性につながる可能性があることは、現在でも変わらない。ボヘミアン性とは、個人と社会、芸術と社会、芸術家と大衆という、しばしば二項対立的な構図で語られてきた現象にたいして、十九世紀文化が示したひとつの反応であり、解釈だった。これらの事象は現在も存在するわけだから、今もどこかで新たなかたちのボヘミアン性が模索され、練りあげられているのかもしれない。

あとがき

いつ頃からボヘミアン文化に関心をいだくようになったのか、今では判然としない。近代フランスの文学と文化史をおもに研究してきた者として、ボヘミアン（フランス語ではbohème）の生態と表象にはさまざまな作品で出会ってきた。フランスでボヘミアン神話あるいは伝説の形成に決定的な影響を及ぼしたのが、本書第二章で詳しく論じたアンリ・ミュルジェールの小説『ボヘミアン生活の情景』（一八五一）である。プッチーニのオペラ『ラ・ボエーム』の原作であり、このオペラがあまりに有名なために、ミュルジェールが描き、プッチーニが舞台化したボヘミアン像が、二十世紀以降、読者や観客の脳裏にボヘミアンの典型として刻みこまれてきた。しかし、文学表象および文化現象としてのボヘミアンはそこに尽きるのだろうか。この素朴な疑問が、本書の出発点であった。

ボヘミアンは、ミュルジェールの小説以前にも存在したし、それ以後にもさまざまに変貌しながら生き残っていく。本書ではその変遷を、十九世紀から二十世紀初頭にかけて書かれた小説、詩、戯曲、評論、回想録、日記を中心にしてたどり、必要に応じて同時代の絵画や、思想状況を参照した。そこから明らかになるのは、少なくとも筆者として示したかったのは、ボヘミアンの思想と行動は個別の作家や芸術家に特有の個人的な問題ではなく、それぞれの時期において、一定の美学と指針を共有する集団の運動として把握されるべきだということ、換言すれば、それがひとつの文化だということである。ミュルジェール、ヴァレス、グドー、ヴェルレーヌ、カルコなど、ボヘミアンの歴史において特筆される作家は存在するし、本書では彼らの作品や回想録を読み解くことに多くのページを充てた。しかし主眼は、それをつうじて各時期のボヘミアン文化の集団的な輪郭を浮き彫りにすることだった。ボヘミアン文化は、パリのなかでもいくつかの地区（カルチエ・ラタン、モンマルトル、モンパルナス）と、そこに位置するカフェや芸術キャバレーという特定の空間と密接に結びついて展開しただけに、集団性は重要な側面である。

従来のボヘミアン論は、クールベ、ロートレック、ピカソ、モディリアーニなど画家の生涯に焦点をすえた美術史の観点を採るか、ボヘミアンの生活ぶりにそくした風俗史の視点に立つものが多い。群像劇の様相を呈する読み物的な本もある。それぞれ正当なやり方だが、筆者としては同時代の文学作品や、みずからボヘミアン生活を体験した者たちの回想録をていねいに読んで、彼らがボヘミアン性をどのように認識し、どのように表現しているかを問いかけようとした。ボヘミアン性とは現実的なひとつの生き方であると同時に、それをめぐって紡ぎだされた表象システムの問題でもあるからだ。

文学や芸術の運動となれば、たとえばロマン主義、レアリスム、自然主義、象徴主義、シュルレアリスムなどのように、美学と思想にしたがって特定の名称が付され、時代ごとに移り変わっていく。他方、ボヘミアンの心性と美学は「――主義」というレッテルに回収されるものではなく、共通項をはらみつつ、時代と環境によって、そしてそれを描く作家の思想によって変化を見せていく。

あるいはボヘミアン性の特質と変遷をよりよく明らかにできると考えた。

本書で取り上げた作品として、『ボヘミアン生活の情景』は数年前に『ラ・ボエーム』というタイトルで優れた邦訳が刊行され、ゾラ『クロードの告白』、ジュール・ヴァレス『反逆者』、モーリス・バレス『自我崇拝』は、かなり以前に翻訳が出ている。他方、本書でしばしば引用した十九世紀末から二十世紀初頭の作家たちの回想録には、残念ながらほとんど邦訳がない。わが国であまり馴染みのない作家を含めて、本書がボヘミアン文化への案内になれば、筆者としてこれ以上の喜びはない。

フランスの首都とフランス人作家がおもな対象になったが、実際、ボヘミアン文化発祥の地であるパリは、十九世紀半ばから多くの外国人作家・芸術家を絶えず惹きつけてきた。彼らもまたパリでボヘミアン的な生活を送ったり、ボヘミアン性に批判的なまなざしを向けたりしたのだった。そのなかには、永井荷風や藤田嗣治などパリに滞在した日本人の作家や画家も含まれる。外国人はボヘミアン都市パリをどのように体験したのか――それが最後の第九章のテーマになった。

しかし、ボヘミアン性はパリに限られた現象ではない。そこで「エピローグ」でドイツ、アメリカ、そして日本のボヘミアン文化に言及したが、簡単な素描にとどまっている。フランス語文献のなかには、他の欧米諸国におけるボヘミアン文学・文化を比較文化論的に分析した論考が散見され、地理的な広がりを感じさせる。固有の歴史と文化状況のなかで、それぞれの国が独自のボヘミアン文化を育んだにちがいない。国境と地域を越えて、ボヘミアンの比較文化論を編むことができれば、有益な試みになるだろう。読者諸賢のご教示を願う次第である。

本書の元になったのは、月刊誌『ふらんす』（白水社）に二〇一七年四月から翌年三月にかけて寄稿した「パリのボヘミアン」と題された連載である。毎回見開き二ページ、二千字ほどの分量だった。今回の本では章の構成を少し改変し、連載には収められなかった話題を数多く盛り込んだ。連載時に編集を担当してくれた白水社編集部の鈴木美登里さんには、この場を借りてあらためて謝意を表したい。

その後、平凡社の松井純さんと話す機会があり、ボヘミアン論を一書にまとめてみたいと提案し、快諾してもらった。ところが、他の用事に忙殺されて計画があまり進捗しないなか、松井さんが二〇二〇年二月に急逝した。企画を引き継いでくださったのが、松井さんの同僚、竹内涼子さんである。原稿の完成までに、当初の予定より長い時間を要したことをお詫びすると同時に、さまざまな配慮をしてくださり、拙稿への有益な助言までしてくださった竹内さんに深く感謝する次第である。

小倉孝誠

二〇二三年十月

＊8　林芙美子『下駄で歩いた巴里』岩波文庫、2003年、pp.103-126。なお林は1931年4月、第8章でその回想録に触れた作家フランシス・カルコに会っている（p.164）。
＊9　岩村透『巴里の美術学生』、『芸苑雑稿他』平凡社東洋文庫、1971年、pp.4-5。
＊10　同書、p.41。
＊11　永井荷風『ふらんす物語』岩波文庫、2002年、pp.17-18。
＊12　同書、pp.242-243。
＊13　同書、pp.300-301。
＊14　藤田嗣治『腕一本／巴里の横顔』講談社文芸文庫、2005年、p.20。
＊15　同書、p.33。
＊16　同書、pp.52-53, 73-77。
＊17　1920年代、アメリカ人の作家や芸術家がパリでどのように暮らし、パリ文化をどのように捉えていたかについては、次の著作に詳しい。ウィリアム・ワイザー『祝祭と狂乱の日々――1920年代パリ』岩崎力訳、河出書房新社、1986年。またアメリカ文学におけるパリ像については、フランス語による次の研究が有益である。Jean Méral, *Paris dans la littérature américaine*, Éd. du CNRS, 1983.
＊18　ヘミングウェイ『移動祝祭日』高見浩訳、新潮文庫、2009年、の訳者「解説」による。
＊19　同書、pp.145-146。
＊20　同書、p.109。

エピローグ

＊1　フランス以外の西洋諸国（ベルギー、スペイン、カナダ・ケベック州、アメリカ）におけるボヘミアンの表象については、次の著作が参考になる。Pascal Brissette et Anthony Glinoer, *Bohème sans frontière*, Presses Universitaires de Rennes, 2010. 特にその第三部を参照のこと。本書では、フランス以外のボヘミアン文化についてごく簡単に触れるだけである。
＊2　1900年前後のドイツのボヘミアン文化については、次の論考を参照した。鈴木将史「ドイツ世紀末ボヘミアンとその文学運動――Jugendstil, Heimatkunstとの関連を巡って」、『ノルデン』第25号、1988年、pp.15-45。
＊3　ビート・ジェネレーションについては次の書に詳しい。諏訪優『ビート・ジェネレーション』紀伊國屋書店、1980年。
＊4　ジャック・ケルアック『オン・ザ・ロード』青山南訳、河出文庫、2010年、pp.213, 249, 389。
＊5　小熊秀雄「池袋モンパルナス」、宇佐美承『池袋モンパルナス』集英社、1990年、p.11に引用されている詩句。初出は『サンデー毎日』昭和13年7月31日号。
＊6　宇佐美承『池袋モンパルナス』、p.281。
＊7　同書、p.242。
＊8　トマ・ルグラン／ロール・ヴァトラン『100語でわかるBOBO』村松恭平訳、白水社文庫クセジュ、2020年、特にpp.32-42。

『アニセまたはパノラマ』小島輝正訳、白水社、1993年。

＊27　以下の記述では主として次の著作を参照した。Maurice Nadeau, *Histoire du surréalisme*, Seuil, 1964. 邦訳はモーリス・ナドー『シュールレアリスムの歴史』稲田三吉・大沢寛三訳、思潮社、1995年。塚原史『ダダ・シュルレアリスムの時代』ちくま学芸文庫、2003年。

＊28　塚原史、前掲書、pp.60-68。

＊29　André Breton, *Manifeste du surréalisme*, dans *Œuvres complètes*, Gallimard, « Bibliothèque de la Pléiade », t.I, 1988, p.337. 訳文はアンドレ・ブルトン『シュルレアリスム宣言・溶ける魚』巖谷國士訳、岩波文庫、1992年、p.64に拠る。

＊30　Cf. Brigitte Louichon, « Discours sur les bas-bleus entre 1870 et 1914 », Andrea Del Lungo et Brigitte Louichon (dir.), *La Littérature en bas-bleus*, t.III, « Romancières en France de 1870 à 1914 », Classiques Garnier, 2017. また19世紀フランスの女性作家の活動については、次の優れた研究がある。村田京子『女がペンを執る時——19世紀フランス・女性職業作家の誕生』新評論、2011年。

＊31　Colette, *La Vagabonde*, dans *Œuvres*, Gallimard, « Bibliothèque de la Pléiade », t.I, 1984, p.1119. 邦訳はコレット『さすらいの女』大久保敏彦訳、二見書房、1973年。なお引用は拙訳。

＊32　*Ibid.*, p.1232.

＊33　Victor Margueritte, *La Garçonne*, Payot, 2013, p.69.

＊34　*Ibid.*, p.169.

第九章

＊1　この点についてはいくつかの研究がある。André Kaspi et Antoine Marès (sous la direction de), *Le Paris des étrangers depuis un siècle*, Imprimerie nationale, 1989; *Les Artistes étrangers à Paris : de la fin du Moyen Âge aux années 1920*, textes édités par Marie-Claude Chaudonneret, Peter Lang, 2007. 村上光彦『パリの誘惑——魅せられた異邦人』講談社現代新書、1992年。鹿島茂『パリの異邦人』中央公論新社、2008年。

＊2　マーク・トウェイン『イノセント・アブロード』(上)、勝浦吉雄・勝浦寿美訳、文化書房博文社、2004年、p.112。

＊3　同書、p.135。

＊4　ヂョーヂ・ムア『一青年の告白』崎山正毅訳、岩波文庫、1990年、pp.105-106。なお漢字、かなは現代の表記に改めた。

＊5　同書、第七—八章。

＊6　この点については、Jerrold Seigel, *op.cit.*, pp.231-232を参照のこと。

＊7　幕末から昭和にかけての日本人によるパリ体験については、次の著作が参考になる。芳賀徹『大君の使節——幕末日本人の西欧体験』中公新書、1968年。今橋映子『異都憧憬——日本人のパリ』柏書房、1993年。和田博文ほか『言語都市・パリ——1862-1945』藤原書店、2002年。和田博文ほか『パリ・日本人の心象地図——1867-1945』藤原書店、2004年。

yard, 2017. またベル・エポック期における絵画、音楽、演劇、文学の前衛運動を総合的に論じた優れた著作が、ロジャー・シャタック『祝宴の時代——ベル・エポックと「アヴァンギャルド」の誕生』木下哲夫訳、白水社、2015年、である。

*2 Francis Carco, *De Montmartre au Quartier latin*, Albin Michel, 1927, p.90. 邦訳はフランシス・カルコ『巴里芸術家放浪記』井上勇訳、講談社文芸文庫、1999年（初版は1972年）。なお引用は拙訳。

*3 Léon Daudet, *Paris vécu*, dans *Souvenirs et Polémiques*, Robert Laffont, « Bouquins », 2015, p.1023.

*4 *Le Petit Journal*, le 22 septembre 1907.

*5 Roland Dorgelès, *Bouquet de bohème*, Albin Michel, 1947, pp.18-19.

*6 Francis Carco, *Montmartre à vingt ans*, Genève, Édition du milieu du monde, 1942, p.314.

*7 Roland Dorgelès, *Montmartre, mon pays*, Marcelle Lesage, 1931, p.12.

*8 Francis Carco, *De Montmartre au Quartier latin*, pp.42-43.

*9 Roland Dorgelès, *Montmartre, mon pays*, pp.61-62.

*10 Roland Dorgelès, *Bouquet de bohème*, p.17.

*11 *Ibid.*, p.244.

*12 *Ibid.*, p.104. ピカソについては万巻の書物が綴られてきたので、ここで詳細に立ち入ることはしないが、彼のモンマルトル時代のボヘミアン生活については、次の記念碑的な伝記でも触れられている。ジョン・リチャードソン『ピカソ I ——神童 1881-1906』木下哲夫訳、白水社、2015年、19-24章。

*13 *Ibid.*, p.27.

*14 Francis Carco, *Mémoires d'une autre vie*, Genève, Édition du milieu du monde, 1942, pp.18-19.

*15 Francis Carco, *De Montmartre au Quartier latin*, p.10.

*16 *Ibid.*, p.25.

*17 Paul Valéry, « La Crise de l'esprit », *Variété*, dans *Œuvres*, Gallimard, « Bibliothèque de la Pléiade », t.I, 2010, p.988.

*18 Francis Carco, *De Montmartre au Quartier latin*, p.157.

*19 *Ibid.*, p.190.

*20 *Ibid.*, p.184.

*21 Francis Carco, *L'Ami des peintres*, Gallimard, 1953, p.137.

*22 画家を主人公とする伝記映画において、この悲劇化がなぜ、どのようになされているかについては次の著作に詳しい。岡田温司『映画と芸術と生と——スクリーンのなかの画家たち』筑摩書房、2018年。

*23 Francis Carco, *L'Ami des peintres*, p.148.

*24 Francis Carco, *De Montmartre au Quartier latin*, p.193.

*25 *Ibid.*, pp.245-246.

*26 Louis Aragon, *Anicet ou le Panorama*, dans *Œuvres romanesques complètes*, Gallimard, « Bibliothèque de la Pléiade », t.I, 1997, ch.I-II. 邦訳はルイ・アラゴン

第七章

＊1 ヴェルレーヌの伝記については次を参照した。ピエール・プチフィス『ポール・ヴェルレーヌ』平井啓之・野村喜和夫訳、筑摩書房、1988年。野内良三『ヴェルレーヌ　人と思想121』清水書院、2016年。

＊2 Lucien Aressy, *La Dernière Bohème. Verlaine et son milieu*, Jouve, 1944, p.34.

＊3 Cf. *Album zutique*, suivi de *Dixains réalistes*, présentation par Daniel Grojinowski et Denis Saint-Amand, GF-Flammarion, 2016.

＊4 Paul Verlaine, « Læti et errabundi » , *Parallèlement*, dans *Œuvres poétiques complètes*, Gallimard, « Bibliothèque de la Pléiade », 1996, p.525.

＊5 Arthur Rimbaud, « Ma bohême », dans *Œuvres complètes*, Gallimard, « Bibliothèque de la Pléiade », 2009, p.106.　訳文は次の邦訳に拠る。『ランボー全詩集』平井啓之・湯浅博雄・中地義和訳、青土社、1994年、p.79。

＊6 Verlaine, « Henri Murger », *Œuvres en prose complètes*, Gallimard, « Bibliothèque de la Pléiade », 1972, p.948.

＊7 Cf. Philippe Lejeune, *Le Pacte autobiographique*, Seuil, 1975. 邦訳はフィリップ・ルジュンヌ『自伝契約』花輪光監訳、水声社、1993年。

＊8 Verlaine, *Confessions*, dans *Œuvres en prose complètes*, p.465.

＊9 *Ibid.*, p.481.

＊10 *Ibid.*, p.501.

＊11 *Ibid.*, p.297.

＊12 Maurice Barrès, *Un homme libre*, « Préface de l'édition de 1904 », dans *Romans et voyages,* Robert Laffont, « Bouquins », 1994, p.91. バレスの三部作には次の邦訳がある。バレス『自我礼拝』伊吹武彦訳、中央公論社、1970年。なお本論中での引用は拙訳。

＊13 Maurice Barrès, « Les Funérailles de Paul Verlaine », *Le Figaro*, 10 janvier 1896.

＊14 Maurice Barrès, *Le Quartier latin : ces messieurs, ces dames*, Dalou, 1888, p.13.

＊15 Cf. Jerrold Seigel, *op.cit.*, pp.268-269.

＊16 Baudelaire, *Mon cœur mis à nu*, dans *Œuvres complètes*, Gallimard, « Bibliothèque de la Pléiade », t.I, 1980, p.701.

＊17 Maurice Barrès, *Les Déracinés*, Gallimard, « Folio », 1988, p.187.

＊18 *Ibid.*, p.178.

＊19 *Ibid.*, p.195.

＊20 *Ibid.*, p.193.

＊21 Maurice Barrès, *Un homme libre*, *op.cit.*, p.175.

＊22 Maurice Barrès, *Le Jardin de Bérénice*, *op.cit.*, pp.229-230.

＊23 *Ibid.*, pp.245-246.

第八章

＊1 ベル・エポックという名称の誕生と、その使用の歴史的推移については次の書に詳しい。Dominique Kalifa, *La Véritable histoire de la « Belle Époque »*, Fa-

« Bouquins », 2015, p.503.

＊6　Émile Goudeau, *op.cit.*, pp.89-90.

＊7　*Ibid.*, p.179.

＊8　Émile Goudeau, *Fleurs du bitume. Petits poèmes parisiens*, Alphonse Lemerre, 1878, p.177.

＊9　*Ibid.*, p.136.

＊10　*Ibid.*, p.77.

＊11　*Ibid.*, p.79.

＊12　Émile Goudeau, *Dix ans de bohème*, p.182.

＊13　これらの文学運動については、以下の著作を参照のこと。Daniel Grojinowski et Bernard Sarrazin, *L'Esprit fumiste et les Rires fin de siècle*, José Corti, 1990; Denis Saint-Amand, *La Littérature à l'ombre. Sociologie du Zutisme*, Classiques Garnier, 2013. 日本語による研究としては、田中晴子『フュミスム論』新書館、1999年。

＊14　Émile Goudeau, *Dix ans de bohème*, p.149.

＊15　*Ibid.*, pp.220-221の脚注で引用されている一節。

＊16　*Ibid.*, p.220.

＊17　*Ibid.*, p.258.

＊18　シャルル・クロは詩人というだけでなく、発明の才能にも恵まれていた。この多才な人物については日本語によるいくつかの評論がある。澁澤龍彦『悪魔のいる文学史――神秘家と狂詩人』(「シャルル・クロ――詩と発明」)、中公文庫、1982年。福田裕大『シャルル・クロ　詩人にして科学者――詩・蓄音機・色彩写真』水声社、2014年。鈴木雅雄『火星人にさよなら――異星人表象のアルケオロジー』水声社、2022年(第三章「シャルル・クロ、あるいは翻訳される身体」)。

＊19　キャバレー「シャ・ノワール」の活動を、同時代の文学集団との関連性という視点から論じたのが次の論考である。岡本夢子「文学研究の中の芸術キャバレー「シャ・ノワール」」、『フランス語フランス文学研究』No. 116・117、2020年、pp.35-51。

＊20　Félix Fénéon, *La Revue indépendante*, juillet 1888. *Contes du Chat noir*, choix et édition de Marine Degli, Gallimard, « Folio classique », 2021, « Préface », pp.9-10に引用されている一節。

＊21　以上3つの短編は次のとおり。Alphonse Allais, *Le Bon Amant*, *Nuits parisiennes. Le Criminel précautionneux*, *Un inventeur*, dans *Contes du Chat noir*, *ibid.*, pp.113-114, 241-243, 443-447.

＊22　André Breton, *Anthologie de l'humour noir*, dans *Œuvres complètes*, Gallimard, « Bibliothèque de la Pléiade », t.II, 1992, p.1019. 邦訳はアンドレ・ブルトン『黒いユーモア選集』窪田般彌・小海永二ほか訳、国文社、1968-69年。

＊23　*Ibid.*, pp.976-977.

＊24　シュルレアリスト作家たちによるクロの再評価については、福田裕大、前掲書、pp.168-173に詳しい。

＊2　Jules Vallès, *L'Insurgé*, dans *Œuvres*, Gallimard, « Bibliothèque de la Pléiade », t.II, 1990, pp.895-896. 邦訳は、ジュール・ヴァレース『パリ・コミューン』谷長茂訳、中央公論社、「世界の文学　25」、1965年。なお引用は拙訳。
＊3　Jules Vallès, « Un chapitre inédit de l'histoire du deux décembre », *Œuvres*, t.I, 1975, p.1076.
＊4　Jean-Paul Sartre, *L'Idiot de la famille*, t.III, Gallimard, 1972. 邦訳はジャン-ポール・サルトル『家の馬鹿息子――ギュスターヴ・フローベール論（1821年より1857年まで）』第5巻、鈴木道彦、海老坂武監訳、黒川学、坂井由加里、澤田直訳、人文書院、2021年。
＊5　Jules Vallès, *Œuvres*, t.I, p.1076.
＊6　Jules Vallès, *L'Insurgé*, p.889.
＊7　Jules Vallès, *Les Réfractaires*, dans *Œuvres*, t.I, pp.220-221.
＊8　*Ibid.*, p.198.
＊9　Jules Vallès, *L'Insurgé*, p.895.
＊10　Jules Vallès, « L'Exposition Courbet », *Littérature et révolution*, recueil de textes littéraires, préface et notes de Roger Bellet, Les Éditeurs Français Réunis, 1969, p.262.
＊11　Jules Vallès, « Un chapitre inédit de l'histoire du deux décembre », *Œuvres*, t.I, p.1079.
＊12　Jules Vallès, *Le Cri du peuple*, dans *Œuvres*, t.II, pp.49-50.
＊13　*Ibid.*, p.12.
＊14　Cf. Jerrold Seigel, *Paris bohème 1830-1930*, Gallimard, 1991, pp.202-203.
＊15　カール・マルクス『フランスにおける内乱』村田陽一訳、大月書店、1982年、pp.85-86。
＊16　Cf. Paul Lidsky, *Les Écrivains contre la Commune*, F. Maspéro, 1970.
＊17　Maxime Du Camp, *Les Convulsions de Paris*, Hachette, t.I, 1878, p.470.
＊18　Elme-Marie Caro, « La fin de la Bohème : les influences littéraires dans les derniers événements », *Revue des Deux Mondes*, 15 juillet 1871, p.241.
＊19　*Ibid.*, p.242.
＊20　*Ibid.*, p.248.

第六章

＊1　19世紀における文学的セナークルの推移、構成原理、活動形態については、次の著作が詳細に論じている。Anthony Glinoer et Vincent Laisney, *L'âge des cénacles. Confraternités littéraires et artistiques au XIXe siècle*, Fayard, 2013.
＊2　19世紀の文学と司法当局の葛藤については、次の著作が参考になる。Yvan Leclerc, *Crimes écrits. La littérature en procès au XIXe siècle*, Classiques Garnier, 2021.
＊3　Émile Goudeau, *Dix ans de bohème* (1888), Champ Vallon, 2000, p.83.
＊4　Alfred Delvau, *Les Plaisirs de Paris*, Seesam, 1991, pp.59-85.
＊5　Léon Daudet, *Salons et journaux*, dans *Souvenirs et polémiques*, Robert Laffont,

2巻、石井洋二郎訳、藤原書店、1995-96年。

＊2 Alphonse Daudet, *Quarante ans de Paris*, Éditions des Équateurs, 2011, pp.23-24. この著作は、『パリの三十年』*Trente ans de Paris* (1888) に、その後書かれた回想を付加して、作家の遺族の了承のもとに編まれた回想録の再版である。

＊3 Cf. *ibid.*, pp.24-28.

＊4 Edmond et Jules de Goncourt, *Journal. Mémoires de la vie littéraire*, Robert Laffont, « Bouquins », t.I, 1989, p.664. ゴンクール兄弟の日記には次の抄訳がある。『ゴンクールの日記』（上・下）、斎藤一郎編訳、岩波文庫、2010年。なお引用は拙訳。

＊5 *Ibid.*, p.171.

＊6 *Ibid.*, pp.317-318.

＊7 Edmond et Jules de Goncourt, *Charles Demailly*, GF-Flammarion, 2007, p.27.

＊8 *Ibid.*, pp.29-30.

＊9 Edmond et Jules de Goncourt, *Manette Salomon*, Gallimard, « Folio », 1996, pp.96-97.

＊10 *Ibid.*, p.470.

＊11 *Ibid.*, p.470.

＊12 *Ibid.*, pp.226-227.

＊13 Jean Rousset, « Une forme littéraire : le roman par lettres », dans *Forme et signification*, José Corti, 1976, pp.65-103.

＊14 Émile Zola, *La Confession de Claude*, dans *Œuvres complètes*, Cercle du livre précieux, t.1, 1967, p.75. 邦訳はエミール・ゾラ『クロードの告白』山田稔訳、『世界文学全集16　ゾラ』河出書房新社、1967年。なお引用は拙訳。

＊15 *Ibid.*, p.422.

＊16 Émile Zola, *Correspondance*, t.I, 1858-1867, Les Presses de l'Université de Montréal/Éditions du CNRS, 1978, p.151. なおゾラとセザンヌの間で交わされた書簡がまとめて刊行されている。Paul Cézanne/Émile Zola, *Lettres croisées 1858-1887*, Gallimard, 2016. その邦訳は『セザンヌ＝ゾラ往復書簡　1858-1887』吉田典子／高橋愛訳、法政大学出版局、2019年。

＊17 Claude Monet, « Mon histoire », *Le Temps*, 26 novembre 1900. Anthony Glinoer et Vincent Laisney, *L'âge des cénacles. Confraternités littéraires et artistiques au XIXe siècle*, Fayard, 2013, p.159 に引用。

＊18 Émile Zola, *Édouard Manet, étude biographique et critique* (1867), dans *Écrits sur l'art*, Gallimard, « Tel », 1991, p.143. 訳文は次の邦訳に拠る。エミール・ゾラ『美術論集』三浦篤・藤原貞朗訳、藤原書店、2010年、p.131。

＊19 *Ibid.*, p.145. 邦訳はp.133。

第五章

＊1 ジュール・ヴァレスの生涯については次の著作を参照した。Max Gallo, *Jules Vallès ou la révolte d'une vie*, Robert Laffont, 1988; Corinne Saminadayar-Perrin, *Jules Vallès*, Gallimard, 2013.

＊13　*Ibid.*, p.311.
＊14　*Ibid.*, pp.374-375.

第三章

＊１　Henri Murger, *Scènes de la vie de bohème*, p.291.
＊２　*Ibid.*, p.293.
＊３　Henri Murger, *Les Buveurs d'eau* (1855), Michel Lévy, 1857, pp.78-79.
＊４　Champfleury, *Chien-Caillou*, Martinon, 1847, p.20.
＊５　Champfleury, *Contes d'automne*, Victor Lecou, 1854, pp.339-340.
＊６　ナダールの青年時代については、次の著作を参照していただきたい。石井洋二郎『時代を「写した」男ナダール――1820-1910』藤原書店、2017年、特に第一部「ペンを手にしたボヘミアン」。小倉孝誠『写真家ナダール』中央公論新社、2016年、第1-2章。
＊７　Adrien Lelioux, Léon-Noël, Nadar, *Histoire de Murger pour servir à l'histoire de la vraie bohème, par trois buveurs d'eau*, J. Hetzel, 1862, dans *Les Bohèmes, 1840-1870*, Champ Vallon, p.452.　これはボヘミアン関連のテクストを集めたアンソロジーだが、ナダールらの著作は全文が掲載されている。
＊８　*Ibid.*, pp.435-436.
＊９　*Ibid.*, p.434.
＊10　*Ibid.*, p.447.
＊11　*Ibid.*, p.437.
＊12　Nadar, *Correspondance* 1820-1851, t.1, Nîmes, Jaqueline Chambon, 1998, pp.70-71.
＊13　Lucien de la Hodde, *Histoire des sociétés secrètes et du parti républicain de 1830 à 1848 : Louis Philippe et la Révolution de Février, portraits, scènes de conspirations, faits inconnus*, Julien Lanier, 1850, p.16.
＊14　*Ibid.*, p.14.
＊15　マルクス、『新ライン新聞』の記事（1850年）。次の著作に引用されている。ベンヤミン『パサージュ論　Ⅲ「都市の遊歩者」』今村仁司ほか訳、岩波書店、1994年、pp.285-286。
＊16　マルクス『ルイ・ボナパルトのブリュメール18日』植村邦彦訳、平凡社ライブラリー、2008年、p.104。
＊17　Flaubert, lettre à Mademoiselle Leroyer de Chantepie, 6 octobre 1864, *Correspondance*, Gallimard, « Bibliothèque de la Pléiade », t.III, 1991, p.409.
＊18　Flaubert, *L'Éducation sentimentale*, Garnier, 1984, p.302. 邦訳はフローベール『感情教育』生島遼一訳、岩波文庫、1971年ほか。なお引用は拙訳。
＊19　*Ibid.*, p.425.

第四章

＊１　Pierre Bourdieu, *Les Règles de l'art. Genèse et structure du champ littéraire*, Seuil, 1992. 特にその第一部。邦訳はピエール・ブルデュー『芸術の規則』全

＊11 Arsène Houssaye, *Les Confessions. Souvenirs d'un demi-siècle 1830-1880*, Genève, Slatkine Reprints, 1971, t.1, p.299.
＊12 *Ibid.*, p.305.
＊13 *Ibid.*, p.307.
＊14 *Ibid.*, p.310.
＊15 Théophile Gautier, *La Presse*, 26 novembre 1849. Paul Bénichou, *L'École du désenchantement*, Gallimard, 1992, p.497 に引用。
＊16 Gérard de Nerval, *Correspondance*, dans *Œuvres complètes*, Gallimard, « Bibliothèque de la Pléiade », t.I, 1989, p.1325.
＊17 Henry Monnier, *Physiologie du bourgeois*, Aubert, 1841, pp.9-10.
＊18 Flavius, *Physiologie du poète*, Aubert, 1842, p.VIII.
＊19 Balzac, *Un prince de la bohème*, dans *La Comédie humaine*, Gallimard, « Bibliothèque de la Pléiade », t.VII, 1977, p.808.
＊20 *Ibid.*, p.809.
＊21 Félix Pyat, « Les artistes », *Nouveau tableau de Paris au XIXe siècle*, Béchet, t.IV, 1834, p.9.
＊22 *Ibid.*, p.18.

第二章

＊1 19世紀半ばのパリの出版事情については、次の研究を参照のこと。Roger Chartier et Henri-Jean Martin (sous la direction de), *Histoire de l'édition française*, t.3, « Le temps des éditeurs. Du romantisme à la Belle Époque », Fayard, 1990. 鹿島茂『新聞王ジラルダン』筑摩書房、1991年。宮下志朗『読書の首都パリ』みすず書房、1998年。
＊2 Henri Murger et Théodore Barrière, *La Vie de bohème* (1849), Michel Lévy, 1860, pp.11-12.
＊3 Henri Murger, *Scènes de la vie de bohème*, Gallimard, « Folio », 1988, p.34. 邦訳はアンリ・ミュルジェール『ラ・ボエーム』辻村永樹訳、光文社古典新訳文庫、2019年。なお引用は拙訳。
＊4 *Ibid.*, pp.35, 39.
＊5 *Ibid.*, pp.80-81.
＊6 *Ibid.*, p.237.
＊7 ユルゲン・ハーバーマス『公共性の構造転換』細谷貞雄・山田正行訳、未来社、1973年。
＊8 Louis Huart, *Physiologie de la grisette*, Aubert, 1841, p.47.
＊9 Henri Murger, *Scènes de la vie de bohème*, p.238.
＊10 Maurice Alhoy, *Physiologie de la lorette*, Aubert, 1841.
＊11 Edmond Texier, *Tableau de Paris*, Librairie de l'Illustration, 2vol., 1852-1853, ch.64, « Les grisettes et les lorettes ». なおこの著作は、アティーナ・プレス社から2010年に復刻版が刊行されている。
＊12 Henri Murger, *Scènes de la vie de bohème*, p.120.

注

序文

＊1　水谷驍『ジプシー――歴史・社会・文化』平凡社新書、2006年。

第一章

＊1　L. S. Mercier, *Tableau de Paris* (12vol., 1789), t.VIII, p.39. Robert Darnton, *Bohème littéraire et Révolution*, Gallimard, « Tel », 2010, p.64に引用されている。邦訳は、ロバート・ダーントン『革命前夜の地下出版』関根素子・二宮宏之訳、岩波書店、2000年、p.26。なお邦訳は英語の原著にもとづくもので、仏語版は若干異なる。

＊2　ロバート・ダーントン『革命前夜の地下出版』、p.93。仏語版ではpp.110-111。

＊3　鉄道とそれがもたらした加速化については、いくつかの研究がある。ヴォルフガング・シヴェルブシュ『鉄道旅行の歴史』加藤二郎訳、法政大学出版局、1982年。Christophe Studeny, *L'Invention de la vitesse. France, XVIIIe-XXe siècle*, Gallimard, 1995. 北河大次郎『近代都市パリの誕生――鉄道・メトロ時代の熱狂』河出書房新社、2010年。

＊4　Sainte-Beuve, « De la littérature industrielle », *Revue des Deux Mondes*, 1er septembre 1839. Sainte-Beuve, *Pour la critique*, Gallimard, « Folio Essais », 1992, p.207.

＊5　Louis Chevalier, *Classes laborieuses et classes dangereuses à Paris pendant la première moitié du XIXe siècle*, Plon, 1958. 邦訳はルイ・シュヴァリエ『労働階級と危険な階級』喜安朗ほか訳、みすず書房、1993年。

＊6　Eugène Sue, *Les Mystères de Paris*, Robert Laffont, coll. « Bouquins », 1989, p.31. なおシューと『パリの秘密』の社会史的意義については、次の拙著を参照していただきたい。小倉孝誠『『パリの秘密』の社会史――ウージェーヌ・シューと新聞小説の時代』新曜社、2004年。

＊7　Adolphe d'Ennery et Eugène Grangé, *Les Bohémiens de Paris*, Imprimerie de Dubuisson, 1843, p.8.

＊8　この点については次の優れた研究を参照のこと。Dominique Kalifa, *Les Bas-fonds. Histoire d'un imaginaire*, Seuil, 2013, pp.107-142, 241-248.

＊9　Cf. Paul Bénichou, *Le Sacre de l'écrivain 1750-1830*, José Corti, 1973. 邦訳はポール・ベニシュー『作家の聖別――一七五〇―一八三〇年：近代フランスにおける世俗の精神的権力到来をめぐる試論』片岡大右、原大地、辻川慶子、古城毅訳、水声社、2015年。*Le Temps des prophètes. Doctrines de l'âge romantique*, Gallimard, 1977.

＊10　Théophile Gautier, *Les Jeunes-France*, dans *Romans, contes et nouvelles*, Gallimard, « Bibliothèque de la Pléiade », t.I, 2002, p.22. なおゴーチエの青年時代については、次の著作が有益である。井村実名子『フランスロマン派1833年――ゴーチエの青春』花神社、1985年。

イブラリー、2008年。

――『フランスにおける内乱』村田陽一訳、大月書店、1982年。

宮下志朗『読書の首都パリ』みすず書房、1998年。

横張誠『芸術と策謀のパリ　ナポレオン三世時代の怪しい男たち』講談社選書メチエ、1999年。

美術史

高階秀爾「近代における芸術と人間」、『西欧芸術の精神』所収、青土社、1993年。

――『世紀末芸術』ちくま学芸文庫、2008年。

三浦篤『近代芸術家の表象――マネ、ファンタン＝ラトゥールと1860年代のフランス絵画』東京大学出版会、2006年。

ジョン・リチャードソン『ピカソⅠ――神童1881-1906』木下哲夫訳、白水社、2015年。

パリと外国人

Les Artistes étrangers à Paris : de la fin du Moyen Âge aux années 1920, textes édités par Marie-Claude Chaudonneret, Peter Lang, 2007.

Kaspi, André et Marès, Antoine (sous la direction de), *Le Paris des étrangers depuis un siècle*, Imprimerie nationale, 1989.

今橋映子『異都憧憬――日本人のパリ』柏書房、1993年。

鹿島茂『パリの異邦人』中央公論新社、2008年。

芳賀徹『大君の使節――幕末日本人の西欧体験』中公新書、1968年。

村上光彦『パリの誘惑――魅せられた異邦人』講談社現代新書、1992年。

ウィリアム・ワイザー『祝祭と狂乱の日々――1920年代パリ』岩崎力訳、河出書房新社、1986年。

和田博文ほか『言語都市・パリ――1862-1945』藤原書店、2002年。

――『パリ・日本人の心象地図――1867-1945』藤原書店、2004年。

福田裕大『シャルル・クロ　詩人にして科学者――詩・蓄音機・色彩写真』水声社、2014年。
村田京子『女がペンを執る時――19世紀フランス・女性職業作家の誕生』新評論、2011年。

文化史・社会史

Bourdieu, Pierre, *Les Règles de l'art. Genèse et structure du champ littéraire*, Seuil, 1992. 邦訳はピエール・ブルデュー『芸術の規則』全2巻、石井洋二郎訳、藤原書店、1995-96年。
Caron, Jean-Claude, *Générations romantiques : les étudiants de Paris et le Quartier latin 1814-1851*, Armand Colin, 1991.
Chartier, Roger et Martin, Henri-Jean (sous la direction de), *Histoire de l'édition française*, t.3, « Le temps des éditeurs. Du romantisme à la Belle Époque », Fayard, 1990.
Chevalier, Louis, *Classes laborieuses et classes dangereuses à Paris pendant la première moitié du XIXe siècle*, Plon, 1958. 邦訳はルイ・シュヴァリエ『労働階級と危険な階級』喜安朗ほか訳、みすず書房、1993年。
———, *Montmartre du plaisir et du crime*, Robert Laffont, 1980. 邦訳はルイ・シュヴァリエ『歓楽と犯罪のモンマルトル』(上・下)、河盛好蔵ほか訳、ちくま学芸文庫、1999年。
Heinich, Nathalie, *L'élite artiste. Excellence et singularité en régime démocratique*, Gallimard, 2005.
Kalifa, Dominique/Régnier, Philippe/Thérenty, Marie-Ève/Vaillant, Alain, *La Civilisation du journal. Histoire culturelle et littéraire de la presse française au XIXe siècle,* Nouveau Monde éditions, 2011.
Kalifa, Dominique, *Les Bas-Fonds. Histoire d'un imaginaire*, Seuil, 2013.
———, *La Véritable histoire de la « Belle Époque »*, Fayard, 2017.
Martin-Fugier, Anne, *Les Romantiques 1820-1848*, Hachette, 1998.
———, *La Vie d'artiste au XIXe siècle*, Louis Audibert, 2007.
岡田温司『映画と芸術と生と――スクリーンのなかの画家たち』筑摩書房、2018年。
小倉孝誠『逸脱の文化史――近代の〈女らしさ〉と〈男らしさ〉』慶應義塾大学出版会、2019年。
ジークフリート・クラカウアー『天国と地獄――ジャック・オッフェンバックと同時代のパリ』平井正訳、ちくま学芸文庫、1995年。
ロジャー・シャタック『祝宴の時代――ベル・エポックと「アヴァンギャルド」の誕生』木下哲夫訳、白水社、2015年。
ヴァルター・ベンヤミン『パサージュ論』全5巻、今村仁司・三島憲一ほか訳、岩波書店、1993-95年。仏語版はWalter Benjamin, *Paris, capitale du XIXe siècle. Le livre des passages*, Les Éditions du Cerf, 1989.
———『ボードレール』野村修編訳、岩波文庫、1994年。
カール・マルクス『ルイ・ボナパルトのブリュメール18日』植村邦彦訳、平凡社ラ俗の精神的権力到来をめぐる試論』片岡大右、原大地、辻川慶子、古城毅訳、水声社、2015年。

――, *L'école du désenchantement. Sainte-Beuve, Nodier, Musset, Nerval, Gautier*, Gallimard, 1992.

Cassagne, Albert, *La Théorie de l'art pour l'art en France* (1905), Lucien Dorbon, 1959.

Citron, Pierre, *La Poésie de Paris dans la littérature française de Rousseau à Baudelaire,* 2vol., Minuit, 1961.

La Fantaisie post-romantique, textes réunis et présentés par Jean-Louis Cabanès et Jean-Pierre Saïdah, Presses Universitaires du Mirail, 2003.

Glinoer, Anthony et Laisney, Vincent, *L'âge des cénacles. Confraternités littéraires et artistiques au XIXe siècle*, Fayard, 2013.

Goulemot, Jean-Marie et Oster, Daniel, *Gens de lettres, écrivains et bohèmes. L'imaginaire littéraire 1630-1900*, Minerve, 1992.

Grojinowski, Daniel et Sarrazin, Bernard, *L'Esprit fumiste et les Rires fin de siècle*, José Corti, 1990.

Leclerc, Yvan, *Crimes écrits. La littérature en procès au XIXe siècle*, Classiques Garnier, 2021.

Lejeune, Philippe, *Le Pacte autobiographique*, Seuil, 1975. 邦訳はフィリップ・ルジュンヌ『自伝契約』花輪光監訳、水声社、1993年。

Lidsky, Paul, *Les Écrivains contre la Commune*, F. Maspéro, 1970.

Maigron, Louis, *Le Romantisme et les mœurs*, Honoré Champion, 1910.

Nesci, Catherine, *Le Flâneur et les flâneuses. Les femmes et la ville à l'époque romantique*, ELLUG, 2007.

Saint-Amand, Denis, *La Littérature à l'ombre. Sociologie du Zutisme*, Classiques Garnier, 2013.

Thérenty, Marie-Ève, *La Littérature au quotidien. Poétiques journalistiques au XIXe siècle*, Seuil, 2007.

阿部良雄『シャルル・ボードレール――現代性の成立』河出書房新社、1995年。

石井洋二郎『時代を「写した」男ナダール――1820-1910』藤原書店、2017年。

小倉孝誠『写真家ナダール』中央公論新社、2016年。

私市保彦『名編集者エッツェルと巨匠たち――フランス文学秘史』新曜社、2007年。

澁澤龍彦『悪魔のいる文学史――神秘家と狂詩人』中公文庫、1982年。

鈴木雅雄『火星人にさよなら――異星人表象のアルケオロジー』水声社、2022年。

諏訪優『ビート・ジェネレーション』紀伊國屋書店、1980年。

田中晴子『フュミスム論』新書館、1999年。

ロバート・ダーントン『革命前夜の地下出版』関根素子・二宮宏之訳、岩波書店、2000年。仏語版は、Robert Darnton, *Bohème littéraire et Révolution*, Gallimard, « Tel », 2010。

塚原史『ダダ・シュルレアリスムの時代』ちくま学芸文庫、2003年。

野内良三『ヴェルレーヌ　人と思想121』清水書院、2016年。

参考文献一覧

この参考文献一覧は網羅的なものではない。本文で論じた文学作品、作家の回想録および個別の研究論文の出典は注で明示しておいたので、ここには収めない。ボヘミアンおよびその周辺を論じた単行本、ボヘミアン文化に関連する文学史的な著作、19世紀～20世紀初頭を対象とするフランスの文化史、社会史関連の文献を中心にして、注で言及した著作もあらためてリスト化した。

ボヘミアンの文化と歴史

Aressy, Lucien, *La Dernière Bohème. Verlaine et son milieu* (1923), nouvelle édition, Jouve, 1944.

Bedu, Jean-Jacques, *Bohèmes en prose*, Grasset, 2009.

Les Bohèmes 1840-1870. Écrivains - journalistes - artistes, Anthologie réalisée et annotée par Jean-Didier Wagneur et Françoise Cestor, Champ Vallon, 2012.

Brissette, Pascal et Glinoer, Anthony (sous la direction de), *Bohème sans frontière*, Presses Universitaires de Rennes, 2010.

Crespelle, Jean-Paul, *La Vie quotidienne à Montparnasse à la grande époque, 1905-1930*, Hachette, 1976.

Franck, Dan, *Le Temps des bohèmes*, Grasset, 2015.

Gluck, Mary, *Popular Bohemia. Modernism and Urban Culture in Nineteenth-Century Paris*, Cambridge, Harvard University Press, 2005.

Labracherie, Pierre, *La Vie quotidienne de la bohème littéraire au XIXe siècle*, Hachette, 1967.

Lambert, Jacques, *La Vraie bohème des artistes de Montmartre et Montparnasse 1900-1939*, Éditions de Paris, 2014.

Matot, Bertrand, *Paris Bohèmes 1830-1960*, Parigramme, 2021.

Moussa, Sarga (sous la direction de), *Le Mythe des Bohémiens dans la littérature et les arts en Europe*, L'Harmattan, 2008.

Seigel, Jerrold, *Paris bohème 1830-1930*, Gallimard, 1991. *Bohemian Paris. Culture, Politics and the Boundaries of Bourgeois Life*, Viking Penguin Inc., 1986 のフランス語訳。

La vie de Bohème, catalogue établi et rédigé par Luce Abélès, Éditions de la Réunion des musées nationaux, 1986.

宇佐美承『池袋モンパルナス』集英社、1990年。

トマ•ルグラン／ロール・ヴァトラン『100語でわかるBOBO』村松恭平訳、白水社文庫クセジュ、2020年。

文学史

Bénichou, Paul, *Le Sacre de l'écrivain 1750-1830*, José Corti, 1973. 邦訳はポール・ベニシュー『作家の聖別――一七五〇――一八三〇年：近代フランスにおける世

■著者
小倉孝誠（おぐら こうせい）
1956年生まれ。東京大学大学院博士課程中退、文学博士（パリ・ソルボンヌ大学）。現在、慶應義塾大学教授。近代フランスの文学と文化史を研究。著書に、『批評理論を学ぶ人のために』（編、世界思想社）、『歴史をどう語るか』（法政大学出版局）、『世界文学へのいざない』（編著、新曜社）、『ゾラと近代フランス』（白水社）、『写真家ナダール』『愛の情景』（ともに中央公論新社）、『犯罪者の自伝を読む』（平凡社新書）など。訳書に、コルバンほか編『感情の歴史 Ⅱ・Ⅲ』（監訳）、コルバン『静寂と沈黙の歴史』（共訳、ともに藤原書店）、ユゴー『死刑囚最後の日』（光文社古典新訳文庫）、ラスネール『ラスネール回想録』（共訳、平凡社ライブラリー）、ユルスナール『北の古文書』（白水社）、バルザック『あら皮』（藤原書店）など多数。

ボヘミアンの文化史
パリに生きた作家と芸術家たち

2024年1月17日　初版第1刷発行

著　者　小倉孝誠
発行者　下中順平
発行所　株式会社平凡社
〒101-0051 東京都千代田区神田神保町3-29
電話（03）3230-6573［営業］
ホームページ https://www.heibonsha.co.jp/
装幀者　岡本洋平（岡本デザイン室）
ＤＴＰ　有限会社ダイワコムズ
印　刷　株式会社東京印書館
製　本　大口製本印刷株式会社

ISBN978-4-582-83939-5

【お問い合わせ】
本書の内容に関するお問い合わせは
弊社お問い合わせフォームをご利用ください。
https://www.heibonsha.co.jp/contact/